元明清戲曲搬演論研究

——以曲牌體戲曲為範疇

李 惠 綿 著

戲 曲 研 究 系 列
曾 永 義 主 編

文史哲出版社印行

國家圖書館出版品預行編目資料

元明清戲曲搬演論研究：以曲牌體戲曲為範疇 / 李惠綿著. -- 初版. -- 臺北市：文史哲, 民 87
面； 公分. -- (戲曲研究系列 ; 1)
參考書目：面
ISBN 957-549-180-7(平裝)

1.中國戲曲 - 歷史與批評 - 元（1260-1368）
2.中國戲曲 - 歷史與批評 - 明（1368-1644）
3.中國戲曲 - 歷史與批評 - 清（1644-1912）

824.857　　87016247

戲曲研究系列 ①

曾永義主編

元明清戲曲搬演論研究

—— 以曲牌體戲曲為範疇

著　者：李　惠　綿
出版者：文史哲出版社
登記證字號：行政院新聞局版臺業字五三三七號
發行人：彭　正　雄
發行所：文史哲出版社
印刷者：文史哲出版社
臺北市羅斯福路一段七十二巷四號
郵政劃撥帳號：一六一八〇一七五
電話 886-2-23511028・傳眞 886-2-23965656
實價新臺幣五〇〇元

中華民國八十七年十二月初版

ISBN 957-549-180-7

曾 序

文史哲出版社負責人彭正雄先生，在我心目中是個「傻子」。我常說當今充滿「聰明人」要一夜成名一日致富掠勢奪權無所不用其極的社會裏，要找一個「傻子」，眞比礦脈中挖顆鑽石還難。彭先生的「傻」，是長年以來不計成本選擇最冷門的文史哲全家動員的來爲學界服務，所以他出的書，儘是品質高銷路差的學術著作，但也爲此嘉惠了許多讀書人，他也成爲大家的朋友。

某次相見，我問彭先生是否繼續「傻」下去？有我近年指導的博碩士論文，都屬戲曲研究，共六本，可成一系列，保證具水準、有創發，尤其論題新，可供學者參考。彭先生即刻答應，說：「你開口了，我會猶疑嗎？」而我深信，我這六位學生是不會辜負彭先生提攜之美意的。

被收在文史哲《戲曲研究系列》的六本論文，有兩本博士論文四本碩士論文。其著者有李惠綿、蔡欣欣兩位現任大學副教授，其餘許子漢、游宗蓉、林宗毅、郝譽翔等四位正攻讀博士學位。

李惠綿在他們六位中年輩稍高，由臺大中文系所學士、碩士、博士一路上來。她雖然因小兒麻痺症行動不便，但治學做事教書認眞負責，一如常人。她做研究生時，得過教育部學術論文獎和散文創作獎；負責編輯《關漢卿國際學術研討會論文集》，她於十個月內就使之出版；兼任講師教大一國文時，陳校長曾經特別寫信感謝她，由於她的愛心和鍥而不捨，挽救了一個要拋棄自己的學生。我稱惠綿叫「萬靈丹」，因爲許多我胡塗或偷懶的事，找她幫忙，都可以獲得解決。我的老師王叔岷教授高齡八十有三，屢次向我嘉許惠綿，說她讀書、做人都非常好。她唯一的毛病是非常熱心，因此不免也有失落的惆悵。

惠綿研究戲曲，主攻理論。我說一般研究戲曲理論的，多不以問題爲主軸作系統性的探討，每致支離破碎，甚至不知所云。我要惠綿將環繞論題的課題一一找出，然後從縱橫兩剖面去全盤分析和歸納，融會貫通述其來龍去脈，如此對學術才有眞貢獻。惠綿碩士論文《王驥德曲論研究》、博士論文《元明清戲曲搬演論研究》便因此都採取了這種主題式的研究方法。

惠綿的碩士論文已由臺大文學院文史叢刊出版。她博士論文的題目，我原本給的是「元明清劇學研究」。所以給她大題目，是因爲我認爲涉獵要從廣博入手，才能選取最有心得的菁華來結撰成篇，且可以避免因執其一隅而有顧此失彼的弊病。惠綿雖然只提出劇學中的「搬演論」做爲博士論文，但就分量而言，已綽綽有餘。因爲劇場上搬演，以演員爲主體，而戲曲演員必兼備「唱做念打」的技藝，以充任腳色行當，扮飾劇中人物，使之「形神合一」，倘又具姿容之美，則堪稱「色藝雙全」。惠綿經此理念架構了色藝論、度曲論、曲白論、身段論、腳色論、形神論六大主題。實以色藝論爲綱領，由「藝」之觀點而開展出度曲論等四大主題，而以形神論統合，說明由藝入道的歷程，也象徵表演藝術的最高境界。這六大主題環環相扣，首尾呼應，無不貫穿元明清三代，以剖析其精義、掌握其旨趣，以見其源流脈絡。也因此能於時賢所講究之京戲搬演經驗與規律之外，並以雜劇、戲文、傳奇、崑劇爲對象內涵而廣開視野、建立體系，其成果自然有令人刮目相看的地方。

惠綿爲了做這個題目，文獻資料之外，還看了許多舞臺和錄影帶中的戲曲演出；爲了「度曲論」要弄通語言聲韻學，向楊秀芳教授請教，獲得了不少啓示。

記得民國七十九年夏日我首次到上海，杯酒之間和上海戲劇學院的陳多教授談到彼此所指導的研究生，沒想李惠綿和葉長海的博碩士論文，題目幾乎相同。他們如出一轍的都以王驥德的曲學爲碩士論文，緊接的博士論文，葉長海以《中國戲劇學史稿》，李惠綿也初擬「元明清劇學研究」，其題目也甚爲相近。往昔海峽兩岸互相禁閉，學術訊息極難交流，所以陳多先生和我都認爲我們這兩位指導教授，眞是「英雄所見」。葉長海教授是戲曲學術界的菁英，所著自不同凡響；惠綿年紀雖然較輕，著作的出版也較晚，但研究方法不同，當然也有可觀。

蔡欣欣的文學士、碩士、博士都在政治大學獲得。我對於其他大學研究生找我指導論文，有個起碼的條件，即必須至少到臺大聽我一門課，因爲我覺得這樣才叫「親炙」。不止老師要知道學生的讀書能力；學生更要了解老師的治學態度方法與性情襟抱爲人。學生對於老師，好的方面多學習，壞的方面也要避免。

欣欣在臺大聽了我兩年的課，參加我主持的研究計畫做田野調查工作；並協助洪惟助教授和我兩度到大陸蘇州 、 南京、上海、杭州、郴州、北京去錄製六大崑劇團的代表劇目作爲「崑劇選粹」，凡一百三十三齣。這些龐大的崑劇經典戲可作教學、觀賞、研究之用。欣欣不辭勞苦，爲崑劇藝術文化的保存和傳揚，盡了很大的力氣。

欣欣的碩士論文是《臺灣地區現存雜技考述》，所以給她這樣的題目，一方面是因為那時我正用心用力從事臺灣民俗技藝的維護與發揚工作，請她加入行列，從田野的實務經驗去採擷學術的具體資料，是極有意義的事，而對此，友人吳騰達教授給她不少協助；另一方面我認為戲曲和雜技的關係非常密切，有此為基礎，可以作進一步的研究。欣欣果然以《雜技與戲曲發展之研究》作為博士論文。

欣欣的碩士論文可以說是記錄和探討臺灣民間雜技較為深入和完整的著作。她的博士論文，也尚沒有人這樣深入的寫過。只是和李惠綿一樣，也因為我給的題目太大，所以截取「從先秦角觝到元代雜劇」這部分提出。其實要探討雜技和戲曲發展的關係，非常的煩雜。單就資料而言，要從歷代筆記叢談去篩檢散樂百戲的相關記載，以便了解雜技在各時代的面貌；要從戲曲史論、戲曲理論、劇場藝術，以及劇種演進規律等專論和著作為基礎，用來建構雜技與戲曲之間互為脈動的關係；還要蒐集各種相關的考古文物圖版、出土研究報告，以此來和文獻相印證；同時也要涉獵中國音樂、舞蹈、曲藝、體育、武術等相關學科，求其更周延地關照到雜技與戲曲的關聯。而最重要的是從劇本中找直接資料，所以在閱讀浩繁的劇本時，不可絲毫苟且。對此，欣欣都努力做到了，她的戲曲根基也因此打得很堅實；而她對此論題的研究又能界定以結合社火歌舞，或搭配武術競技，或運用說唱藝術，具有耍弄戲玩、驚險奇幻的「雜耍特技」為主體，探究戲曲從先秦角觝到元代雜劇的發展中，雜技對於戲曲的題材內容、武打技藝、歌舞身段、腳色行當、妝扮穿關等方面的影響，給予雜技在中國戲曲上應有的地位，並建立其與戲曲發展交流的脈絡體系。就因爲欣欣以如此辛勤的功夫和周密的思考，所以她的論文像個有機體，體系網絡完備而靈動，證據確鑿，頗有前賢所未及之言，對學術自然有很大的貢獻。

記得欣欣曾向我說，醫生認爲她免疫系統失調不適宜懷孕，而她懷孕了。我說，一個小生命到你身上來，你就要好好的完成他；你一年不必上課、不必做論文，全心全力去面對，一定會順利。果然，欣欣母子均安，他先生和家人以及我們都很高興。而欣欣做事是傾其所能的，包括把看戲關涉到戲劇研究，她就古今中外無所不看。我只希望她多留意身體的「老毛病」，好讓關愛她的人放心。

許子漢在中文系很特出，他之進入中文系，比起我當年更值得「稱道」。我念台南一中，物理有時還考全班第一，數學化學也不差，只因爲英文五音不全，就毅然決然以臺大中文系爲第一志願，幸運的得爲榜首。許子漢則是他那年大專聯考的甲組狀元，臺大電機系的第一名，竟轉到中文系來。我不知道子漢是否和我一樣，曾被師長同學親友議論甚至嘲笑，說是「自我栽進冷門科系」。但子漢到中文系來同樣「氣勢如虹」，「第一」和他結了不解之緣，無論學期成績或入學成績，他都「第一」到底，連李惠綿所保持的博士班入學考試超過平均八十分的紀錄都被他打破了。而子漢一點驕氣也沒有，他的學姊最喜歡找他「麻煩」，不管如何費心費力，他從不推辭。他讀書也都能自給自足，無須家裏接濟。他參加我主持的「古蹟與民藝」展演工作，北中南奔波，都能做得很完好。

子漢的碩士論文是《元雜劇聯套研究》。元雜劇的規律謹嚴，就套式而言，那些曲牌在前，那些曲牌在後，那些曲牌要連用，以及其與宮調聲情，如何配搭劇情，都有一定的規矩，隨意不得。對於聯套規律的研究，前人大抵只及於表象且未盡全體，直到鄭師因百《北曲套式彙錄詳解》，才作完整的觀察。子漢就在因百師的基礎上更進一步深入研究，他的可貴處是能將套式與劇情結合，考察其中的關係，從而歸納出各宮調所適用劇情之形態，並與元人芝菴《唱論》之「宮調聲情說」相印證，以祛學者之疑。也因此，子漢能發現聯套單位之層次爲「曲牌與曲段」，聯套規律有獨用或連用、必要性、使用次數、排列次序等四項要素，聯套單位有一般情節鋪敘、反覆情節之鋪敘、平緩情節之鋪敘、劇情轉變之鋪敘、補綴唱段、高潮唱段、場面引導、場面之收束或區隔等八種用法。子漢這本論文可以說是目前研究元雜劇聯套最詳密的著作，很值得學者參考。

記得去年春天，我和子漢在台大長興街宿舍的庭院散步。那時我正寫作一篇散文，題爲「宿舍的園林」，描寫前年九月被颱風摧殘前後的園林景況。我對園林中好些樹木的名字不清楚，便隨意問問子漢。沒想他幾乎無所不知的一一告訴我。我很詫異，他說室友有念植物系的，平時常向他們請教。即此可見子漢的好學，也難怪他「一路第一」，雖然研究戲曲，其他科目的造詣也都很好。

游宗蓉師專畢業，在小學教過書，插班臺大中文系，碩士班選我課時，我就看出她很用功，讀書富於心得，一直到現在，我仍給她最高分數，去年她也以第一名考取博士班。她不太說話，掛電話到史坦福大學給我，也只有三言兩語；但事情交給她做，無不做得整整齊齊，她的每篇期末報告，都可以當論文發表。

宗蓉的碩士論文《元雜劇排場研究》，和子漢的《元雜劇聯套研究》，簡直是「蓮開並蒂」，而他們正是一對新婚未久的夫妻。

宗蓉和子漢的結合，多少和我這個老師有些關係。我對他們兩位很欣賞，又覺得他們的性情和對表演藝術的喜好都頗爲接近。於是我有意安排他們一起爲我整理研究室，我家裏書房和學校研究室之亂都簡直成「書災」，子漢和宗蓉光爲我一張書桌和它周圍所堆積的書本，就足足用了三天的功夫，方才把它遷移到新闢的戲曲研究室裏。過了些時日，我和子漢閒話，問他有沒有女朋友，他說有，再問他是誰，他有點靦腆的說是宗蓉。從此我常給他們戲劇音樂舞蹈的入場券，好讓他們可以攜手同賞，他們和欣欣一樣，因研究戲曲，無戲不看。

宗蓉這篇論文的緣起，是我常在課堂上強調「排場」的重要，認爲眞正的戲曲結構在排場的處理，鑑賞戲曲也應當從排場入手。今人論戲曲結構但講情節布置，就與小說不殊；評騭戲曲優劣偏重曲文，就等同詩詞。宗蓉因此乃就二百三十五本元代和元明間的雜劇詳加剖析，將元雜劇的排場劃分標準分爲基本與變化兩種原則；歸納排場轉移爲基本模式、時空轉換、人物更替等三種模式，並討論其與套式變化之間的相應關係；而以關目分量的輕重爲首要基準，分元雜劇排場爲引場、主場、過場、短場、收場五種類型，同時討論其對全劇的作用，及其與腳色人物、套式、賓白、科汎、穿關等之間的互動關聯；而元雜劇的一個排場結構，以起中合三段式爲基型，由此又可進一步分爲單式與複式兩種結構型式。最後宗蓉又就元雜劇全本排場的承轉配搭規律加以條理，區分各類型態，從而說明各種型態對搬演效果的影響。

元雜劇排場的研究由我發其端緒，徐扶明先生亦有相同的見解，現在宗蓉的這本論文可以說鉅細靡遺完完全全的把這個問題探究了；而如果能與子漢的論文並觀，則更可以相得益彰。我很高興他夫妻倆能徹底遍讀元雜劇，現在宗蓉加入我為教育部所做的「俗文學教材編輯計畫」，並且正以「元明雜劇比較研究」作為博士論文題目，進行研究；子漢則以「明清傳奇排場研究」為題，埋頭撰寫博士論文，看他們夫妻研究學問照樣相攜並舉、亦步亦趨，我不禁油然心喜。

林宗毅也是臺大中文系所到博士班一路上來，他與子漢同年級。我想他的純樸木訥是祖傳的，理由是他和李栩鈺結婚時，用了一部遊覽車把師長同學從台北請到台中，可見他一家人的誠懇；但是他和家人卻不知如何接待客人，連我這個證婚人都要在雙方家長面前自我介紹一番，也因此我常在師生聚會杯酒談心時，要他如何向人表示敬意。試想社會不離人際關係，應當要懂得起碼的應對，否則彼此就難於了解和溝通。

宗毅的性情也因為純樸木訥，所以讀起書來很能聚精會神，對於很煩瑣的問題都能耐心的處理和解決。我看清這點，所以當他找我做碩士論文時，我說，《西廂記》是北雜劇最著名的作品，版本之多，問題之雜，以及相關學術論述之難計其數，眞教人望而生畏；但如果勇敢的向它挑戰，用主題學的方法，釐清《西廂記》研究的來龍去脈，逐一論其功過得失而參以己見，所謂「西廂學」必可逐步建立。我又說，你正富於春秋，前輩的成果已擺在那裏，趕緊投入，就能夠及早建立「西廂學」。

宗毅於是將《西廂記》所存在的問題逐一檢閱之後，選擇兩個問題作深入的探討，而以《西廂記二論》為碩士論文。其第一論「西廂記之淵源、改編和主題異動」，將六百年來共三十四家

《西廂記》的續作和改編本，就其本事來源、情節內容和流變歷程進行考證和分析，從而分類探討其主題異動的情形。其第二論「西廂記版本所具之深層意義」，首先觀察晚明《西廂記》傳刻本大量湧現的時代意義，其次探討晚明《西廂記》評點的發展，針對王世貞、徐渭、李贄、湯顯祖、陳繼儒等人的鑑賞性評點著眼，則可以看出戲曲觀念的演進情形，及其與人性解放的時代思潮息息相關。另外又針對金聖歎的批改《西廂》探討，掌握其底本與批評的內在模式，予以較中肯的評價；並從其律詩分解說連鎖到其戲曲分節的意義，從而印證了金氏是從「文章」的角度評析《西廂記》的藝術內涵。

宗毅不止檢討了臺港和大陸《西廂記》的研究情況，並且對「西廂學」也有所展望。其附錄還包括〈西廂記研究論著索引彙整〉、〈晚明西廂記版本一覽表〉、〈中研院史語所傅斯年圖書館所藏西廂記俗曲微卷索引〉，凡此都可以看出他從事學問所做的扎實功夫。他正孜孜矻矻的要完成「西廂學」的研究。

記得兩年前，我召集了中研院文哲所的華瑋、王瑷玲和臺大的沈冬、林鶴宜、洪淑苓、李惠綿、許子漢、林宗毅等每星期二上午共同研讀戲曲，由我指定論題，大家發表心得和見解，最後我作總結。為了這樣的「讀曲會」，他們常熬夜準備，因此討論時每個人的意見都洋洋灑灑；而凡是涉及版本源流、字斟句酌的問題，幾乎就是宗毅的專長，因為他做學問是一頭栽進去的。

郝譽翔和游宗蓉同年級，也是臺大中文系所到博士班。她寫散文和小說已經有名氣，都得過獎；中央副刊主編梅新，常對我誇獎她。聯合副刊辦過兩岸戲曲和歌仔戲的座談會，我都推薦她記錄，瘂弦和陳義芝為此很欣賞她的文筆。最近她到聯副幫忙，瘂弦來信說「譽翔表現極佳，眞名師出高徒也。」使我也與有榮焉。她的英文頗佳，我爲此把她介紹給魏淑珠教授，到惠特曼大學去擔任教學助理並進修一年，她閱讀英文論著的能力因此又提高不少。

譽翔所以用《民間目連戲中庶民文化之探討 ： 以宗教 、 道德、小戲爲核心》作爲碩士論文，是因爲民國八十一年的寒假，我帶領譽翔等幾位同學到廣西、貴州、上海等地去作戲曲的田野調查，譽翔蒐集了不少有關目連戲、地戲和儺戲的資料；而我又認爲譽翔才學俱佳，有跨越綜合戲曲學、社會學、民俗學、宗教學的能力，所以要她從事這方面的研究。

譽翔知道目連戲在宗教祭典中上演，結合驅邪除疫和超度亡魂的儀式，保留戲劇原始的風貌，是一個「動態的文化標本」，乃從宗教、道德、小戲三方面來透視其彼此之間的關係，以及它們如何組成目連戲繁多複雜的面貌。從道德而言，目連戲充分反映庶民的倫理觀和價值觀，其體系是以父子倫爲主軸的「差序格局」，所以講究服從權威；而女性則因與生俱來的「血湖」之罪，只能寄望子嗣的拯救，才有超脫的可能。從小戲而言，因其務在滑稽， 又占據目連戲演出的大半 ， 使得觀衆在狂歡的時空中宣洩平日的壓抑，並可使原先的社會秩序獲得不斷反省與修正的機會。由於譽翔能運用中西理論，結合田野調查的成果，加上其文字清暢，所以她的論文，可讀性很高。

最近文化單位委託中華民俗藝術基金會和歷史文學會好幾個規畫研究的案子，我邀請幾位具相關專長的友人來分擔主持，而以博碩士班研究生爲專兼任助理，藉此訓練研究生田野調查和治學處事的能力。其中重要的一環是研究計畫的撰寫，我要譽翔寫下範本並領導以協助同學，她費了很多心力和勞力才使整個委託案完成手續，如期展開工作。我想她的學弟妹們，還有待她多提攜。

以上對惠綿等六位我近年指導完成學位的學生，其爲人和他們所撰著的博碩士論文要旨作了簡介。惠綿現任臺大中文系副教授，欣欣現任政大中文系副教授，其餘四位都在臺大中研所博士班，子漢、宗毅爲四年級，宗蓉、譽翔爲二年級。他們都得過趙廷箴獎學金或薛明敏論文獎，在學術研究上已初步獲得肯定，我希望他們趁著年富力強，從各方面打好根基，也不要忘了我強調的「人間愉快」和「多看別人好處」的道理，那麼雲程既軔，前途必然未可限量；如此也才對得起彭正雄先生「不惜血本」地出版這套書的深意。

中華民國八十五年八月十二日 **曾永義** 序於史坦福大學

後記：這套書就要出版了，我的徒兒們都很感激也很興奮。兩三年來，他們的身分也有些變遷，許子漢、郝譽翔、林宗毅皆已取得博士學位。林宗毅現任靜宜大學中文系助理教授，許子漢和郝譽翔都在東華大學中文系擔任助理教授。游宗蓉的博士論文也即將完成。我對我的徒兒們有像父母親看孩子長大的感覺。

中華民國八十七年十一月二十五日

自　序

小學時候，正是電視歌仔戲興起之際。十個月大罹患了小兒痲痺症，雖然匍匐於地，不論陰晴風雨，每天總是不害羞的爬行至鄰居家中觀看電視歌仔戲，不知不覺學會哼唱一些曲調。有一次心血來潮，拿取兩條大方巾當成水袖，以母女四人共睡的木板床爲小舞台，獨自扮演起來。偷偷地演唱歌仔戲似乎成爲童年生活中唯一的快樂；也成爲一個夢想，沈澱在記憶之中。

不想二十五年後的今天，竟以表演藝術理論爲主題，撰寫了這本著作。雖然討論的課題並非歌仔戲，但冥冥之中，似乎彌補了某一種缺憾！

本書是我的博士論文，民國八十三年三月底初稿寫成後，隨即進入修稿工作，加上四月底三位口試委員的初審意見，於五月中旬交出修正稿，作爲複審。其後就七位複審口試委員的賜正，再做修改，並重新排印。爲了體會印證古人論說戲曲演唱的方法，是年十月，報名參加崑曲清唱研習班，每週一次，長達一年，受益甚深。今年三月呈交出版社付梓前，乃就本書〈度曲論〉篇章，增補例證說明，使其明白易曉。因此本書是三易其稿，其中當然仍有疏漏之處；然而，就這一段學習過程，我已盡了最大努力。

七十五年決定以古典戲曲理論爲研究方向。從專家《王驥德曲論研究》（臺大文史叢刊第九十種，八十一年出版），到本書跨越時代的《元明清戲曲搬演論研究》，已走過十年歲月。在期許自我突破，力求成長之中，這只能說是學習里程中的心得報告而已。

戲曲向來被稱之爲是一門綜合性的文學藝術，那麼本書自然不是憑藉我個人可以完成的。首先應該感謝臺大中文系所有教導我的師長，各門學科不同領域的啓發，對我都是一種助力。當然，更要感謝曾老師督導我以元明清戲曲理論爲博士論文研究方向。這些年來，一直進行全面性的思考架構和資料收集，因此較能掌握戲曲搬演論在古典劇論中的定位。老師亦常賜贈戲票，鼓勵我多去看戲；尤其近幾年來，兩岸藝術交流，有許多機緣觀賞不同戲曲劇種，可以親身鑑賞實際的舞臺演出。本書參考書目中所列「錄影帶」一項，也是老師期勉我觀摩赴大陸地區製作的六十三齣崑劇經典名作，藉此欣賞更多折子戲的表演實況，因而可以和本書論及的劇目互相印證，使全書寫作更能兼顧戲劇藝術理論與舞臺表演。

其次要感謝擔任博士口試的委員：張師清徽、曾師永義、柯師慶明、楊師秀芳、李師殿魁、洪師惟助、王師安祈等諸位師長都惠賜相當寶貴的意見。柯師慶明對本書題目、結構及色藝、形神等美學論題的修正；而與度曲理論息息相關的音韻問題，楊師秀芳亦有充實而詳盡的修改；李師殿魁順頁逐條地補充資料。此外，欒師衡軍厚愛之情，抽空批閱文稿，並指引文中可以擴充修飾之處。凡此種種，皆銘感於心。

這本論文，正因有曾師永義之懇託，以及文史哲出版社彭正雄先生之慷慨相助，才能成爲「書本」的形式面貌。感謝一切的因緣。

此生，我永遠無法成爲一個歌仔戲的表演者；或許，完成這本戲曲搬演理論，也算是從另一面向圓了一個童年時，沈澱於記憶的夢想。這一路走來，方才了悟：原來成就生命的夢想，是得憑靠許多許多精神拐杖牽引的。

李惠綿 寫於臺大中文系五〇二研究室

民國八十五年七月二十日

元明清戲曲搬演論研究

——以曲牌體戲曲為範疇

目　　次

曾　序……………………………………………………曾永義………… 1
自　序…………………………………………………………………………… 13
緒　論…………………………………………………………………………… 1
一、「戲曲搬演」界說…………………………………………………… 1
二、時賢戲曲理論之研究……………………………………………… 4
三、本書之研究方法與旨趣…………………………………………… 9
四、戲曲搬演論的六大主題…………………………………………… 15
第一章　色藝論…………………………………………………………… 27
第一節　色藝之品評…………………………………………………… 27
第二節　藝道與仙致…………………………………………………… 34
第三節　聲容與聲色…………………………………………………… 41
第二章　度曲論(上)——崑劇成立之前……………………………… 57
第一節　行腔原理與技巧……………………………………………… 57
第二節　務頭與唱曲…………………………………………………… 66
第三節　三教所唱與心物交感………………………………………… 71
第三章　度曲論(中)——崑劇興盛期………………………………… 85
第一節　唱曲三絕……………………………………………………… 86
第二節　審音致曲……………………………………………………… 93

第三節　字學與曲理……………………………………………… 98
第四章　度曲論(下)——崑劇衰落期………………………………… 115
第一節　論四聲唱法……………………………………………… 116
第二節　傳聲與傳情……………………………………………… 127
第三節　度曲學曲論……………………………………………… 143
第五章　曲白論……………………………………………………… 163
第一節　製曲與撰白……………………………………………… 164
第二節　習唱與學白……………………………………………… 174
第三節　曲白六要………………………………………………… 185
第六章　身段論……………………………………………………… 207
第一節　唱念的身段……………………………………………… 208
第二節　做工的身段……………………………………………… 217
第三節　唱做合一的身段………………………………………… 229
第七章　腳色論……………………………………………………… 249
第一節　腳色、演員、人物的關係……………………………… 251
第二節　腳色象徵人物之性別…………………………………… 257
第三節　腳色象徵人物之類型…………………………………… 264
第四節　腳色象徵演員之技藝…………………………………… 273
第八章　形神論……………………………………………………… 293
第一節　形神美學溯源…………………………………………… 294
第二節　戲曲形神觀念及理論之建立…………………………… 298
第三節　形神的實際批評………………………………………… 307
結　論………………………………………………………………… 321
附錄：引用元明清曲論家著述一覽表……………………………… 333
參考書目……………………………………………………………… 341

緒　論

中國文學浩瀚無涯，不同的思想、文類，不同的作家、作品，在不同的時代，皆有各自的學問、各自的光芒。每個領域皆是一塊沃土、一座花園。戲曲搬演論是中國古典戲曲文學批評理論中的課題之一。在進入論題之前，擬先解釋「戲曲搬演」的意義；接著敘述戲曲理論之研究，以知時賢的研究方法；繼而提出作者個人對戲曲理論體系的看法，再從敘述時賢表演理論的專著中，表明撰寫本書之研究方法與旨趣；最後架構戲曲搬演論的六大主題，說明各主題之內涵及其繫聯的關係，以建立古典戲曲搬演的美學理論。

一、「戲曲搬演」界說

中國古典戲曲起源的說法，歷來各有異說。[1]其實早在明代萬曆年間，王驥德《曲律》即對此問題提出相當肯定的意見[2]，〈雜論二四〉說：

> 古之優人，第以諧謔滑稽供主人喜笑，未有並曲與白而歌舞登場，如今之戲子者。又皆優人自造科套，非如今日習現成本子，俟主人揀擇而日日此伎倆也。如優孟、優旃、後唐莊宗，以迨宋之靖康、紹興，史籍所載，不過「葬馬」、「漆城」、「李天下」、「公冶長」、「二聖環」等諧語而已。即金章宗時，董解元所爲《西廂記》，亦第

是一人倚絃索以唱，而間以説白。至元而始有劇戲，如今之所搬演者是。

王驥德指出優孟葬馬等事[3]，只是以「詼諧滑稽供主人喜笑」爲本質；董解元《西廂記》諸宮調也只是「一人倚絃索以唱，而間以說白」，與元代北曲雜劇、南曲戲文的「劇戲」體製大有不同。王氏認爲所謂「劇戲」應有劇作家寫成本子，讓專業的戲子就劇本的故事情節而日日習技；然後通過樂曲、賓白、詩歌、舞蹈、絃索伴奏以及兩人以上的扮飾而「登場」演出。元雜劇和戲文體製劇種的發展成熟，以上各要素才完備。王國維《宋元戲曲考》第四章說：「必合言語、動作、歌唱以演故事，而後戲劇之意義始全。」其解釋戲劇意義，實出於王驥德之說[4]；而曾師永義對古典戲劇的定義[5]則更加周全詳密：

中國古典戲劇是在搬演故事，以詩歌爲本質，密切融合音樂和舞蹈，加上雜技，而以講唱文學的敘述方式，通過俳優妝扮，運用代言體，在狹隘的劇場上所表現出來的綜合文學和藝術。

不論是宋元戲文或宋金雜劇院本都已經具備了故事、詩歌、音樂、舞蹈、雜技、講唱文學、俳優妝扮、代言體、劇場這九個要素，故王驥德肯定「至元而始有劇戲」。王驥德進一步透露：劇戲是以「搬演」的方式表現出來的。換言之，戲劇一方面是案頭文學，具有抒情和敘事的特質；一方面是場上文學，具有搬演的藝術特質。做爲案頭的戲劇文學，其與詩詞、文賦、小說、繪畫、雕塑相同，都是屬於靜態式的創作，創作者可以在任何時間空間下進行，觀者可以獨自閱讀欣賞。做爲場上的戲劇藝術，則與音樂、舞蹈相同，屬於動態式的創作，表演者必需以肢體語言在特定的時間與場所進行，而且必需與一群觀聽者同在，因此「劇場只在演員面對觀衆表演的時刻才眞正存在」。[6]於是「劇場」成爲搬演故事的場所，此場所古代稱之爲「場」、「戲場」、「歌場」、「優場」、「氍毹」、「构欄」等；而戲場上表演者出入之處則稱之爲「鬼門道」。《太和正音譜》解釋「鬼門道」：[7]

> 构欄中戲房出入之所，謂之「鬼門道」。鬼者，言其所扮者，皆是已往昔人，故出入謂之「鬼門道」也。愚俗無知，因置鼓於門，訛喚爲「鼓門道」，於理無宜；亦曰「古門道」，非也。東坡詩曰：「搬演古今事，出入鬼門道」，正謂此也。

對「鬼門道」一詞的解釋也同時說明戲劇搬演的意義，即是：優人扮飾已往昔人，搬演古今之事於构欄中。可知「搬演」一詞，宋代早已始用[8]；此外亦有用「敷衍」、「粧演」[9]；近人論著則多用「表演」，其意義皆同。誠如王驥德所說「至元而始有劇戲，如今之所搬演者是」，本論文既是探討元代以後至清代眞正成爲「大戲」系統的戲文、雜劇、傳奇、崑劇之搬演藝術理論，故採用「搬演論」一詞，以突顯研究的方向；有時爲上下文義，亦多用「表演」一詞。而由於中國戲劇是以歌唱樂曲爲搬演之主體，故稱「戲曲」即指中國傳統戲劇。至於「戲曲」、「戲劇」、「劇曲」等皆是習用之詞，但「戲曲」一詞更能彰顯中國古典戲劇與音樂結合的特性[10]，故以《戲曲搬演論研究》爲題。

此外，中國戲曲就唱腔音樂結構而分，有曲牌體和板腔體。曲牌體以曲牌爲基本結構，是爲「詞曲系」；雜劇、戲文、傳奇體製劇種及崑劇屬之。板腔體有腔調、板眼而無宮調、曲牌，以對稱的上下句作爲唱腔的基本單位，在此基礎上，按照一定的變體原則，演變爲各種不同板式，或稱「板式變化體」，是爲「詩讚系」；梆子、皮黃系統之劇種可作爲板腔體的代表。清乾隆年間，崑劇式微，各地方聲腔劇種興起，統稱之爲「花部」或「亂彈」。戲曲音樂結構不同，其表演理論體系亦有差異。本書先觀瀾索源，探討元明清曲牌體戲曲之搬演理論。至於弋陽腔雖也屬於曲牌體，然多在民間流傳，未受士大夫重視，論之者較少，故不列入討論。

二、時賢戲曲理論之研究

戲曲既兼具文學藝術和劇場藝術，則建立戲曲理論體系乃是研究者不能忽視的課題。但是戲曲理論體系的建構並非一蹴可幾，前輩學者對戲曲理論的研究，是經過一番篳路藍縷的歷程。

近代第一本戲曲理論批評史綱的專著是趙景深先生的《曲論初探》，全書共十二章，首章〈宋元和明初理論〉，最後一章〈晚清曲論〉；除臨川派和吳江派、徐復祚和凌濛初兩章，爲敘述之便而合併；其餘皆以元明清各時期重要的戲曲理論家及其專著，如元鍾嗣成《錄鬼簿》、明徐渭《南詞敘錄》、清李漁《閒情偶寄》、焦循《花部農譚》等，依時代次序而專章闡釋。[11]

第二本研究古典戲曲理論的專著是夏寫時先生《中國戲劇批評的產生和發展》。本書實由六篇論文組成，以第一篇爲書名，後五篇則是專家戲曲理論研究，包括〈唐代的戲劇批評〉、〈宋代的戲劇批評〉、〈論李卓吾的戲劇批評〉、〈論王驥德的戲劇批評〉、〈吳江派戲曲理論概述〉。[12]夏氏將古典戲劇批評史分爲四個時期：從唐代到明代嘉、隆年間（六一八～一五七二年）爲前期；萬曆、天啓、崇禎（一五七三～一六四四年）爲中期，也是最繁榮的時期；後期和近代期則以十九世紀中葉爲分界線。夏氏撰寫此文的意圖是爲中國古代戲劇批評前期發展過程勾繪一個輪廓，故其論述止於嘉、隆年間徐渭的戲曲理論。其貢獻在於將唐宋時代附在記事之後隻言片語的材料，賦予戲劇批評的闡發；並指出前期各個階段的戲曲理論特點及其繼承和發展的關係。[13]其後夏氏又有《論中國戲劇批評》一書[14]，仍是一本戲曲批評的論文集；並將《中國戲劇批評的產生和發展》一書六篇，全部收入。

第三本戲曲理論的專著是齊森華先生的《曲論探勝》，此書選了十個戲曲理論家的著作加以分析探微。[15]雖然這是一本戲曲理論研究的論文集，但其論述涵括多方面的專著：元鍾嗣成《錄鬼簿》、明徐渭《南詞敘錄》、清焦循《花部農譚》代表戲劇發展史上雜劇、南戲和花部三個轉折階段的理論闡述；王驥德《曲律》、李漁《閒情偶寄》代表戲曲理論的體系化；明祁彪佳《遠山堂曲品》、《遠山堂劇品》、清梁廷枏《籐花亭曲話》代表戲曲家對作品的品第與評論；明潘之恆《鸞嘯小品》代表戲曲表演理論；金聖嘆批《西廂》代表戲曲評點之作；王國維《宋元戲曲考》代表戲曲史的論述。可見此書大致概括了戲曲理論批評所涉及的主要問題。

葉長海先生《中國戲劇學史稿》，長達四十六萬字的大著，使古代戲曲理論研究出現了新的局面。葉氏以「戲劇學」觀念，包含中國古代戲劇研究的內容及寫作方式的多樣性，並從戲劇藝術的各種因素(如劇本創作、表演、劇場效果等)，探討中國古代戲劇研究的發展。因此葉氏歸納戲劇學的內容主要有五個方面。第一是戲劇理論，即對戲劇原理、本質的研究和探討，對戲劇藝術創造的全面研究和系統性論述。第二是戲曲評論，包括對作家作品的品評和對演員表演的評論。第三是戲劇技法，包括演唱技法、劇本作法及曲譜等。第四是戲劇歷史，即有關戲劇歷史的論述和考證等。第五是戲劇資料，有關戲劇作家、演員、劇目的記錄和歷代戲劇資料的摘錄彙編。[16]其研究方法是以戲曲理論的發展歷史爲全書的基本架構，分爲〈中國戲劇學溯源〉、〈元代戲劇學的興起〉、〈明前期的戲劇觀〉、〈明中期戲劇學的轉機〉、〈萬曆時期戲劇學的崛起〉、〈王驥德〉、〈明晚期戲曲論的發展〉、〈評點曲譜及其他〉、〈清初戲劇學的新潮〉、〈李漁〉、〈清中期戲劇學的新成就〉、〈古代戲劇學的餘輝〉、〈王國維及晚清戲劇學新貌〉共十三章；再將戲劇學的五大內容納入到「史」的分期之中[17]，而後論述每時期中各家之戲曲理論。此書大致已涵括曲話、曲論、曲評、曲史、曲詩、曲選、曲錄、曲譜等各類性質的戲曲論著，其論述材料遠遠超過《中國古典戲曲論著集成》十冊收錄的專著。[18]題爲「戲劇學史稿」，可見此書之規模龐大。

以上四本研究古典戲曲理論的著作，《曲論初探》的意義在開一代曲論研究的風氣；《中國戲劇批評的產生和發展》在材料和視野方面拓展了曲論研究的範圍；《曲論探勝》則重在確立古代曲論的理論內涵；《中國戲劇學史稿》則是建立新學，初創體系[19]，可說是集戲劇學的歷史發展與戲劇理論內涵之大成。

大陸學者研究古典戲曲理論的專著陸續出版，表示戲曲批評理論的探討已受到重視；同時，臺灣研究戲曲的學者亦有所關注，例如曾師永義早在民國六四年即發表〈太和正音譜的曲論〉、〈王驥德曲學述評〉等單篇論文。[20]此外，研究戲曲理論者多是學位論文，並且多以一家之曲論劇學爲範圍[21]；只有陳芳英先生《明代劇學研究》、羅麗容先生《清代曲論研究》的博士論文，是以一個時代的戲曲理論爲研究範圍，屬於斷代的劇學研究。陳氏論文分〈外緣研究〉和〈諸家劇論述評〉上、下篇，其核心部份在下篇，共分四章，分別是〈我國戲劇批評的萌芽與建立〉、〈古典戲劇批評初期的劇論〉、〈古典戲劇批評盛期的劇論〉（上下），可見陳氏採分期方式分章而論述各家劇論。羅氏論文分〈前代曲論概述〉、〈清代之曲論〉、〈清代曲論之餘波〉上、中、下三篇；重點在中篇，分〈取材範圍〉、〈諸家曲論敘錄〉、〈清代曲論之分類〉三章，大抵以資料整理爲主，對各家劇論的敘述不多。[22]

以上關於古典戲曲理論的研究，有單篇成集的；有專研一家的；有斷代的；有通史的。單篇的討論可得一家一派曲論之概略；專研一家者則有較深入的論述；斷代和通史的研究，因爲是以戲曲批評理論發展史爲架構，故只能就各家各派的曲論作提綱挈領的評述。撰述角度之異，因而呈現不同的研究成果。這些論著主要是以「史」或「家」的方式；而譚帆、陸煒先生合著《中國古典戲劇理論史》則建立古典戲劇理論體系，開展了新的研究方法。此書是繼葉先生《中國戲劇學史稿》後，第二本關於古典戲劇理論史的專著，全書共分〈中國古典戲劇與戲劇理論〉、〈中國古典戲劇理論的宏觀系統〉、〈曲學的發展及其理論體系〉、〈敘事理論的發展及其理論體系〉、〈搬演理論的發展及其理論體系〉、〈中國古典劇論的審美思想〉等六章。前四章由譚帆先生執筆，後兩章由陸煒先生執筆。由各章標題可知，該書雖名爲「戲劇理論史」，但不再以歷史分期，而是以「理論體系」的方法進行研究。

譚、陸二氏提出戲劇理論三大體系：一是「曲學體系」，指中國古代戲劇理論史上以闡發戲劇藝術中「曲」的作法和唱法爲首務的理論思想體系；因爲是承續傳統的詩話、詞話體式，故其理論體式主要是曲譜、曲律和曲話，而以王驥德《曲律》爲代表。二是「劇學體系」，在中國古代戲劇理論史上是從綜合藝術觀念出發，以闡明戲劇劇本作法和戲劇表演藝術爲核心的理論思想體系，其淵源可上溯到唐宋時期對「百戲散樂」表演技藝的認識；而從明代中葉開始漸次生成，先由王驥德《曲律》勾勒出理論架構，後由李漁《閒情偶寄》中的「詞曲部」、「演習部」、「聲容部」得到完滿的體現。三是「敘事理論體系」，指中國古代戲劇理論史上，以戲劇的故事本體爲其理論研究和批評的對象，是從敘事文學的角度來闡發戲劇故事本體而做出理論批評，故其主要批評體式是「評點」。這三大體系彼此之間還有聯繫，即曲學體系和劇學體系之間的包融關係、劇學體系與敘事理論體系之間所呈現的交叉關係。由於三者之間交融的關係，故譚氏又將劇學體系中的曲學部分（即「作曲」和「唱曲」部分）歸入曲學體系之中；又將劇學體系中有關戲劇故事的創作法則和創作精神，歸入敘事理論體系之中。經過這兩者的歸併，所餘下的即是劇學體系中的表演理論。因此，譚氏乃以曲學理論、敘事理論和搬演理論爲全書之架構。[23]

爲古典戲劇理論建立體系，新闢研究方法，是譚、陸二氏的貢獻。古典戲曲兼備詩歌、故事、劇場等要素，亦即具有抒情、敘事、搬演之特質，故分曲學理論、敘事理論、劇學理論三大體系，頗爲精當；然其於各體系內容，或許猶有可以斟酌之處。根據譚氏立論，筆者的想法是：曲學理論是就其抒情性而言，凡音韻格律、修辭麗句的創作理論屬之；敘事理論誠如譚氏所云，是戲劇文學的「敘事法」，其思考方向是以劇劇情節的發展和人物分析為主，故凡戲劇題材故事、關目結構、人物評析等創作理論屬之；劇學理論則是就搬演性而言，譚氏提出表演理論中的演員論(包括演員的天賦、修養、演員與角色的關係、表演技巧等)、導演論(包括戲劇的案頭處理和場上教習)皆屬之。界定三大體系的內涵之後，分析譚氏的歸類：第一，曲學體系中闡發戲劇藝術的唱法，自屬劇學體系。第二，劇學體系中有關戲劇故事的創作法則自屬敘事理論體系。第三，敘事體系中屬於舞臺的評點作品，如槃薖碩人《增改定本西廂記》、馮夢龍《墨憨齋定本傳奇》、朱素臣《西廂記演劇》等自屬劇學體系。第四，王驥德《曲律》及李漁《閒情偶寄》兼具三種理論體系，王氏詳於曲學、敘事理論，略於劇學理論（止論演唱）；李氏則三者各有所論，份量均等。皆可依其論述觀點分別納入各體系之中。於是三大理論體系各有所屬內涵，可免分類後再做歸併之累。

三、本書之研究方法與旨趣

筆者不同於譚氏，而從另一個角度思考古典戲曲理論體系，亦即從戲曲文學理論和劇場藝術理論兩個方向觀察。就戲曲文學理論而言，可以包括語言藝術論、題材虛實論、情節結構論、人物塑造論等；就劇場藝術理論而言，則主要包含搬演論、導演論、觀眾論等。搬演論以演員的表演藝術理論為主；導演論以戲曲的案頭處理和場上教習為內容；觀眾論則包括戲曲觀眾欣賞表演藝術的心理活動及其應具備的藝術修養、評賞的態度與方法等。因此，戲曲文學理論的觀點在劇作家所創造的作品；劇場藝術理論的觀點則在演員、導演和觀衆。換言之，作者、演員、導演和觀衆，可說是戲劇從案頭到劇場上的決定性者。[24]前三者都屬於創作者，觀衆則屬於欣賞者；然作者和導演在劇場之外，演員和觀衆則在劇場之內，則演員成爲舞臺上唯一的表演創作者。於是，演員的表演藝術成爲戲曲搬演論的核心；而戲曲搬演論亦成爲劇場藝術理論的主體。釐清古典戲曲理論體系及其內涵之後，方知戲曲搬演論在中國戲劇批評理論中的定位。

戲曲文學理論中，批評家或理論家多以「作品」爲核心，以劇本創作論和品評爲主體，故此類專著極爲富豐，如元周德清〈作詞十法〉、鍾嗣成《錄鬼簿》、明李開先《詞謔》（不含〈詞樂〉部分）、何良俊《曲論》、王世貞《曲藻》、王驥德《曲律》、沈德符《顧曲雜言》、凌濛初《譚曲雜劄》、騷隱居士《衡曲麈談》、祁彪佳《遠山堂曲品》、《遠山堂劇品》、呂天成《曲品》、清李漁《閒情偶寄》中的「詞曲部」、黃周星《製曲枝語》、黃圖珌《看山閣集閒筆》、李調元《雨村曲話》、《雨村劇話》、焦循《花部農譚》、梁廷枏《曲話》、劉熙載《藝概》中的「詞概」、楊恩壽《詞餘叢話》、《續詞餘叢話》、姚燮《今樂考證》等等[25]，可見其內容之龐大。這方面可以做爲筆者未來長時期的研究方向，逐步地從戲曲文學理論的各個層面加以探討。

劇場藝術理論中，除元夏庭芝《青樓集》、明潘之恆《鸞嘯小品》、馮夢龍《墨憨齋定本傳奇》中的眉批、李漁《閒情偶寄》中的「演習部」和「聲容部」、黃旛綽等《梨園原》、鐵橋山人等《消寒新詠》、李斗《揚州畫舫錄》、王繼善訂定《審音鑒古錄》中的批注以及演唱理論（詳下文）有較多專著，其餘皆是零星片斷的材料，探討頗為不易。陸煒先生《中國古典戲劇理論史》也提出：戲曲具有詩體的成份，可以參考詩樂理論的研究方法和格局來探討；又具有小說的敘述方式，因而戲劇被作為敘事文學來研究時，也較容易接續中國文學、歷史中敘述學的源流。但戲劇做為一種舞臺演出系統的研究，則沒有既成的理論方法和格局可以承襲；況且搬演理論只能在演劇實踐和理論探討中逐漸產生，故其系統難以把握。[26]正因為劇場藝術論缺乏系統又無研究方法的規矩可尋；而古典戲曲理論之異於詩論、詞論、文論、小說論，正在這個層面；故開拓劇場藝術理論實是研究者可以努力的方向。

關於古典劇場藝術理論的研究，高宇先生《古典戲曲導演學論集》及趙山林先生《中國戲曲觀衆學》分別代表從導演和觀衆立場而探討的著作[27]；而表演理論的專著大約有四類，茲依出版先後，各舉幾本為例，以知研究概況[28]：

㈠通論性：

張庚《戲曲表演問題》，通俗文藝出版社，一九五六年。

黃克保《談戲曲表現手法》，上海文藝出版社，一九五七年。

陳幼韓《試論中國戲曲舞臺藝術的表演程式》，陝西人民出版社，一九五八年。

陳幼韓《戲曲表演美學探索》，北京中國戲劇出版社，一九八五年。

張卉《戲曲表演知識三講》，北京中國戲劇出版社，一九八七年。

李春熹《作為演出藝術的戲劇》，北京中國戲劇出版社，一九八九年。

㈡**專論性：**

齊如山《上下場》，北平國劇學會排印本，一九三五年。

程硯秋《戲曲表演的四功五法》，寶文堂書店，一九五九年。

白雲生《生旦淨末丑的表演藝術》，北京中國戲劇出版社，一九五九年。

白雲生《戲曲的唱念和形體鍛煉》，人民音樂出版社，一九六二年。

萬鳳姝《戲曲身段表演基礎訓練》，湖北人民出版社，一九七八年。

孫興作《戲曲武功教程》，北京中國戲劇出版社，一九八〇年。

李熙《中國戲曲表演技術概要》，香港文華圖書公司，一九八一年。

傅雪漪《戲曲傳統聲樂藝術》，北京人民音樂出版社，一九八五年。

㈢**地方戲及體製劇種：**

阿甲《談京戲的表演藝術》，北京中華書局，一九五一年。

王朝聞等《談川劇的表演藝術》，四川人民出版社，一九五五年。

李雁《粵劇的唱和做》，廣東人民出版社，一九五七年。

姚水娟《越劇演員談表演》，東海文藝出版社，一九五七年。

徐凌雲《崑曲表演一得》，上海文藝出版社，一九五九年。

齊如山《國劇藝術彙考》，臺北重光文藝出版社，民國五一年。

盧文勤《京劇聲樂研究》，上海文藝出版社，一九八四年。

王安祈《明代傳奇之劇場及其藝術》，臺北臺灣學生書局，民國七五年。

曾蘭惠《元雜劇科汎研究》，文化大學藝研所碩士論文，民國七六年。

柯秀沈《元雜劇的劇場藝術》，臺灣大學中文所碩士論文，民國七七年。

㈣記錄、評論：

許姬傳、朱家溍《梅蘭芳舞臺藝術》，通俗文藝出版社，一九五七年初版。

言少朋等《言菊朋的舞臺藝術》，北京中國戲劇出版社，一九五九年初版。

中國戲劇出版社編《程硯秋的舞臺藝術》，北京中國戲劇出版社，一九五九年初版。

衛明、呂仲記錄《周信芳舞臺藝術》，北京中國戲劇出版社，一九六一年。

荀慧生《荀慧生演劇散論》，上海文藝出版社，一九六三年初版。

侯作卿編《周信芳藝術評論集》，北京中國戲劇出版社，一九八二年。

浙江文藝出版社編《蓋叫天表演藝術》，浙江文藝出版社，一九八四年。

方榮翔、張胤德編《裘盛戎藝術評論集》，北京中國戲劇出版社，一九八四年。

史若虛、荀令香編《王瑤卿藝術評論集》，北京中國戲劇出版社，一九八五年。

俞振飛口述，王家熙、許寅整理《俞振飛藝術論集》，上海文藝出版社，一九八五年。

河北省藝術研究所編《裴艷玲表演藝術評論集》，河北人民出版社，一九八九年。

㈤**論文集：**

阿甲《戲曲表演論集》，上海文藝出版社，一九六二年。

阿甲《戲曲表演規律再探》，北京中國戲劇出版社，一九九〇年。

黃克保《戲曲表演研究》，北京中國戲劇出版社，一九九二年。

通論性的著作，偏重在提供戲曲演員學習表演時，一般性的藝術原理與規律，並以具體例証加以解說，屬於講稿性質。李春熹之作，旨在分析表演藝術中演員與角色、演員與觀衆的關係。陳幼韓《戲曲表演美學探索》則從戲曲美學的構成、藝術規律、及其審美價值進行探索，是一本內容結構較爲完整的表演美學論著。專論性的著作，是就唱、念、做、打或腳色行當等較專門的表演技巧做深入的研究。第三類論各地方戲的表演藝術；而王安祈先生等三本則從雜劇、傳奇作品，析論體製劇種的表演藝術。第四類是著名戲曲演員舞臺經驗的實錄，或是他人對戲曲演員的評論。論文集是單篇討論戲曲表演的各種問題；另外還對著名戲曲演員的表演藝術和著名劇目的表演特點，做具體細致的分析。

綜觀以上著作，體製劇種的表演藝術從古典劇作入手；傅雪漪建立一家之言，以〈發音吐字練聲〉、〈唱念表演的用氣〉、〈唱念藝術和技巧〉三篇析論傳統聲樂藝術，書中引用不少元明清唱論加以印証；黃克保《戲曲表演研究》中〈腳色行當：戲曲表演的程式性在人物塑造上的反映〉一文，亦從古典戲曲文獻中，探索腳色行當的涵義、形成、發展、特性及其作用。此外，齊森華先生《曲論探勝》中只有〈鸞嘯小品鉤沈〉一文；葉長海先生《中國戲劇學史稿》各章節中，包括胡祗遹「九美說」、芝菴《唱論》、夏庭芝《青樓集》、《太和正音譜》聲樂論、魏良輔《曲律》聲樂論、潘之恆戲曲表演論、張岱的戲劇演出錄、李漁的戲曲演出論、《消寒新詠》的表演評論、《審音鑒古錄》論角色的創造、徐大椿《樂府傳聲》、《顧誤錄》度曲教科書、《梨園原》的表演理論等等，已有頗爲可觀的探討。由此可知，古典戲曲表演理論的研究，或爲單篇論文[29]，或附在戲劇學「史稿」之中；而研究表演理論的專書，多是從近代表演藝術的規律和經驗加以整理而得，而且幾乎是以近兩百年來爲劇壇主流的京戲做爲討論的課題；相形之下，研究古代戲曲表演理論，並以雜劇、戲文、傳奇、崑劇爲課題的專著竟不多見。因此突破歷史分期的研究方法，以主題貫穿元明清三代，探討古代戲曲家對元雜劇至清中葉花部興起以前崑劇的理論批評，進而建立戲曲搬演理論的美學體系，乃成爲本論文的旨趣。

四、戲曲搬演論的六大主題

上文述及譚、陸二氏將劇學體系與曲學體系、敘事理論體系重疊之處加以歸併後，只餘下劇學體系中的表演理論；故以〈搬演理論的發展及其理論體系〉爲全書的一章(頁二一四～二八三)，全章共分五節。第一節「搬演理論概說」，敘述自元雜劇產生之後，搬演理論乃分爲元代、明代至清初、清中葉至清末三個階段逐步發展。第二節「搬演理論的基礎觀念」，指出「戲」具有「

謔」的含義，而在「戲」的觀念之下，中國古典搬演理論對表演、導演所持的基礎觀念是「傳神」與「搬演」的觀念。「戲」的觀念是最根本的，在此之上有關於演員如何表現人物的「傳神」觀念，有關於戲劇整體演出的「搬演」觀念；三者合起來，可以提供搬演理論內在架構的輪廓。在此架構之下，導演方法的理論即是對「搬演」這種程序性工作中，各個環節之說明；而表演理論也不再存在表演方式的課題，而只能努力探索表演者應具備的完美素養，應如何表現人物之傳神、展現技藝之精妙，以及如何達到表演境界的問題上。故第三節「程式化、技藝化的導演方法」、第四節「才、慧、致：演員的素養」、第五節「由傳神而進於道：表演的理想境界」，便成爲搬演理論的具體內容。

對於陸氏的理論架構，個人有四點不成熟的意見。首先，表演論與導演論在劇場藝術理論中是不同的論題，同歸屬於搬演理論，似乎有待商榷。其次「戲」、「傳神」、「搬演」三個觀念提供搬演理論內在架構的輪廓；而導演方法、演員的素養、表演的理想境界，三者又成爲搬演理論的具體內容，彼此之間的繫聯關係似乎不夠緊密。又就章題與各節內容關係而言，第一節「搬演理論概說」屬於「搬演理論的發展」；第二節提出的基礎觀念可視爲搬演理論體系的「引子」；則以下三節似乎未臻於陸氏所謂的「理論體系」。再者從「演員的素養」到「表演的理想境界」，其間應有一段歷程，是可以補充論述的。

個人撰述的角度和方法與陸氏頗有差異。上文已論及，劇場上是以表演者爲主體，而中國古典戲劇的表演方式是：戲曲演員必需以「唱、念、做、舞」的技藝，充任「腳色」行當，扮飾劇中人物，以求達到「形神」兼備、出神入化的境界。戲曲演員，尤其是生、旦行當，除必需具備唱、念、做、舞及腳色之「技藝」；還必需具有「姿色容貌」之美，因此「色」是所以能成為一個表演者的先決條件，而「藝」則是後天修養習技的工夫，「色藝雙全」是戲曲演員的共同追求的理想。本論文即在這樣的思考之下，架構色藝論、度曲論、曲白論、身段論、腳色論、形神論六大主題。

本論文共分八章。第一章〈色藝論〉，是從一個整體面看戲曲演員先天條件和後天的藝術修養。凡文學、音樂、繪畫、雕塑、建築等藝術創作者，可以論其才氣學習、創作特色、風格技巧、藝術成就等多種角度，其藝術造詣可以與容貌完全無關。而一個表演創作者則以其自身為表現媒介，故必與容色相關。元代胡祗遹〈黃氏詩卷序〉對伶人提出「九美說」；夏庭芝《青樓集》從色、藝兩方面評論當時百餘位優伶，並有「色藝雙絕」之評語；明代湯顯祖〈宜黃縣戲神清源師廟記〉（以下簡稱〈廟記〉）、潘之恆《鸞嘯小品》、清代李漁《閒情偶寄》中的「聲容部」、鐵橋山人等著《消寒新詠》之「以花比色、以鳥比聲」品題優伶，皆與色藝論題有關。

第二章至第四章〈度曲論〉是討論演員的演唱藝術。「度曲」有兩種意義，一是「作曲」，與「製曲」、「譜曲」意義相同，都是「自作新曲之意」。如《漢書．元帝紀贊》：「自度曲，被歌聲」，應劭注：「自隱度作新曲」，音「踱」。二是「歌唱」或「演唱」之意，其音為「杜」，如張衡〈西京賦〉：「度曲未終，雲起雪飛，初若飄飄，後遂霏霏。」即是。戲劇的製曲者須掌握南北曲、宮調、曲牌、套數、劇情、排場、四聲、襯字等規律和方法。[30]而唱曲者應當掌握五音四呼、四聲陰陽、出字、收聲、歸韻、合樂、曲情等方法技巧。前者屬於戲曲文學理論中的語言音韻範圍；後者屬於劇場藝術理論中的演唱論，本文所討論者即是演唱意義的度曲論。但是如果理論家聯繫製曲與唱曲的關係，亦一併列入討論之中，以便於觀察戲劇文學與演唱依存的關係。

關於唱論的專書，在戲曲論著之中，份量最多，也最有系統。傅大興（惜華）就元明清三代中，選輯校錄元燕南芝菴《唱論》，明朱權〈詞林須知〉，明魏良輔《曲律》，明王驥德《方諸館曲律》，明沈寵綏《度曲須知》，清李漁《閒情偶寄》，清毛先舒《南曲入聲客問》，清徐大椿《樂府傳聲》，清王德暉、徐沅瀓《顧誤錄》等九種比較有系統研究、具有代表性的論著而成《古典戲曲聲樂論著叢編》。[31]周貽白更就芝菴《唱論》、魏良輔《曲律》、《閒情偶寄·演習部》及傅大興（惜華）未收錄的黃旛綽《明心鑒》（《梨園原》）等四種加以注釋，名爲《戲曲演唱論著輯釋》。[32]除此之外，還有元胡祗遹〈黃氏詩卷序〉、周德清《中原音韻·作詞十法》中的「務頭論」、夏庭芝《青樓集》、明潘之恒《亙史》、《鸞嘯小品》等，雖非專論戲曲聲樂之書，其相關批評論述亦不乏精闢之見。可知古典戲曲聲樂論著之豐富而深奧，度曲論在表演理論體系中地位之重要亦由此可證。度曲理論是隨著戲曲史的演變而發展的。元代散曲、雜劇盛行，故論演唱藝術乃以北曲爲主；明清則以傳奇爲主流，尤其是嘉靖、隆慶年間，魏良輔等人創製崑山腔興起之後，更加入崑曲演唱理論的探討；清朝中葉以後，花部興起，崑劇衰微，但仍有專論。故度曲論主題分上、中、下三章，以觀照其發展脈絡。

第五章〈曲白論〉是討論演員的唱念藝術。前三章以純論唱曲藝術的專書為主要材料，此外，胡祇遹涉及一唱一說之間的表演原則；王驥德《曲律》的相關篇章則提出創作曲白理論及其影響說唱的關係；李漁《閒情偶寄》中的「詞曲部」亦論曲白之創作，「演習部」更論及授曲與教白的表演問題。二人都提出戲曲文學的音律和語言，應以鏗鏘宛轉而易歌、流利輕滑而易說為原則；此乃基於「詞曲之道，專為登場」的理念。至《梨園原》歸納出〈曲白六要〉，是就唱曲與念白的共性而論，由是唱念藝術才有較清晰的理論。

第六章〈身段論〉是討論演員做、舞的藝術。「身段」二字見李漁《閒情偶寄·授曲·曲嚴分合〉：「曲既分唱，身段即可分做」；其後黃旛綽《梨園原》才眞正提出〈身段八要〉，身段理論才有具體的內容。雖然「身段」一詞出現較晚，但從胡祇遹、夏庭芝的文字片斷、徐渭《南詞敘錄》解釋「科、介、諢」、李開先《詞謔·詞樂》記述顏容演戲的內涵、潘之恆〈與楊超超評劇五則〉中的「度、步、思、呼、嘆」等等，皆與身段有意義關聯。戲曲表演藝術的主要特徵，就是以演員自身的形體和發聲器官作為表現的媒介，將文學劇本所提供的故事情節，通過演員的表演再現於舞臺之上，使之成為通過視覺和聽覺（啞劇和舞蹈除外）可以直接感受得到的形象。故從表現功能和特性上來說，唱、念是以演員的發聲器官作為媒介，是訴諸觀衆的聽覺，是對劇本文學所包含意義的直接表現。做、舞是以演員的形體為媒介，是訴諸觀衆的視覺，是劇本文學提示動作的形象表現。[33]可知演員在舞臺上，唱、念、做、舞四者是融合表演的，此所以度曲家的唱論中，往往涉及演唱的形相表情和手足之態。因此本章即由「唱念身段」推及「做工身段」，再論「唱做合一的身段」。於是「身段」一詞，便由狹義的「做舞」藝術擴大為「唱做合一」的表演藝術，身段論因而有豐富的內涵。

第七章〈腳色論〉討論腳色與表演藝術的關係。「腳色」一詞最早見於南宋戲文《張協狀元》劇中，即指戲劇之腳色。這是度曲論、曲白論、身段論之後更深一層開展出來的主題。因為戲曲演員具備唱念做舞的技藝，是受「腳色行當」規範的，故有所謂「生、旦有生、旦之體，淨、丑有淨、丑之腔」。腳色與表演藝術關係，在於戲曲的表現形式是：由「演員」充任「腳色」，以扮飾劇中「人物」。這三者都是指稱舞臺上的表演者，似乎沒有差異，詞語不同而已，其實不然。正因為通過腳色符號的象徵性，所以演員、腳色、人物三者，彼此之間產生了微妙的關係。本章即先釐清腳色與人物、腳色與演員、演員與人物、腳色與演員與人物等四種關係。而隨著宋金雜劇院本、宋元戲文、元雜劇、明傳奇、崑曲等體製劇種的演變，腳色亦隨之孳乳分化，名目雖有異有同，意義已有改變。因此隨著戲劇史的發展，發現腳色的象徵性亦有不同，故分別以「腳色象徵人物之性別」、「腳色象徵人物之類型」、「腳色象徵演員之技藝」討論，而腳色象徵的改變，都必須從表演藝術的角度觀照。

第八章〈形神論〉討論演員表演藝術的工夫和境界。「形」、「神」二字出現於荀子、莊子，原指形體和精神。其被運用於戲曲批評，並非偶然。故本章先敘「形神美學溯源」；繼而探討元代戲曲形神觀念，而其理論可說是由湯顯祖〈廟記〉和潘之恆〈神合〉、〈情癡〉等文建立起來的；此後明清的評論家，多用形神美學做為實際批評，故列舉實例加以分析。形神論可說是統攝前五個論題：即演員以其先天的容貌外相、自身形體、發聲器官；

運用後天習練的唱念做舞和腳色行當之技藝以詮釋劇中人物，而達到「以形傳神」、「形神兼備」的境界。

本論文八章結構，以〈色藝論〉爲綱領；而從「藝」開展出度曲論、曲白論、身段論、腳色論各主題；最後以形神論統合，一方面代表由藝入道、由技入神的歷程，同時也象徵表演藝術的最高境界。這六大主題環環相扣，首尾呼應。各主題各章節，皆從元明清戲曲的理論批評入手，盡力剖析前人的論點，以求深入掌握其表演藝術理論之精義。個人期能以系統性的論述方法，觀察古典戲曲搬演論的內涵及其發展，探尋搬演理論的美學體系。

【註釋】

[1]討論中國戲曲起源，可參張庚〈中國戲曲形成的過程〉、周雲谷〈中國戲劇的形成和發展〉、李肖冰等人編《中國戲劇起源》、曾師永義〈中國古典戲劇的形成〉。

[2]王驥德《曲律》共四卷四十章，每章都有題目；其中第三十九章〈雜論〉共一二二條，陳多、葉長海先生《王驥德曲律注釋》本加以編號，以下引用〈雜論〉時依其編號，其他則直接注明章名。

[3]「葬馬」指優孟請楚莊王以諸侯之禮葬愛馬事。「漆城」指優旃刺秦二世欲漆其城之事。「李天下」是後唐莊宗與群優作戲自呼之語。優人裝扮孔子之婿公冶長，以刺北宋蔡卞欲將岳父王安石在孔廟配享中的地位升於孟子之上。「二聖環」指優人扮宋徽、欽二帝回還事。參《曲律注釋》頁一八九。

[4]謝柏梁〈王驥德及其影響下的晚明劇論〉亦肯定王驥德是中國戲劇史上首次確立戲劇定義者。這種從戲劇發生論的角度而給戲劇定性的方法比較完整地確立了古代戲曲的定義。王國維所謂合歌、舞、白以演故事的

戲曲定義亦出於此。

[5]關於古典戲劇之定義見〈中國古典戲劇的形成〉。

[6]參考布羅凱特(Oscar G. Brockett)《世界戲劇藝術欣賞》第二章〈觀衆與批評家〉；見胡耀恆先生譯本。

[7]語見《太和正音譜》頁五四。

[8]黃旛綽《梨園原》引錄「謝阿蠻論戲始末」則是：「董解元有曰：『扮演古人事，出入鬼門道』。」（頁一〇）。未知何者爲是，但表示宋金時代已用此語。

[9]如宋元戲文《小孫屠》開場時，末向後臺問：「後行子弟，不知敷演甚傳奇？」；臧晉叔《元曲選・序》則說：「行家者隨所粧演，無不摹擬曲盡」。此外，胡應麟《少室山房曲考》：「今世俗搬演戲文，蓋元人雜劇之變，……。至元王、關所撰，乃可登場搬演。」亦用「搬演」一詞（語見《新曲苑》冊一頁一〇五）。

[10]關於這些詞語，拙著《王驥德曲論研究・導論》已嘗試釐清，不再贅述。見臺灣大學文史叢刊之九十。

[11]趙景深《曲論初探》，上海文藝出版社，一九八〇年。謝柏梁〈近年來四部古代曲論專著略評〉列爲第一部加以論評。

[12]夏氏〈中國戲劇批評的產生和發展〉一文是一九六四年舊作，直到一九七九年才發表於《戲劇藝術》第二期及一九八〇年第一期。

[13]夏氏之文共分十節，在唐宋之後，將元代劃分爲初、中、後期；又將明代分爲明初、正統至正德、嘉靖至隆慶等階段，討論各階段中具有代表性的戲曲理論內容。

[14]《論中國戲劇批評》內容分爲五輯：中國戲劇評論之背景、中國戲劇批評之產生、明萬曆戲劇評論研究、王驥德與李漁、觀念的變化與理論的更新。夏氏於〈自序〉云：「這本論文集所收文章，始於對中國戲劇評

論美學背景、文化根源的探討，最後歸結到尋求古代戲劇評論與當代戲劇事業的銜結點。」可知此書增添之內容。

[15]齊森華先生《曲論探勝》，上海華東師範大學出版，一九八五年。

[16]葉氏所著出版於一九八六年上海文藝出版社。民國七六年臺北駱駝出版社初版，八二年再版，更名為《中國戲劇學史》。關於戲劇學內容見〈緒論〉頁二～五。

[17]葉氏依時序分十三章，係根據對古代戲劇學發展時期而劃分：一、孕育發生期——先秦至宋代；二、全面開展期——元代至明前期；三、高度發展至高潮期——明中期至晚期；四、全面深入開掘期——清初期至中期；五、徘徊貧困期——清晚期。

[18]《中國古典戲曲論著集成》共十冊，選錄唐、宋、元、明、清五代中重要的戲曲理論專著，共四十八種。每種論著之前，皆編寫「提要」，扼要介紹作者生平、論著內容、版本流行概況；各書之後並有「校勘記」。北京中國戲劇出版社，一九五九年初版，一九八二年四版。民國六三年臺北鼎文書局影印出版，改名為《歷代詩史長編二輯》。

[19]參謝柏梁〈近年來四部古代曲論專著略評〉。

[20]〈太和正音譜的曲論〉原載《中外文學》第五卷第四期；〈王驥德曲學述評〉原載《幼獅月刊》第四十三卷第六期。

[21]根據林鶴宜先生〈臺灣地區「中國古典戲曲研究」博、碩士學位論文寫作概況（民國四十五～八十二）〉之分類，其中「戲曲理論、批評之研究」者約二十本，所探討的曲論家包括《太和正音譜》、徐渭、王驥德、祁彪佳、孟稱舜、何良俊、李漁、金聖嘆、焦循、吳梅、王季烈等人。

[22]陳芳英先生《明代劇學研究》（臺灣大學，民國七二年）；羅麗容《清代曲論研究》（東吳大學，民國七三年）；此外，吳昶和《清乾隆間劇壇暨劇學研究》博士論文（師範大學，民國七九年），僅以一章討論金

德瑛《觀劇絕句》三十首、凌廷堪《論曲絕句》三十二首、李調元的劇論，而於乾隆間徐大椿《樂府傳聲》、鐵橋山人等《消寒新詠》、黃旛綽等《梨園原》之著作皆未論及，故並非專研曲論者。

[23]關於三大體系詳見《中國古典戲劇理論史》第二章第三節「戲劇理論的三大體系」頁五四～六五。

[24]就現代劇場而言，一齣戲的演出，除了導演，還有舞臺布景設計、燈光設計、服妝設計、編舞家、編曲家等幕後的專業工作者。而誠如王安祈先生指出的：中國古典戲劇的舞臺，一向不設布景，僅有的「砌末」又必須與演員的動作相互結合始有意義。因此，中國劇場的「景物造型」，實奠於演員之表演，而非獨立的藝術。故就中國古典戲劇而言，「劇場藝術」（「舞臺藝術」）與「表演藝術」實無分別（參《明代傳奇之劇場及其藝術・前言》頁三）。故個人認爲作者、演員、導演和觀衆是戲劇從案頭到戲場上的決定性者。

[25]以上諸書皆收入《中國古典戲曲論著集成》。

[26]參見《中國古典戲劇理論史》頁二一五。

[27]高氏所著出版於一九八五年北京中國戲劇出版社；趙氏所著出版於一九九〇年上海華東師範大學出版社。此外，郭亮《戲曲導演學概論》探討戲曲導演創作中舞臺藝術的問題（湖南人民出版社，一九八二年）；錢英郁《導演八論》探討戲曲導演在二度創作中經常遇到的一些理論問題和實際問題(安徽文藝出版社，一九八五年)；黃在敏《戲曲導演概論》探討戲曲導演的創作手段、舞臺處理及藝術構思（文化藝術出版社，一九九四年）；三書係就戲曲導演理論提出一家之言，研究方法與高氏不同。

[28]《中國戲曲研究書目提要》主要收錄一九一一年至一九八九年十二月以前，大陸出版的戲曲研究書籍。其中有「戲曲導演、表演」一類（頁三

四三～三七八），以下列舉之書，據書目所收錄者加以分類；如書目中未列而筆者所知者，亦補入。

[29]研究古典戲曲表演理論的單篇文章頗多，先舉筆者所見四篇代表性的論文：陸林〈元人戲曲表演論初探〉、袁震宇〈明代戲曲表演論舉要〉、海震〈明清戲曲演唱理論的發展軌迹——三部戲曲演唱論著舉要〉、蔡鍾翔〈表演論〉。另引用其他單篇論文者，詳見參考書目。

[30]王季烈《螾廬曲談》卷二〈論作曲〉，即根據這些規律和方法分成五章論述。

[31]收錄九種之中，《方諸館曲律》、《閒情偶寄》和《顧誤錄》三種是節錄本，其他六種則將原書全部重印。書後附錄〈古典戲曲聲樂論著解題〉，頗有參考價值。

[32]周氏之書由北京中國戲劇出版社出版，一九六二年初版，一九八〇年二版。

[33]參姜永泰《戲曲藝術節奏論》頁一三二、一三六。

第一章　色藝論

一個藝術創作者，必須同時兼備天資氣稟和藝術修養。對劇作家和演員而言，其才、氣、學、習或有庸儁、剛柔、淺深、雅鄭之別，但才力居中，功以學成的精神則相同。居於案頭之上的劇作家，著重的是才質情性；而位於舞臺之上的演員，則強調色藝雙美。劇作家是「才有天資」，故宜「摹體以定習，因性以練才」；演員則是色由天生，藝可後學。從字面上看，「色」指姿容美色，「藝」指表演技藝，然古代曲論家賦予戲曲演員應該具備色藝的內涵，卻超過字面上的意義。就色而言，包括外在美和內在美；就藝而言，則包括文學藝術、音樂藝術、歌舞藝術、戲曲藝術、說唱藝術等，其中戲曲藝術更需具備唱、念、做、舞的表演藝術。因此，曲論家不僅從色、藝的角度品評伶人，還提供修容、養聲、習技的方法。期使戲曲演員在先天的姿容之上，加以後天的培養習練，而能創造光彩奪目且技藝精湛的舞台形象，達到色藝超絕的成就。

第一節　色藝之品評

由於姿容美色是成爲戲曲演員的先決條件，因此曲論家最先關注者即是美的判斷，元代胡祗遹〈黃氏詩卷序〉提出表演藝術「九美」說：[1]

女樂之百伎，惟唱說焉。一姿質濃粹，光彩動人；二舉止閑雅，無塵俗態；三心思聰慧，洞達事物之情狀；四語言辨利，字句眞明；五歌喉清和圓轉，纍纍然如貫珠；六分付顧盼，使人解悟；七一唱一說，輕重疾徐，中節合度；雖記誦閑熟，非如老僧之誦經；八發明古人喜怒哀樂、憂悲愉佚、言行功業，使觀聽者如在目前，諦聽忘倦，惟恐不得聞；九溫故知新，關鍵詞藻，時出新奇，使人不能測度爲之限量。九美既備，當獨步同流。

其中前三美正是從這個角度立論的。姿質指容貌、形體、姿態等外表素質，這種生而固有的素質散發光豔的風采和魅力，足以使人觀其美而爲之動容。其所以能光彩動人，在其美而不俗，因此由天生姿質而形諸於外的動作儀態要嫻靜高雅，不可有庸俗之態，也就是具有一種風神之美。美而不俗之外，還需是美而不木，心靈思想要聰明靈慧，能洞察生活中的人情物狀。所謂世事洞明皆學問，人情練達即文章。演員要積累生活經驗，用心觀察體悟，方可以洞徹事理，透視人生。

這三美概括了演員的形體姿質、風度神韻和內在智慧。以此三美爲基礎，演員需要在文學藝術修養方面更進一層，胡祗遹〈優伶趙文益詩序〉說：

醯鹽薑桂，巧者和之，味出於酸鹹辛甘之外，日新而不襲故常，故食之者不厭。滑稽詼諧，亦猶是也，拙者踵陳習舊不能變新，使觀聽者惡聞而厭見。……。人知優伶發新巧之笑，極下之歡，反有同於教坊之本色者。於斯時也，爲優伶者亦難矣哉。然而世既好尚，超絕者自有人焉。趙氏一門，昆季數人，有字文益者，頗喜讀，知古今，趨承士君子。故於所業，恥蹤塵爛，以新巧而易拙，出於眾人之不意，世俗之所未嘗見聞者，一時觀聽者多愛悅焉。遇名士則必求詩文字畫，似於所學有所自得。已精而益求甚精，終不敢自足，驕其同輩。吁！如斯人者，伶人也，尚能進進而不已。

胡氏肯定趙文益好學，從典籍知通古今，是以文學知識豐富其生活經驗；揣摩名家的詩文字畫，與己之心得體會相互印證，是涵養其藝術修養，此二者皆使其能心思聰慧，洞達事物之情狀。文學藝術的滋養，成爲推波助瀾的力量，因此趙文益的表演藝術能日新而不襲故常，能以新巧易拙而出於衆人之不意。換言之，文學和藝術的修養，是演員培養智慧之美的重要途徑，也是理解戲劇情節、掌握角色人物的必要基礎。唯其如此，演員的表演才能產生新意，而能精益求精；心思聰敏的智慧美，才能使演員具有感悟自得的能力。

元代後期夏庭芝[2]《青樓集》專門記錄著名女伶。全書有七十則傳記，記述的坤角演員共一百一十七人；此外還涉及同時代的男演員三十五人(其中多數是女演員的丈夫)，「才人」二人，及見於姓氏的戲曲作家、散曲作家、詩人、名公士夫等四十餘人。[3]夏氏在〈青樓集誌〉說明：「天下歌舞之伎，何啻億萬，而色藝表表在人耳目者，固不多也。」因此他從青樓中訪得許多「方名艷字」而集成是編。其中「有見而知之者，有聞而知之者」，雖然「遺忘頗多，銓類無次，幸賞音之士，有所增益，庶使後來者知承平之日，雖女伶亦有其人。」[4]夏氏爲女伶作傳，並給予扼要的評述，在戲曲典籍中可謂別開一格，亦可說是慧眼獨具。夏氏以著錄「色藝表表」之女伶爲傳述的旨趣，故其對女伶的品評，大約可以從「色」和「藝」兩方面觀察。

胡祗遹提出姿色美、風神美、慧性美，夏庭芝正以此三美作爲實際批評女伶的原則，《青樓集》中分別可以看到這三種類型的美：

一、姿色美：

聶檀香：姿色嫵媚，歌韻清圓。

龍樓景、丹墀秀：俱有姿色，專工南戲。龍則梁塵暗簌，丹則驪珠宛轉。

趙梅哥：美姿色，善歌舞。

汪憐憐：美姿容，善雜劇。

金鶯兒：美姿色、善談笑。

事事宜：姿色歌舞悉妙。[5]

二、風神美：

順時秀：姿態閑雅，雜劇爲閨怨最高。

天然秀：丰神靚雅，殊有林下風致，才藝尤度越流輩。

張奔兒：姿容丰格，妙於一時。善花旦雜劇。

賽天香：善歌舞，美風度，玉骨冰肌，纖塵不染。

李眞童：色藝無比，舉止溫雅，語不傷氣，綽有閨閣風致。[6]

三、慧性美：

曹娥秀：賦性聰慧，色藝俱絕。

李芝秀：賦性聰慧，記雜劇三百餘段；當時旦色，號爲廣記者，皆不及也。

顧山山：資性明慧，技藝絕倫。

一分兒：歌舞絕倫，聰慧無比。

般般醜：天性聰慧，至於詞章，信口成句。

小春宴：天性聰慧，記性最高。勾闌中作場，常寫其名目，貼於四周遭梁上，任看官選揀需索。近世廣記者，少有其比。[7]

第一類中的女伶，多半具有圓潤悠揚的歌聲，且擅長舞蹈，所謂美姿色、美姿容是屬於平面式的描述。第二類的「風度」、「風致」、「丰格」、「丰神」等詞語，則使人物的美感流動起來，這種風度飄灑、神采超逸的韻致與舞臺形象息息相關。故順時秀、天然秀、張奔兒、李童眞等人，多擅長於雜劇搬演。第三類女伶的聰慧才性，更屬不可多得。尤其是小春宴，既然能任「看官」——觀衆點戲，其所記者，就絕不止是某本雜劇的文字內容，還必然包括該劇的唱腔、身段等表演因素。同理，李芝秀能記雜劇三百餘段，當然也能任看官選戲。這種特異的秉賦，是女伶中之奇才，正是「少有其比」的。

由歸納的三大類中，可知每個女伶各具有不同的才質，也正好代表三種不同層次的美。此外，有些女伶則具有重疊性的美。如：

玉蓮兒：端麗巧慧，歌舞談諧。

小玉梅：姿格嬌冶，資性聰明，雜劇能迭生按之，號小技。

李嬌兒：姿容姝麗，意度閑雅，時人號爲「小天然」，花旦雜劇特妙。

張奔兒：姿容丰格，妙於一時，善花旦雜劇。

喜溫柔：姿色端麗，而舉止溫柔。[8]

玉蓮兒、小玉梅兼具姿容美和慧性美；李嬌兒、張奔兒、喜溫柔兼具姿容美和風神美；可知美之難以全備。伶人經由先天的姿色美、風神美、慧性美，加上後天的訓練培養，才能展現其藝境美。《青樓集》中記載的伶人，所擅長的文學、技藝修養是多方面的。以下就他們所擅長的諸般藝術加以分類。[9]

一、文學藝術類：包括樂府小令[10]、詩詞慢詞[11]、文墨書畫。[12]

二、戲劇藝術類：包括雜劇[13]、院本[14]、南戲[15]等劇種。

三、音樂藝術類：包括音色[16]、歌舞[17]、音律[18]、樂器[19]、樂藝。[20]

四、說唱藝術類：調話小說[21]、談諧[22]、諸宮調[23]、慢調[24]、謳唱[25]、小唱[26]、彈唱[27]、合唱。[28]

可見元代伶人不止諳通文墨，文思敏捷，能即席賦詩；而且能演能唱，能說善道，實爲多才多藝。整體論之，夏庭芝就有所謂「色藝俱絕」、「色藝並佳」、「色藝無雙」、「色藝無比」等評語。[29]而值得注意的是，有些伶人是無法色藝兩全的。例如：

喜春景：姿色不逾中人，而藝絕一時。

王奔兒：長於雜劇，然身背微僂。

王玉梅：身材短小，而聲韻清圓。

朱錦繡：雜劇旦末雙全，而歌聲墜梁塵，雖姿不逾中人，高藝實超流輩。

和當當：雖貌不揚，而藝甚絕。

陳婆惜：聲遏行雲，然貌微陋，而談笑風生。

米里哈：歌喉清宛，妙入神品，貌雖不揚，而專工貼旦雜劇。[30]

姿容之美無以自擇，技藝之美卻可練就。雖然這些女伶的形貌不揚，但其聲韻歌喉妙入神品，其技高藝絕超於流輩，可謂瑕不掩瑜，由是容色之美並非評斷伶人的唯一法門。對戲曲演員而言，表演藝術之高下更是重要，因此，夏氏也會比較伶人技藝之優劣：

> 時小童：善調話，女童童亦有舌辨，不能盡母之伎。[31]
>
> 小玉梅：有女寶寶，藝則不逮其母云。
>
> 陳婆惜：聲遏行雲，女觀音奴，亦得其彷彿，不能造其妙也。
>
> 喜溫柔：江西亦有喜溫柔，姓孫氏，其藝則不逮焉。[32]

夏氏的色藝論，是以色藝雙絕爲上；其次是藝重於色；若是色美而藝拙，則又次於一等了。由於這種觀念，中國古典戲曲的表演理論才得以深入，同時也使演員修養論避免了唯「姿色」論之弊。

胡祇遹和夏庭芝美學觀點在於由一般理論轉化爲實際批評，基本上可說是一脈相承。因爲是實際批評的體例，故夏氏的色藝論有兩個特色，其一，運用描述形容的詞語較爲豐富而有變化。如形容女伶的形象美就有姿色嫵媚、姿格嬌冶、姿容姝麗、姿色端麗等。形容風神美就有美風度、丰格、風神靚雅、林下風致、綽有閨閣風致等，較之於「舉止閑雅，無塵俗態」更能表現人物的神韻美及其流動感。可說是爲胡氏較爲抽象的美學判斷，給予具體的描述和實例。此外，胡氏將「心思聰慧」和洞達事物之情狀繫聯起來，夏庭芝則在「慧性美」的實際批評中，直接轉用於演員賦性聰慧，能廣記雜劇內容，而任看官選揀點戲的悟性。其二，從夏氏的評論中得知，伶人所具備的藝術修養非常廣泛，不止於古代典籍或詩文字畫而已。對於唱念做舞兼備的戲曲演員而言，文學、音樂、歌舞、講唱等藝術修養確實是不可或缺的。胡氏提出「美」的理論原則；夏氏則以此原則，對百多位女伶做了實際的批評，二人的色藝論皆可一一對應，可以相輔相成。

第二節　藝道與仙致

夏庭芝以色、藝做爲實際批評後，湯顯祖則從如何修養「藝道」的角度立論。其〈宜黃縣戲神清源師廟記〉一文，被推許爲古典戲劇理論中談表演藝術的重要文獻。[33]

根據湯顯祖所記，清源是西川灌口縣二郎神[34]，「爲人美好，以游戲而得道，流此教於人間。」由於戲神無祠，以往演員只能在開演前以酒爲酹，並唱民間小調爲祝祭。[35]湯氏感慨孔、佛、老皆各有其祠，而清源師「號爲得道，弟子盈天下，不減二氏，而無祠者，豈非非樂之徒，以其道爲戲，相詬病耶？」因此湯氏特撰此記將「這位名不見經傳的神靈和傳統的儒釋道三教大聖人相提並論」，並引申清源祖師之「道」：

> 汝知所以爲清源祖師之道乎？一汝神，端而虛。擇良師妙侶，博解其詞而通領其意。動則觀天地人鬼世器之變，靜則思之。絕父母骨肉之累，忘寢與食。少者守精魂以修容，長者食恬淡以修聲。爲旦者常自作女想，爲男者常欲如其人。其奏之也，抗之如青雲，抑之如絕絲，圓好如珠環，不竭如清泉。微妙之極，乃至有聞而無聲，目擊而道存。使舞蹈者不知情之所自來，賞歎者不知神之所自止。若觀幻人者之欲殺偃師，而奏《咸池》者之無怠也。若然者，乃可爲清源師之弟子，進於道矣。

近年來討論此段文字者，各有不同的角度。高宇和徐朔方先生說這是把梨園稱之爲「戲德」的問題，賦予了廣闊而深邃的內容。[36]金登才先生認爲這是中國古典戲曲美學史上第一次言簡意賅地揭示了戲曲演員創造「角色」的基本規律和要素。[37]夏寫時先生則認爲這是論演員的創作論，可簡單概括爲「一」、「虛」、「觀」、「思」、「靜」五個字。[38]姚文放先生主張這是優秀演員必備的素質，要求眼員通過千垂百煉，將豐富的生活經驗驗、良好的道德品質、深厚的藝術修養熔爲一爐，以進入戲劇表演的極境。[39]

細尋此段文字，其實是有脈絡可尋的。首先，湯氏所標舉的是戲神清源祖師之「道」，此道一言以蔽之是「一汝神，端而虛」。「一汝神」即《莊子·達生》篇中「用志不分，乃凝於神」的境界。[40]「端而虛」即《莊子·人間世》的「虛而待物」、「唯道集虛」。湯顯祖借用莊子的語言，說明演員在表演藝術天地中，要專心致志、聚精會神而不動於外，而且要讓靈府處於虛靜的狀態，如此才可以虛懷萬物，與物相應，如明鏡無不照，止水無不鑑[41]，才能集至道於心懷。因此「一汝神，端而虛」是總其綱領。以下則是提出五個具體修養此「道」的方法。

首先要擇良師益友，廣博地理解劇本的曲詞和賓白，以便能通領曲白所要傳達的意涵。換言之，唯有深刻透徹地解詞領意，才能唱戲演戲。

其次是「動則觀天地人鬼世器之變，靜則思之」。不論是動是靜，所思所觀者皆是「人鬼世器之變」。然則由何觀之思之？可由「博解其詞通領其意」的劇本，亦可由其博覽的群書（如上述趙文益頗喜讀、知古今）觀之思之。何以由劇本、群書中可以

觀人鬼世器之變？試從《易傳·繫辭》上的兩段話加以推論：[42]

> 易與天地準，故能彌綸天地之道。仰以觀于天文，俯以察于地理，是故知幽明之故。原始反終，故知死生之說。精氣爲物，游魂爲變，是故知鬼神之情狀。
>
> 聖人設卦觀象，繫辭焉而明吉凶，剛柔相推而生變化……。是故君子居則觀其象而玩其辭，動則觀其變而玩其占。

天地之間包羅剛柔、幽明、死生、鬼神等一切變化，聖人就以天地之化設卦觀象作辭，故君子浸染於《易書》之中，或觀象玩辭，或觀變玩占，乃可以「彌綸天地之道」。因此《莊子·知北遊》說：「天地有大美而不言，四時有明法而不議，萬物有成理而不說。聖人者，原天地之美而達萬物之理。」由《易書》推及一切經典文學之作，是《文心雕龍·原道》所說的「玄聖創典，素王述訓，莫不原道心以敷章，研神理而設教。」此所以後人可由文學典籍中，達宇宙之美、之法、之理，觀人鬼世器之變。對演員而言，其目的在透過研覽群書，而可以「積學以儲寶，酌理以富才，研閱以窮照，馴致以繹辭。」[43]故演員經由博覽群書可助其洞明世事、練達人情，可助其體驗戲劇文學中的人情事理，再透過表演形式而將這種體驗更深刻的呈現於舞臺之上。

其三是「絕父母骨肉之累，忘寢與食」。「絕」、「忘」二字取其抽象義，前者言絕俗情去牽累，後者言習藝之勤奮專精，以至於忘寢廢食。

其四是「少者守精魂以修容，長者食恬淡以修聲」。提出演員「養生」之道的兩大要事在修容與養聲。修容是爲美觀，修聲是爲飾聽，演員若無容無聲，則難以登堂入室。至於特別強調少者修容，長者修聲，表示隨年齡之別，養生之道各有偏重。因爲少者當該持守精氣魂魄，以怡養年少原有的顏容；至年長則歲月已催人老，容顏形貌已非人力可養，而聲則可養，故宜節制嗜欲，以恬淡之食養聲。

其五是「爲旦者常自作女想，爲男者常欲如其人」。根據曾師永義〈男扮女妝與女扮男妝〉一文考述：元雜劇似乎沒有男扮女妝的記載，明代則由於左都御史顧佐在宣德三年奏禁歌妓，於是席間用孌童小唱及演劇用孌童粧旦，便應運而生。[44]因此湯氏要求在劇中扮演旦腳的男演員，在舞臺上或生活中要「常自作女想」，而扮演生、末、淨、丑等男腳色的演員，則要經常期勉自己達到「如其人」的地步。[45]

湯氏提出的五種方法，都有其可以實踐的具體性，又具有可超越於實際層次而達到抽象的哲學層次。博解通領詞意是爲「陶鈞文思」，故「貴在虛靜」。動觀靜思人鬼世器之變，則應具有「疏瀹五藏，澡雪精神」的「虛靜之心」。[46]絕俗累、忘寢食、守精魂、食恬淡，則必「虛靜恬淡，寂寞無爲」[47]，因爲遣情去累才能達於「坐忘」之境；而「平易恬淡，則憂患不能入，邪氣不襲，故其德全而神不虧。」[48]德全神全才能修聲養容。可見五法歸宗即在「一汝神，端而虛」，此二句即爲其總綱領。一個演員的藝術心靈，惟有處於絕對的虛靜狀態，才可以全性，才可以明察，才可以使意志處於絕對的自由，而無外物、內情的干擾，才可以獲得天地之大道和至美。所謂「瞻彼虛室，虛室生白，吉祥止止」[49]，在至虛至靜的狀態中觀察大千世界，才能觀照到大地和至美。[50]此大道和至美即是清源祖師之「道」，亦即是「藝道」。至於以下所說：「其奏之也，抗之如青雲」云云，是指演員具備以上五種修養後，登場演戲時所達到表演藝術之極境

(詳第八章形神論)。換言之，演員必需結合登場前的藝術修養以及登場時當下表演藝術的極境，方可爲進於清源祖師之「道」。[51]

湯氏的理論，比胡祇遹所說的「洞達事物之情狀」，更發展爲「動則觀天地人鬼世器之變，靜則思之」的深層意義。又將夏庭芝「色藝雙絕」中的「藝」提升爲「道」，而開展出五種修養藝道的方法，進而追求藝道的境界。湯顯祖使藝術修養理論進入了形上的層次。

同時和湯顯祖在萬曆年間劇壇而享有盛名的是潘之恆。[52]其戲曲評論主要見於《亙史》和《鸞嘯小品》[53]，被稱許是一個「品勝、品艷、品藝、品劇」的戲曲表演評論家。在〈仙度〉一文中，潘氏透過對楊超超的評論[54]，提出了演員當該具有才、慧、致三美：

> 楊之仙度，其超超者乎！賦質清婉，指距纖利，辭氣輕揚，才所尚也，而楊能具其美。一目默記，一接神會，一隅旁通，慧所涵也，楊能蘊其眞。見獵而喜，將乘而蕩，登場而從容合節，不知所以然，其致仙也，而楊能以其閑閑而爲超超，此之謂致也，所以靈其才而穎其慧者也。

演員首當具備的是「才」——氣質清麗委婉，舉手投足纖巧細膩，語言輕爽瀏亮、神采飛揚。楊超超正是具有此「才」，故能創造「美」的舞臺形象。其二是「慧」——一閱讀劇本即能默記，一接觸角色即可神會，導演教師稍加指點，便能舉一反三，觸類旁通。[55]楊超超正具此「慧」，故能將劇中人物的形神詮釋出來。其三是「致」——一見其所要獵取之物，即產生興懷，在採取行動之前即具有強烈的動勢，也就是說演員要時時保有一種強烈的表演欲望。舞臺上的一切動作要從容不迫，合乎節奏，像「不知所以然」似地自然流露，毫無矯柔造作之痕。這是一種巧奪天工、毫無匠藝之氣的藝術表現。[56]楊超超正具有此「致」，故其能在舞臺上造成一種特有的仙致。所以「才」包含了姿色美與風神美；「慧」是一種智慧，是一種瞭解、體會、默記劇本劇情的能力；「致」則是一種表現的能力，演出時的投入，以至能「神化」而「入戲」的能力。潘氏論戲曲演員之色藝已與表演藝術產生了關聯性，可謂甚細而精。可是，「才、慧、致」三者往往是難以兼備的：

> 人之以技自負者，其才、慧、致三者，每不能兼。有才而無慧，其才不靈；有慧而無致，其慧不穎，穎之能立見，自古罕矣。——〈仙度〉
>
> 蔣六、王節才長而少慧；宇四、顧筠具慧而乏致；顧三、陳七工於致而短於才。兼之者流波君 楊美，而未盡其度。吾願仙度之盡之也。盡之者度人，未盡者自度。——〈與楊超超評劇五則〉

王節「姿態娟媚，吐辭如簧，蘭情慧性，居然林下風流，知非塵凡中品。」[57]可知其具賦質清婉之才，惜其才長而少慧，言其能領會模擬角色的個性太強，故不能演誰像誰，只能演自己。顧筠卿「婉順柔和，殊無矜色；又復條暢文義，凡遇古今辭曲，一寓目即上口。下筆飄瞥，宛有緒致。」[58]可知其才慧兼具，惜其具慧而乏致，故不能忘我，以達渾然之境。和美度「身不滿五尺，虹光繚繞，氣已呑象。」[59]雖然其身材短小，無魁梧之材以利於扮演淨腳的外在條件，然其精神氣魄宏大，頗有壯夫之勢，登場從容合節而有「仙致」，是一位短於才而工於致的演員。至於楊美（即楊超超）則是一個兼具才、慧、致的演員。潘之恆

〈楊璆姬傳〉記述楊超超云：

> 楊姬者……世以玉貌善音律擬之楚璆，又稱璆姬。姬皙而上鬒，星眸善睞，美靨輔，齒如編貝。雅好翰墨，又嘗好游戲丹青，得九畹生態，時稱逸品，故諸姬中獨以才善著。……。每歌一闋，輒起舞。曼睩轉盼，翩如驚鴻，人從旁嘖嘖嗟異。

潘氏形容楊超超之皮膚、頭髮、眼睛、臉龐、齒牙等五官形貌，堪稱是天仙玉貌。其能深入體驗劇中人物的內在之情思而後表現於神態之中，慧性之高由此可見（詳第六章身段論）。又善於音律，雅好翰墨丹青；而當其舞於氍毹之上時，則是「曼睩轉盼，翩如驚鴻」，所謂「一靡其身，而繡被千金；一揚其腕，而珠串十琲。」[60]更是得表演之致。可知楊超超眞是才、慧、致三者兼備的演員了。

潘之恆的「才、慧」說，包含了胡祇遹、夏庭芝提出的姿色美、風神美、慧性美；所謂「致」則是從湯顯祖「舞蹈者不知情之所自來，賞歎者不知神之所自止」的表演美學理念開展出來的。演員除了天生的美才、風神、慧性，尤需要對表演藝術具有一種「心之所至，在心為志」的情懷。所謂「見獵而喜將乘而蕩」這種喜與神蕩之情，就是使自己時時充滿入戲的心靈狀態，甚至於在行止坐臥間隨時體悟，而可以「登山則情溢於山，觀海則意溢於海」。當演員能「寂然凝慮，思接千載，悄然動容，視通萬里」時，自然可以「吟詠之間，吐納珠玉之聲；眉睫之前，卷舒風雲之色。」[61]則當其登場表演時，才能達到從容合節、不知所以然的境界。這種境界，湯顯祖稱之為「道」，潘之恆稱之為「致」，二人皆把戲曲演員的「藝」推展到形上境界。

第三節　聲容與聲色

元明兩代色藝論的美學觀點，可說是由吉光片羽中尋求而得。胡祗遹、湯顯祖、潘之恒都是從其詩文雜記中呈現；夏庭芝雖是專書著錄伶人藝事，但在體例上是屬於實際批評。前文論述夏氏的觀念，即嘗試由七十則的實際批評中尋其理念。到清代李漁以專卷討論，就色藝論發展而言，實是一大開展。

《閒情偶寄》共八部十六卷[62]，一般編印李笠翁的劇論，都只摘錄其中的「詞曲部」和「演習部」[63]；而李漁對色藝的論述則見於「聲容部」[64]，其內容是：

選姿第一：肌膚、眉眼、手足、態度。

修容第二：盥櫛、薰陶、點染。

治服第三：首飾、衣衫、鞋襪。

習技第四：文藝、絲竹、歌舞。

首先要說明的是，聲容部原以造就「美人」爲事，並非以造就「伶人」爲事。唯在〈習技·歌舞〉項下有小序曰：「演習部中已載者，一語不贅，彼係泛語優伶；此則單言女樂。然教習聲樂者，不論男女，二冊皆當細閱。」換言之，習舞者單就女樂而言；而習聲樂者則男女皆然。故李漁又說：「歌舞二字，不止謂登場演劇，然登場演劇一事，爲今世所極尚，請先言其同好者。」顯然是將歌舞的論述延伸至登場表演的層面上。因此以下敘述選姿、修容、治服、習技等，亦不妨轉用於女伶姿容外貌及文學、音樂、歌舞之修養，以便探討李漁的色藝論。

從色藝論的角度觀聲容部之架構，前三者論「色」，後者論

「藝」。李漁以四分之三的篇幅，由各個方面具體論述女子之姿容、神態、裝飾等。其中涵括女子的五官形貌、四肢體態；進而盥面梳髻、香氣薰染、略施粉澤等修容飾體；乃至飾髮之具、飾耳之環、衣衫之宜、雲肩之色、裙製之幅、綴珠之鞋、淩波之襪等服飾裝扮。以論〈態度〉爲例，李漁所說的是古來稱之爲尤物的「媚態」。所謂「態之爲物不特能使美者愈美，艷者愈艷；且能使老者少，而媸者妍；無情之事，變爲有情。」指出媚態展現在女子身上的就是增其華美、添其艷麗，且具有「變化」的作用，甚至可以象徵一種「情態」，可見「媚態之於人身，猶燈火之有焰，燈之有光」。李漁認爲有些女子「每有狀貌姿容，一無可取，而能令人思之不倦，甚至舍命相從者」，皆繫於「態」之於一字。因此「選貌選姿，總不如選態一著之爲要」。然而媚態由何習養之？李漁說：

> 其養也，出之無心；其生也，亦非有意。皆天機之自起自伏耳。當其養態之時，先有一種嬌羞無那之致，現于身外，令人生愛生憐，不俟娉婷大露而後覺也。

可知媚態必以無心無意之道習養，若刻意用心，恐有強造之態，則不自然矣，故媚態可學而不可教。李漁說：「使無態之人與有態者同居，朝夕薰陶，或能爲其所化……。若欲耳提而面命之，則一部二十一史當從何處說起，還怕愈說愈增其木強奈何！」此習養媚態之道，正如道家所謂「無心成化」。

從李漁論〈態度〉之美，可見其關注女子之美何其細微，每一項目幾乎都涉及美的意義，美的鑑賞及美的修養。[65]

至於論「藝」部份，李漁則以「習技」統攝之，分爲文藝、絲竹、歌舞三項，並且具體提出實踐之道。這三項技藝是以「翰墨爲上，絲竹次之，歌舞又次之」，因此「學技必先學文」。此「文」乃廣義之文，包括書畫琴棋四藝[66]，李漁認爲「以閨秀自命者，書畫琴棋四藝均不可少。然學之須分緩急，必不可已者先之，其餘資性能兼，不妨次第並舉，不則一技擅長，才女之名著矣。」至於學文習技之鎖鑰，則在「文理」二字：

> 文理二字之爲鎖鑰，其所管者，不止千門萬户，蓋合天上地下，萬國九州。其大至於無外，其少至於無内，一切當行當學之事，無不握其樞紐，而司其出入者也。——〈文藝〉

由於「文」之中，包含宇宙天地大小事「理」，得其理方有鎖鑰可以出入其中，故「學文者非爲學文，但欲明此理」；明其理之後「則文字又屬敲門之磚，可以廢而不用。」因此文之「理」足以成爲「三教九流、百工技藝之樞紐」。此與湯顯祖的「動則觀天地人鬼世器之變，靜則思之」頗有相通之處，而李漁更發揮了莊子「得魚忘筌，得意忘言」之旨趣。

絲竹之音，李漁認爲女子宜學者，推琴爲首，因「婦人學此可以變化性情」；此外又有琵琶、絃索、提琴、洞簫等樂器（見〈絲竹〉）。但所謂「絲不如竹，竹不如肉」，故女子必學習歌舞（以下引文皆見〈歌舞〉）：

> 昔人教女子以歌舞，非教歌舞，習聲容也。欲其聲音婉轉，則必使之學歌，學歌既成，則隨口發聲，皆有燕語鶯啼之致，不必歌而歌在其中矣。欲其體態輕盈，則必使之學舞，學舞既熟，則迴身舉步，悉帶柳翻花笑之容，不必舞而舞在其中矣。

原來教歌舞之目的，不在歌舞本身，而在於「習聲容」，也就是爲了培養聲音和形體之美。中國古典戲曲原是以詩歌、音樂和舞蹈爲重要基礎，故李漁論歌舞之教習，即與登場演劇產生關聯。

首先是「取材」，取材即「優人所謂配腳色」：

> 喉音清越而氣長者，正生、小生之料也。喉音嬌婉而氣足者，正旦、貼旦之料也，稍次則充老旦。喉音清亮而稍帶質樸者，外、末之料也。喉音悲壯而略近噍殺者，大淨之料也。至於丑與副淨，則不論喉音，止取性情之活潑，口齒之便捷而已。

每個人有其天生的喉音，或清越氣長，或嬌婉氣足，或清亮質樸，或悲壯噍殺。所謂「氣之清濁有體，不可力強而致。譬之音樂，曲度雖均，節奏同檢，至於引氣不齊，巧拙有素，雖在父兄，不能以移子弟。」（曹丕《典論·論文》）。因此演員必須依其天然稟性，就其天生喉音之屬性以便能與行當腳色相配合。摹體定習，因性練才，演員才能恰如其分的發揮其所扮飾的行當。此即是魏良輔所說的「擇具最難，聲色豈能兼備」。

其次是「正音」。正音是「察其所生之地，禁爲鄉土之言，使歸中原音韻之正。」李漁是以唱崑曲的準則要求歌者應以吳音爲正，因爲吳音之陰陽、平仄不甚謬，故便於學歌。歌者「平仄、陰陽既諳，使之學曲，可省大半工夫」。此外正音的訓練是：「每正一字，必令于尋常話說之中，盡皆變易，不定在讀曲念白時。若止在曲中正字，他處聽其自然，則但于眼下依從，非久復成故物。蓋借詞曲以變聲音，非假聲音以善詞曲也。」李漁強調演員必須訓練到在日常生活中完全地正其音，才能在讀曲念白時，自然地表現出來，不致有生硬造作之語音。此乃是爲詞曲而正音，然李漁卻說：「借詞曲以變聲音，非假聲音以善詞曲」，實是一偏之見。[67]

其三是「習態」，李漁指出「態」有「閨中之態」和「場上之態」。閨中之態即其所謂「態自天生，非可強造」，「全由自然」的「媚態」（已詳前文）。場上之態則「不得不由勉強，雖由勉強，卻又類乎自然」，是「演習之功不可少也」。由於場上之態也必須配合各行當腳色的表演程式，如「生有生態，旦有旦態，外、末有外、末之態，淨、丑有淨、丑之態」等，故有習練功夫在其中。然而這種出於用心學習的場上之態，如同正音也要達到如生活舉止般的自然。故「須令于演劇之際，只作家內想，勿作場上觀，始能免于矜持造作之病。」也就是在表演時，要將舞臺空間想像爲家內居室，以尋常動作爲表演程式的依歸（詳第六章身段論），因此那無心無意、自起自伏，是物而非物、有形而似無形的閨中之態，當也能助其場上之態的自然動人。

取材和正音是爲聲樂而準備，習態則爲學舞而準備，至於教歌習舞原爲聲容而設，使演員登於場上能達到歌外有聲，舞外有容。此修養造詣總歸「因材而施，拂其天然之性而已。」而從形貌神態、修容飾體、服飾裝扮到讀書識字、學詩作詞、彈琴操樂、練歌習舞等，正是聲容兼修、書畫琴棋、聲歌舞樂各藝精通。如果一個女性戲曲演員要達到這般「色藝雙全」，是何其不易。

色藝論發展到李漁可謂是體大思精。就體係架構而言，前人論「色」，如胡祗遹、夏庭芝、潘之恆提出的姿質、姿容、姿態、風度、美才等；李漁擴展爲「容」部，分〈選姿〉、〈修容〉、〈治服〉三大類詳述。而前人論「藝」，如夏庭芝對伶人之文學、戲劇、音樂、說唱等藝術的分類，李漁則以「聲」部統攝，稱之爲〈習技〉。其次，就內容細目而言，胡祗遹的「姿態閒雅而無塵俗態」、夏庭芝的「丰神風度」及潘之恒的「賦質清婉」等等，李漁則以「態自天生，非由人力」的「媚態」稱之。夏庭芝止以工詩詞、善搊箏、善歌舞作爲實際批評，李漁則以文藝、絲竹、歌舞三項細目分論；並且列出習技之先後次序。而湯顯祖的修容養聲，李漁更從教習歌舞乃爲聲容而設立論；「爲旦常作女想，爲男常欲如其人」的意念，李漁申述成「只作家內想，勿作場上觀」的具體原則。因此就色藝理論的建立而言，前人只是陳述一種觀念，李漁則將這些零星的觀念統合起來，並由各個觀念具體論述其美的意義、美的鑑賞及美的修養。而就如何修養、如何實踐的角度而言，李漁其實是繼承了湯顯祖的方法論。

《消寒新詠》的成書[68]，使色藝論開展至另一層次。由序跋中得知此書作者有三人：鐵橋山人姓李，石坪居士姓劉，問津漁者姓陳。[69]全書共四卷，內容包括四部份。其一爲「正編」，以花鳥爲喻，品評十八位優伶，「每人序文後，必綴以詩」。其二是「紀實」，「皆就諸伶擅長之戲，加以詩評，多者數十出，少亦二三出」。其三是「雜載」，題詠正編之外的二十多位優伶。其四是「集詠」，乃匯集「時賢佳作」，都是題詠演員的詩文（以上引文見〈凡例〉）。

鐵橋山人有感於梨園之中，「求其聲色俱佳，又具風神神奕奕」之妙伶，實爲難得，乃與同人以花鳥品題優伶，是「效詩人托物寫照之義」（頁一一）。可知作者實借花鳥之物，以比擬優伶之形貌，象喻優伶之聲情。既然是「假物以懷，緣情起義」，當然「不泥乎物，不膩乎情爲得」（頁三六），而止「取其神肖，不徒泛以形求」（頁一六）。故擷芳道人〈消寒新詠序〉云：

以花比色，以鳥比聲，托物賦形，分題合詠……。花不必求其爲花，鳥不必求其爲鳥——愛花者見之謂之花也，愛鳥者見之謂之鳥也　。色不必其爲色，聲不必其爲聲——目遇之而成色，皆可以色色之也；耳得之而成聲，皆可以聲聲之也。只在解人自得耳。

爲了解作者托物寫照之用心，明其所謂「花不必求其爲花，鳥不必求其爲鳥」之深層義涵，茲將作者所比擬的花鳥列之如後：

藝　名	花　名	鳥　名	藝　名	花　名	鳥　名
范二官	梅花	白鶴	胡祥齡官	梨花	春燕
王百壽官	玉茗	青鸞	李桂齡官	含笑花	鴛鴦
徐才官	海棠	鸚鵡	劉大保官	丁香	秋雁
王喜齡官	芍藥	黃鶯	長生官	杜鵑花	杜鵑鳥
倪元齡官	水仙	翡翠	潘巧齡官	玉簪花	鵁鶄
李玉齡官	虞美人	秦吉了	李增官	茉莉花	百舌
李福齡官	芙蓉	鷓鴣	張三寶官	瑞香	山雞
毛二官	梔子花	白鷺	陳五福官	薔薇花	鶺鴒
金福壽官	桃花	鸜鵒	王琪官	荼蘼	倒挂

色和聲俱屬抽象，皆必目遇、耳聽方能得之，由於作者各以十八種花鳥擬諸形容，故有以下幾種意涵。其一取其聲肖色似，如王喜齡官：

神情骨秀，面粉唇朱，既弱質以蹁躚，復清音之嘹亮……。至其度曲紅樓，遏行雲而聲聲入譜；無殊流音綠樹，向曉日而恰恰調簧。（頁一八）

鐵橋山人云：「態浩香狂　，無如芍藥；聲嬌舌巧，首數鶬鶊。」芍藥大而美艷，有紅、白、紫等數種，花色瑰麗鮮艷；黃鶯(即鶬鶊)鳴聲婉轉動聽。王喜齡官醉粉嬌紅，音韻尙佳，其品之佳，其音之好(頁五九)，故以芍藥、黃鶯擬其人其聲。[70]

其二取其神之肖而非色之謂。如毛二官「靨輔不甚白，而假脂粉妝」（頁二四），且「聲音本小，面色微黃」，然其「扮作病人，不假雕飾，而自合度」（頁六一）。問津漁者云：「梔子，木本，體瘦而高；白鷺，水禽，行必有序。皆白色。彼不甚白，夫人而知之矣，而乃舉以名焉，是失實也。然白玉之白，亦白雪之白，白豈有定哉！此則取其神之肖而非色之謂耳。」因爲毛二官舞臺表演時是「含情凝睇，巧笑悅人」，故以梔子花擬之；然其「聲無妙韻」，故以行之有序的白鷺擬其「僅如秋水塘邊相呼相喚，雖著雪衣，終不若金衣公子能叫醒春夢也。」（頁二五）

其三取其格高聲似。如范二官「非以艷色媚容取悅於世」（頁三五），然其「格高態老」猶如梅品之蒼勁風骨；且具有「一聲清戾九霄聞」之音色，故擬之白鶴，此乃「存衆卉獨先，雞群獨立之意云爾，並非謂其有仙骨仙姿也。」（頁一一）

其四取其性情神似。如李桂齡官「每登場演劇時，心情宛轉，顧盼嫣然」，乃以含笑花擬之。又因其爲人「性和平，有情有義」，故「擬之禽鳥，唯鴛鴦差可比焉」（頁三〇）。此外，李玉齡官原頗爲莊雅，後則盡情調戲，想亦急欲傳名以爭時好，故擬之以秦吉了(秦中有吉了鳥)，釋云「情急了」。(頁二二～三)

其五取其演劇之苦心孤詣。如長生官「登場度曲，苦心傾寫，幾至於口不流血不止。今則雲散風流，眞杜鵑所謂『不如歸去』矣。」鐵橋山人以白居易詩「杜鵑花開子歸啼」爲象徵，說明「子規不幸而流血，此花不幸而鮮紅，兩兩相當，故以是名

之。」此乃以杜鵑品題其人演劇之孤詣。（頁三五）

其六取其消聲減色。如劉大保官「當其獨出冠時，儼若仙肌帶露。孰意喪聲失巧，竟等緘口銜蘆！」故以「香殘艷歇，憂懷百結」的丁香擬之；以「勢失形孤，獨守三更」的秋雁比之（頁三三），寄寓感慨惋惜之意。

由上所述，作者以花比色，以鳥比聲的角度是多重的。故作者說：「正編十八人，據管見妄加花鳥名。原屬假托，故序多牽強，詩欠精工。遑問其肖與否，鏡花水月，識者諒之。」（見〈凡例〉）。然而更重要的是，在作者假物托懷、義取諸比的背後，卻展現優伶不同的風貌。鐵橋山人說：

> 顧花有色香兼備，亦有有色無香，有有香無色。至禽鳥爲物，則天下並無無聲之鳥也，特其聲之巨細清濁，疾徐短長，要不一而足。且鳥亦未始無色，羽毛鮮美，陸離可愛，又不特有聲而已。（頁二三）

在百花齊放、百鳥齊鳴的宇宙天地間，同是有形之花卉，卻有色、香之別；同是有聲之禽鳥，亦有聲、色之別。優伶亦然，奇葩異卉，各擅芳姿；巧鳥靈禽，各具慧性。因而每個優伶由其獨具的聲容而呈現其各人獨特的表演藝術風格。因此，即使所詠諸伶或有所褒貶，仍無妨其成爲一介優伶。至於十八人排列次序，作者說：「不以前後爲軒輊，無成見也。」（〈凡例〉）。可見每個優伶的表演藝術是完整自足而獨具一格的。以花鳥比擬的深層意義亦即在此。

就色藝論所涵括的內容而言，鐵橋山人等以花鳥品題，是集中在姿質容貌、風神秀骨的「色」，以及才情技藝中的「聲」。此與湯顯祖修聲養容、李漁的聲容部都是一脈相承的。但鐵橋山人等是由如何修養色藝的具體方法，轉而結合聲色二者，作爲品評，進而評賞一個優伶的藝術風格，較夏庭芝《青樓集》更進一層。這應是《消寒新詠》所開展出來色藝論的新內涵。

色藝論的發展，大約可由幾個方向觀察。在體例上，由詩文雜記到專書著述。胡祗遹、湯顯祖、潘之恒等屬前者；而以品評優伶之色藝修養爲專著者，則由夏庭芝《青樓集》啓其端，《消寒新詠》承其緒。這使色藝論的內容，由零星片段而趨於完整周全。胡祗遹、夏庭芝、潘之恒評賞的姿容、丰神、慧性之美，是整體性的觀照；李漁則巨細靡遺地由五官四體到修飾裝扮等種種，是局部性的鑑賞。至於論「藝」方面，胡祗遹肯定文學藝術的滋養，有助於演員理解戲劇情節、掌握角色人物，而提升表演藝術；到夏庭芝以文學、戲劇、音樂、說唱等藝術評述伶人；繼而是李漁更分文藝、絲竹、歌舞三項，且以翰墨爲上，絲竹次之，歌舞又次之，建立藝術修養先後緩急的觀念。再從立論的角度，胡祗遹、夏庭芝、潘之恒都是客觀性的陳述，湯顯祖則開始提出修養藝道之方，而由李漁集大成，就色藝論中的每項細目，進一步提出具體的鑑賞和修養之道。此外，就色藝論的深層意義，湯顯祖以「道」貫之，潘之恒以「致」論之，將色藝論提升到哲學的形上層次；至於鐵橋山人等是採用《太和正音譜》以形象語表徵曲家風格的方式（所謂「馬東籬之詞，如朝陽鳴鳳」；「張小山之詞，如瑤天笙鶴」等），轉用於對伶人的品評，以托物寫照之義，借用花、鳥分別比擬優伶之形貌，象喻優伶之聲情。這是以系統化、體系化的方法，從聲與色兩方面建立戲曲演員的表演藝術風格。於是色藝論由客觀的品評，發展爲具體的修養、形上的境界，乃至建立表演藝術風格，而成爲戲曲表演藝術理論的首要課題。

【註釋】

[1]以下所引胡祗遹語，均見《紫山大全集》卷八。紀昀評《紫山大全集》曰：「多收應俗之作，頗爲冗雜，甚至如〈黃氏詩卷序〉、〈優伶趙文益詩序〉、〈贈宋氏序〉諸篇，以闡明道學之人，作媟狎倡優之語，其爲白璧之瑕，有不止蕭統之譏陶潛者。」（《四庫全書總目提要》）。從戲曲表演理論的角度來看，胡氏實具有開創性之地位。

[2]夏氏生卒年，參吳曉鈴〈青樓集撰人姓名考辨〉。又元明間無名氏《錄鬼簿續編》有夏氏小傳曰：「夏伯和，號雪簑釣隱。松江人，喬木故家，一生黃金買笑，風流蘊藉。文章妍麗，樂府、隱語極多。有《青樓集》行于世。楊廉夫先生，其西賓也。世以孔北海、陳孟公擬之。」（頁二八五）。

[3]參孫崇濤、徐宏圖《青樓集箋注・前言》頁六。

[4]〈青樓集誌〉曰：「至若末泥，則又序諸別錄云」。可見應該還有一本記錄男藝人的專著，可惜這部別錄未見傳世。以下爲檢索之便，將七十則傳記加以編號。

[5]以上分別見第九、四五、四八、五〇、五八、六四條。

[6]以上分別見第七、一七、四四、四六、五四條。

[7]以上分別見第三、三六、五二、五九、六〇、六二條。

[8]以上分別見第二二、三九、四三、四四、五七條。

[9]吳曉鈴歸納《青樓集》記載的諸般雜技有雜劇、院本、南戲、諸宮調、慢詞、小唱、彈唱、謳唱、合唱、樂藝、音律、歌舞、談諧、小說等十四種。同註二。本文則統攝爲四大類十九種。

[10]有梁園秀、張玉蓮、一分兒。見第一、四一、五九條。

[11]有解語花、小娥秀、李芝儀、般般醜、孔千金。見第四、八、五三、六〇、六九條。

[12]有梁園秀、樊香歌、劉婆惜。見第一、三八、六一條。

[13]有珠簾秀、順時秀、司燕奴、天然秀、國玉第、賽簾秀、天錫秀、王奔兒、平陽奴、趙偏惜、王玉梅、李芝秀、朱錦繡、小玉梅、趙眞眞、李嬌兒、張奔兒、翠荷秀、汪憐憐、米里哈、顧山山、大都秀、小春宴、孫秀秀、簾前秀、燕山秀、荊堅堅、孔千金、李定奴。見第五、七、一六、一七、一八、二四、二五、二九、三二、三三、三五、三六、三七、三九、四二、四三、四四、四七、五〇、五一、五二、五六、六二、六三、六五、六七、六八、六九、七〇條。

[14]有樊孛闌奚、朱錦繡。見第三三、三七條。

[15]有龍樓景、丹墀秀。見第四五條。

[16]有聶檀香、宋六嫂、賽簾秀、王玉梅、朱錦繡、張玉蓮、趙眞眞、龍樓景、丹墀秀、和當當、陳婆惜、米里哈、李定奴。見第一一、一三、二四、三五、三七、四一、四二、四五、四八、四九、五一、七〇條。

[17]有梁園秀、趙眞眞、楊玉娥、魏道道、玉蓮兒、王巧兒、連枝秀、樊香歌、賽天香、劉婆惜、事事宜。見第一、六、、二一、二二、二八、三四、三八、四六、六一、六四條。

[18]張玉蓮、般般醜。見第四一、六〇條。

[19]于四姐長琵琶，金鶯兒善搊箏，孔千金善撥阮。見第三一、五八、六九條。

[20]燕山景夫婦樂藝皆妙。見第六六條。

[21]時小童善調話。見第三〇條。

[22]有梁園秀、張怡雲、國玉第、玉蓮兒、樊香歌、張玉蓮、金鶯兒。見第一、二、一八、二二、三八、四一、五八條。

[23]有劉燕歌、秦玉蓮、秦小蓮。見第六、一五條。

[24]王玉梅。見第三五條。

[25]有小娥秀、南春宴、李芝儀、眞鳳歌。見第八、一二、五三、五五條。

[26]宋六嫂、楊買奴、荊堅堅。見第一三、四〇、六八條。

[27]陳婆惜。見第四九條。

[28]于四姐。見第三一條。

[29]如曹娥秀、周人愛、王金帶、李眞童等。見第三、一四、二〇、五四條。

[30]以上分別見第一〇、二九、三五、三七、四八、四九、五一條。

[31]據《說集》本補「童」字。

[32]以上分別見第三〇、三九、四九、五七條。

[33]文見《湯顯祖詩文集》卷三四頁一一二七。徐朔方〈讀湯顯祖宜黃縣戲神清源師廟記〉考定此文作於萬曆二十六年(一五九八)湯顯祖棄官後，三十四年（一六〇六）之前。又夏寫時先生〈論中國演劇觀的形成〉認為此文是中國演劇史上第三篇關於表演藝術的重要文獻，見《論中國戲劇批評》頁三七。

[34]二郎神一說是設計和建造四川灌縣都堰的李冰父子；一說是隋朝做過嘉州太守的趙昱；一說是做過襄陽太守的鄧遐；當《封神演義》和《西遊記》等小說問世後，二郎神又成了玉皇大帝的御外孫，姓楊名戩；這些姓名各異的二郎神都是水神。二郎神被當「以游戲而得道」的戲神，恐有多方面的原因，或因二郎神早已進入歌曲；或早已進入故事表演；或因二郎神是藝人吉祥之神。參周育德〈宜黃戲神辨踪〉。

[35]參《中國歷代劇論選注》頁一五〇。

[36]高氏之文見〈戲曲導演學的拓荒人湯顯祖〉；徐氏之文同註三三。

[37]金氏之文見〈湯顯祖的戲劇美學思想〉。

[38]夏氏之說見同註三三。

[39]姚放〈浪漫主義戲劇美學的崛起——湯顯祖的戲劇美學思想〉。

[40]疑猶擬也。《抱朴子・對俗》篇：「掇蜩之薄數，而傴僂有入神之巧，

在乎其人由於至精也。」參王師叔岷《莊子校詮》頁六八一。

[41]參王師叔岷《莊子校詮》頁一三二。

[42]兩段文字見《易傳·繫辭上》，見徐志銳《周易大傳新注》頁四〇八、四一二。

[43]借用《文心雕龍·神思》之語，見范文瀾注本。

[44]〈男扮女妝與女扮男妝〉收入《說戲曲》，見頁三六。

[45]參高宇之說，同註三六。

[46]借用《文心雕龍·神思》之語。

[47]語見《莊子·天道》。

[48]語見《莊子·刻意》。

[49]語見《莊子·人間世》。

[50]參敏澤《中國美學思想史》第一卷頁二六四。

[51]關於表演藝術之極境，詳第八章形神論，故此段暫不討論。由此看來，高宇和徐朔方先生認為此段是論戲德；金登才先生則以為是論演員創造角色，似乎有待商榷。參同註三六、三七。

[52]參汪效倚〈潘之恒生卒考〉。

[53]潘之恒著述大致可以分為三類：一類是詩歌創作；第二類是地史輯類；第三類是記載著「侑兕觥、志馬鬣、里巷可傳之事」的文章，其戲曲評論，多包括在這一類之中，後來收進了《亙史》和《鸞嘯小品》兩書。汪效倚將此二書中戲曲評論的文章，以及《漪游草》中的幾首小詩，單獨抽出，以《潘之恒曲話》書名出版。以下引用原文皆依據此本。

[54]潘之恆〈仙度〉有小註曰：「楊姬行六，子字，更名曰超超。」另有〈楊璆姬傳〉曰：「楊姬者，名新勻，字侶眞，……又稱璆姬。」又於〈初豔〉提及楊美，汪效倚《潘之恆曲話》輯注云：「即楊潤卿，字子，潘之恆改名為楊超超，又字仙度。」（頁三四）。故以下論及楊美、楊璆

姬、楊仙度，皆指楊超超。

[55]關於才、慧的解釋參考齊森華〈鸞嘯小品鉤沉〉。

[56]參高宇先生〈潘之恒論導演和演員的藝術〉，同註三六。

[57]語見潘之恒〈王卿持傳〉。

[58]語見潘之恆〈顧筠卿傳〉。

[59]語見潘之恆〈廣陵散二則〉，引文中的顧三、陳七，不知所指爲何人，故以和美度之例說明。

[60]語見潘之恆〈初艷〉。

[61]借用《文心雕龍·神思》之語。

[62]這八部是詞曲部、演習部、聲容部、居室部、器玩部、飲饌部、種植部、頤養部。以下引文據長安出版社出版，民國六四年。

[63]如《中國古典戲曲論著集成》冊七收《閒情偶寄》、任中敏《新曲苑》收《笠翁劇論》皆是。

[64]陳多先生別具見解，撰寫《李笠翁曲話》注釋時，節錄了〈聲容部·習技·歌舞〉的部分。

[65]李漁在〈態度〉中說：「相面、相肌、相眉、相眼之法皆可言傳，獨相態度一事，則予心能知之，口不能言之。」可見其對五官之美的欣賞。

[66]書指讀書寫字、學詩作詞。畫「乃閨中末技，學不學聽之」。至於「絲竹之音，則推琴爲首」。棋之一項，亦必教之使學，其一可使婦人妄念不生；其二群居女子，爭端易釀，以手代舌，可使「喧者寂之」；其三使男女對坐，於鼓瑟鼓琴之暇、焚香啜茗之餘，增添生活情趣。見〈絲竹〉，頁一五六。

[67]李漁認爲正音改字之論，不止爲學歌而設。例如「凡有生于一方而不屑爲一方之士者，皆當用此法以掉其舌」。又如率吏臨民之官，「更宜洗滌方音，講求韻學，務使開口出言，人人可曉」。此皆李氏一偏之見。

語見〈習技·歌舞〉。

[68]〈凡例〉曰：「始于甲寅冬至，成于乙卯春分，因時取義，名曰《消寒》。」按甲寅至乙卯爲乾隆五九～六〇年。此書原刻爲巾箱本，封面題「三益山房外編梨園雅趣消寒新詠」、「乾隆乙卯春鐫」、「宏文閣藏板」。張次溪氏編輯《清代燕都梨園史料續編》收入此書，僅得提綱一紙，共六百字。周育德先生據北京圖書館藏四卷本《消寒新詠》，參校中國藝術研究院戲曲研究所圖書資料室藏一卷本和北京圖書館藏一卷本，重新標點，並加目錄。以下引文據此校刊本。

[69]鐵橋山人云：「今有人劉君石坪、陳君問津，欲與余取京師出色之生旦，以花鳥品題，爲吟詠之助。」(頁三〇)。又石坪居士云：「消寒之詠，僕與陳、李二君戲爲耳。」（頁四六）

[70]《消寒新詠》既以花比色，以鳥比聲，故取其聲肖色似之例最多。除以下第二至第六種所論之演員，其餘皆屬此類，其藝名參照文中所列十八人。

第二章　度曲論(上)
——崑劇成立之前

從〈色藝論〉中，已略知演員所擅長的藝術修養大致有四類，其中戲劇藝術、音樂藝術、說唱藝術三類足以說明，不論是表演、清唱或說唱，戲曲演員必需具備先天的嗓音特色及後天的歌唱技巧。中國古典戲劇既是以樂曲搬演故事，則演員的音色圓潤、歌喉婉轉就成爲戲曲演員的先決條件；如果聲色焦焦乾乾、濁濁啞啞、尖纖沈鬱，則非演唱之質料；即使強而習之，終難成器。因爲「樂之框格在曲，而色澤在唱」，所以戲曲演唱以「擇具最難」。演員具備說唱之材質，才有可能把中國戲曲聲樂藝術的韻味表現出來。因此，建立演唱的原理原則或方法技巧，即成爲表演藝術理論中的重要課題。本章論述以崑劇成立之前爲範圍，是指從元代至明代魏良輔等人創製崑山腔以前的唱論。此期以散曲、雜劇爲主流，統稱「北曲」，戲曲批評家的敘述多是就北曲統而論之。

第一節　行腔原理與技巧

戲曲聲樂藝術的韻味之美就是「唱字」和「唱情」的結合，也就是演唱中，演員對語言、語氣、聲音、行腔以及感情等種種表現手法和技巧的綜合運用。唱字就是語言藝術的表現，而唱情則是曲情的傳達。故聲以字爲根，腔以情爲本。中國戲曲聲樂中一系列演唱藝術和技巧，諸如要求咬字清晰眞切，講究正五音、清四呼、明四聲、辨陰陽，出聲、轉聲、收聲的技巧，以及呼吸氣息的運用，演唱中高低、輕重、強弱的掌握等等，都是基於唱字和唱情的音樂美學發展起來的。[1]

元代現存唯一專述演唱理論的著作是芝菴《唱論》，屬條例式的曲話形式，分作三十一則，每則不標題目。[2]雖然所論爲北曲的唱法，事實上是散曲的清唱（包括小令和套曲），元代雜劇使用的北曲實由散曲發展而來，況且芝菴所述多是行腔的基本原理，故仍可運用於戲曲演唱理論中。[3]雖然是曲話體例，大約可以尋其演唱理論脈絡。首先是其立論的宗旨：

> 絲不如竹，竹不如肉，以其近之也。又云：取來歌裏唱，勝向笛中吹。

芝菴認同前人的觀點[4]，肯定人聲比管絃樂器的聲音更接近人心、人情。誠如劉勰《文心雕龍·聲律篇》所云：「夫音律所始，本於人聲也。聲含宮商，肇自血氣。先王因之以制樂歌，故知器寫人聲，聲非學器者也。」可見聲音是起自人心，肇自血氣，故絲竹不如肉。戲曲表演過程中，歌唱、念白和身段，三者皆必須有樂器伴奏，甚至要與樂器伴奏融合無間。芝菴所論主要著重在聲樂唱腔的原理和技巧。《唱論》中對於唱腔的處理和唱法的運用，包括以下五則：

> 歌之格調：抑揚頓挫，頂疊垛換，縈紆牽結，敦拖嗚咽，推題丸轉，捶欠遏透。
>
> 歌之節奏：停聲，待拍，偷吹，拽棒，字眞，句篤，依腔，貼調。
>
> 凡歌一句，聲韻有一聲平，一聲背，一聲圓。聲要圓熟，

腔要徹滿。

凡歌一聲，聲有四節：起末，過度，搵簪，攧落。

凡一曲中，各有其聲：變聲，敦聲，杌聲，啀聲，困聲，三過聲；有偷氣，取氣，換氣，歇氣，就氣；愛者有一口氣。

在「歌之格調」下，列舉了六句行腔的格律和聲調，因其意義深奧難解，故分別就此六句加以說明。首句是抑揚頓挫：「抑揚」有音調之高低、感情力度之強弱、音量響度之大小三種含義。「頓挫」二字包括間歇和停頓之義：間歇有詞句中文意的間歇、語氣的間歇、感情突出或轉折的間歇；停頓有句逗的停頓、感情轉注或變化的停頓、節奏轉換跌宕的停頓。[5]

第二句是頂疊垛換：「頂」是頂針格（一名聯珠格），即以下句首字，頂著上句尾字，故下句起音會頂著上句的尾音唱。[6]疊有疊韻、疊字、疊句等形式[7]，也會形成一種特殊的唱腔句式。垛有垛字、垛句，是在戲曲唱段的基本句式中，插入若干個並列短語或詞組，有二字至七字以及靈活運用的混合垛字等多種。這種堆垛字句是音樂中一種擴充曲調的手法，即將曲調片斷作有規律的重複或變化重複，而具有節奏緊湊、字密腔短、接近數唱的特點。[8]這種句調，在戲曲唱腔上名之爲「垛板」，講究板拍、不失尺寸，行腔時不能直呼直令地像在念白，必須聲有抑揚，句有頓挫，才能貫串氣勢。（參周注頁二一）換，似指「換頭」，曲套之中，往往有重複同一曲牌者，北曲稱「么篇」，南曲稱「前腔」。有時將原曲牌的頭一句或前數句作局部變換，或增減其字數，或更改其板式，使唱腔有變化，此即「前腔換頭」。[9]由上述可知頂、疊、垛、換都是由於中國文字句法構成的特殊形式，因而在演唱時，表現出來獨特的唱腔效果。

第三句是縈紆牽結：縈紆是屈曲繚繞、逶迤盤繞，有連綿不絕之意；牽結是欲斷不斷處。縈紆牽結指行腔時要纍纍乎端如貫珠、不絕如縷，唱得迴腸盪氣。（參周注頁二一～三）

第四句是敦拖嗚咽：敦，是頓音，即落音（霍音），唱上聲字時，出口時音先稍高，然後輕落，再轉高或接唱下一字之腔；其中輕落的音就是頓音。拖是拖音，或用於句中，或用於句尾。在演唱中，拖腔多爲字音尾音之延長，有的加上襯字或襯詞，是對原唱腔的進一步發揮，可增強音樂的表現力[10]，如今之戲曲所謂「耍腔」，是一種「裝飾音」的作用 。嗚是歎聲 ，咽是吞聲，指悲音和哭音。敦拖嗚咽都是行腔時爲表現情緒而有的唱腔。《唱論》有一則說：「有字多聲少，有聲多字少，所謂一串驪珠也。比如〔仙呂·點絳唇〕、〔大石·青杏兒〕，人喚作殺唱的劊子。」演唱這類字多聲少或聲多字少的曲調，必然有縈紆牽結或敦拖嗚咽的行腔，而難以發揮，故有「殺唱的劊子」之稱。

第五句推題丸轉 ：包括漸強之音 、拔高之音及圓潤婉轉之音。[11]第六句捶欠遏透：捶，重聲；欠，輕聲；遏，高腔的飄逸；透，低腔的沈著寬厚[12]，指行腔的輕重高低之別。

經由對每一字句的解釋，發現四字一句之中，幾乎都是一種對比或排比，各自成爲一組行腔的技巧。芝菴言簡意賅地以六個句子說明歌唱的格調，等於提出了六組行腔的大原則。[13]

掌握歌之格調的六大原則，芝菴乃就如何表現這些原則提出更細微的方法。在配合曲調節奏之疾徐中節、緩急高下時，有時是休止不唱（停聲），有時則是待後半拍才起唱（待拍），有時是讓出伴奏的小「墊頭」不唱（偷吹），有時是將鼓板的節奏拖住，讓行腔或尾腔變慢或稍慢（拽棒）。不論節奏是如何變化，演唱時，咬字吐音要準確（字眞）；句式音節要清晰（句篤），合乎腔板的旋律（依腔），貼切調門的高低（貼調）。

由於每個字音有四聲調値，配上唱腔格律，使語言和音樂旋律結合後產生變化，因此演唱每一句就會有平聲、背聲、圓聲等不同旋律。「平聲」表示其該句旋律平順，沒有突顯的高低變化。「背聲」相對於平聲，所謂不順曰背，爲說明之故，姑且以崑曲《遊園》【醉扶歸】「艷晶晶花簪八寶瑱」一句爲例，其工尺譜是：

艷晶晶花簪八寶瑱　可知我一

其中「艷」字在前半拍是上(1)，後半拍是六(5)，前後之間升高四音；「簪」字第三拍是低音四(6)，接唱「八」字則音高至六(5)，唱兩拍後，接「寶」字，又降至低音四(6)，連唱四拍；可見一句之中，音階高低變化明顯，學唱此句時確實覺得難以平順。至於「圓聲」，則是要唱出字字輕圓的情味[14]，例如《遊園》【好姐姐】「閒凝眄，（吼）生生燕語明如翦，（聽）嚦嚦鶯聲溜的圓」，《牡丹亭》劇中並無「吼、聽」二字，工尺譜卻配上這兩個襯字，各佔半拍，猶如「襯音」性質；其後又分別接唱「生生、嚦嚦」兩疊字；再加上前面「眄」字要用冒音，旋律婉轉；如能唱出燕飛輕靈鮮活、黃鶯啼聲圓潤動聽的詞境，就是芝菴所謂的「一聲圓」了。而不論是平聲、背聲或圓聲，都必須「聲要圓熟，腔要徹滿」；換言之，掌握語言和音樂雙重旋律時，字句聲韻要輕圓，行腔旋律要透徹不遺。

儘管每歌一句有平聲、背聲、圓聲之不同，但每一聲句之中，基本上都有四個「環節」（關節）。「起末」指唱腔的開始和結尾；「過度」又稱「過腔接字」，是演唱中字與聲的技巧，即行腔時要將字音融入在唱腔裡；字音轉換處要自然而不生硬，字與字銜接猶如連貫起來的一串珠子，能至於此者，謂之「善過度」；「搵簪」取意於婦女以手輕按花簪，使之戴牢的意思，意指行腔時要穩當紮實，即使有裝飾潤色之音（如擻腔、橄欖腔），亦不可荒腔走板。「攧落」指結尾漸慢或以一個裝飾性的顫音導入結束音。[15]

除了掌握曲調之節奏、聲韻、關節，還需表現每一曲之中音聲的變化，如七音中有五音二變的音階變化（變聲），有沈著厚實之聲（敦聲），有搖曳之聲（杌聲），有奔放之聲（啀聲），有細弱之聲（困聲）[16]，有字與聲、聲與調、調與腔轉變時的過度聲（三過聲）。（參周氏注頁三六）

在行腔技巧中，呼吸氣口是一大關鍵。唐段安節《樂府雜錄》云：「善歌者必先調其氣，氤氳自臍間出，至喉乃噫其詞。」可見鍛鍊用氣方法是歌唱的首要工夫。《唱論》提出幾種不同的歌唱用氣：「有偷氣、取氣、換氣、歇氣、就氣、愛者有一口氣。」

偷氣又稱透氣（即從鼻口間較快的吸入一部分氣，這氣息僅到胸間，這種吸氣雖淺，卻能使口腔、喉、胸的肌肉舒緩一下）。在歌唱中，利用字的收聲或音勢、感情、語氣的變化轉折，在觀眾不知不覺間偷偷地換了半口氣，這是「因勢偷換」，不是「搶氣」；偷氣都是用在節奏緊促之處。取氣即提氣，發高音和低音時都要提氣，控制聲音唱念時，也必須隨感情提氣。提氣後，在出聲前一刹那，喉咽腔的肌肉，一定要隨聲音的發出，作為向圓的方向的鬆弛，如此才能圓暢自如。換氣是每句唱詞開始前，或小過門之後必須吸氣的地方，這是自然換氣。歇氣是唱腔中停頓之氣，聲斷意不斷，腔停頓時，呼吸不動，不能鬆氣、換氣；則無論停頓時間有多長，其感情、呼吸，發音時的肌肉狀態都不變。換言之，聲音雖暫停，而感情仍在醞釀、延續。就氣即緩氣，在行腔中由於情感、語氣的需要，將聲音稍一控制，再緩緩放出。緩氣多使用於結合感情的延續、伸展處。還有一種「收氣」，在唱腔中遇到上滑音時，隨音將氣往口腔內自然一收，實際上並未吸氣入氣管，但經這一收，口腔和喉部肌肉都鬆弛了一下，而給以下的唱腔準備了一定的力量。歌唱的六種呼吸氣口，可以簡單概括爲：「換氣是明，偷氣是暗。歇氣莫動，提氣丹田。緩氣控制，收氣腭間。因腔就字，情氣相關。」[17]芝菴在各種氣口之後，總結一句：「愛者有一口氣」。愛者，言愛氣的人。[18]此言惜於用氣、調氣的人唱曲運用種種呼吸氣口時，或偷或換，或歇或提，或緩或收，皆能氣貫全身而一氣呵成。[19]

以上從歌之節奏、聲之四節、歌一句之聲韻、歌一曲中各有其聲以及歌之呼吸氣口等技巧，可以說都是爲充份表現抑揚頓挫、頂疊垛換、縈紆牽結、敦拖嗚咽、推題丸轉、捶欠遏透的格調，故《唱論》中這五則可視爲是自成內在脈絡，並由「歌之格調」一則總攝行腔的原理。

運腔轉調的原理、技巧，其根本旨趣在能表現各宮調之「聲情」：

> 大凡聲音，各應於律呂，分於六宮十一調，共計十七宮調：仙呂調唱，清新綿邈。南呂宮唱，感嘆傷悲。中呂宮唱，高下閃賺。黃鐘宮唱，富貴纏綿。正宮唱，惆悵雄壯。道宮唱，飄逸清幽。大石唱，風流醞藉。小石唱，旖旎嫵媚。高平唱，條物滉漾。般涉唱，拾掇坑塹。歇指唱，急併虛

> 歇。商角唱，悲傷宛轉。雙調唱，健捷激裊。商調唱，悽愴怨慕。角調唱，嗚咽悠揚。宮調唱，典雅沉重。越調唱，陶寫冷笑。

此段文字，後多轉載於他書，或將「唱」字改爲「宜」字，或刪去「唱」、「宜」字。[20]可見芝菴論宮調聲情說的重要和影響。王驥德《曲律·雜論三三〉：

> 《中原音韻》十七宮調，所謂「仙呂宮清新綿邈」等類，蓋謂仙呂宮之調，其聲大都清新綿邈云爾。其云「十七宮調各應於律呂」，「於」字以不嫺文理之故。《太和正音譜》於仙呂等各宮調字下加一「唱」字，係是贅字。然猶可以「唱」代「曲」字，謂某宮之曲，其聲云云也。至弇州加一「宜」字，則大拂理矣！豈作仙呂宮曲與唱仙呂宮曲者，獨宜清新綿邈，而他宮調不必然？以是知蛇足之多，爲本文累也。

王氏認爲敘述各宮調聲情，不當有「於」、「唱」、「宜」等字，因此《曲律·論宮調》的文字是：「自宋以來，四十八調者不能具存，而僅存《中原音韻》所載六宮十一調。其所屬曲，聲調各自不同：仙呂宮，清新綿邈……。」其實加上「唱」字，與王氏之意仍能相合；至於改爲「宜」字，便有「應該、必然」之意，太過嚴明。推敲王氏之意，是說明各宮調的聲情只是一種歸納，故云「其聲大都清新綿邈云爾」。反之，同一宮調同一曲牌也可以有不同的情感表現，譜曲者可根據文詞不同的義涵，在不改變原宮調的聲情特色，又不改變原曲牌旋律的前提下，對曲調進行感情潤色。可知王氏已有頗通達之見。清代黃旛綽《梨園原》引錄「寶山集載六宮十三調」，即與王氏相同，其中少了越調，多了「徵調搖曳閃轉，羽調纏綿幽逸，水調清幽委婉」三調。[21]

芝菴應是經過歸納分析，才能比較出北曲十七宮調各有不同的聲情，並用四字一句的感情形容句加以描述，實是一項別具意義的「發現」。這十七宮調中，道宮、高平、歇指、角調、宮調等已不傳；小石調、商角調、般涉調等則不用於劇曲。因此就現存之雜劇所用宮調，其實只有五宮四調。周貽白和楊蔭瀏大致都認爲各宮調之感情與實際劇例不盡相合，又一折中之感情必有變化，不可能局限於一種感情，故宮調之感情不能以此來概括。[22]

元雜劇每折關目結構的推展模式[23]及其使用的宮調，大致有其規律性[24]，芝菴歸納發現各宮調所唱之聲情，亦應就其一般規律性而言，故宜從這個角度註釋宮調聲情的理論。譬如中呂宮多運用於第二、三折，而全劇情節紛雜變化亦在此二折，其音樂形態亦可能是段落起伏，故言其「高下閃賺」是其貼切的。現存元雜劇中，凡劇情變化最繁之折多用中呂，而中呂所用之折亦多爲劇情變動不居或情節段落較多者。[25]

宮調聲情說的意義不止是對各宮調的感情內容作了區分；更指示演唱者，在行腔時要根據不同宮調的曲式結構、調式調性和旋律特色，唱出「應于律呂」的聲情曲韻。這種聲情曲韻成爲戲曲音樂中的一種程式性和規範性。

如果不能掌握行腔的原理和技巧，就會出現「不入耳、不著人、不撒腔、不入調、字樣訛、文理差、嗓拗、劣調、落架、漏氣」之病。[26]甚至會有「散散、焦焦、乾乾、冽冽、啞啞、嗄嗄、尖尖、低低、短短、憨憨、濁濁、赸赸、格嗓、囊鼻」等聲音之病。[27]這些唱病皆由於歌者「工夫少、遍數少、步力少、官場少」之所致。[28]

唱者需要習練工夫，是後天的客觀條件，但「人聲音不等，各有所長」則是先天的主觀因素。《唱論》云：

> 凡人聲音不等，各有所長。有川嗓，有堂聲，背（一作皆）合破簫管。有唱得雄壯的，失之村沙。唱得蘊拭的，失之乜斜。唱得輕巧的，失之閑賤。唱得本分的，失之老實。唱得用意的，失之穿鑿。唱得打掐的，失之本調。

歌者或嗓音清潤，如川水無滯；或聲音寬闊宏亮，皆能合律搭調，且能配合各人的嗓音恰如其分地表現其演唱風格。如若不然，則有唱得聲雄氣壯而粗俗；有唱得含蓄纏綿而輕浮；有唱得輕快靈巧而不穩重；有唱得循規蹈矩而呆板；有唱得特意求工而過於造作。[29]這段話說明歌唱者因其稟賦資質之異，故有不同的唱腔風格；然歌唱者宜揚長避短，充分發揮其嗓音的屬性。這需反覆鍛鍊，故《唱論》最後一則說：「詞山曲海，千生萬熟。三千小令，四十大曲。」唯獨遍唱千詞萬曲，才可以由生而熟，熟而生巧，進而能充份體現行腔原理技巧，才能唱出「聲情」，表現獨特的演唱風格。

第二節　務頭與唱曲

芝菴所陳述，純粹是演唱的理論，可說是從歌唱者的角度切入；周德清則由作詞者的立場，延伸出詞與樂的關係。

周德清認為凡作樂府（指散曲）「大抵先要明腔，後要識譜，審其音而作之」，才不會有「劣調之失」，因而提出〈作詞十法〉。[30]這十法是：一知韻，二造語，三用事，四用字，五入聲作平聲，六陰陽，七務頭，八對偶，九末句，十定格。這十法中，除定格一項外，皆可涵括於音律和文辭之下：知韻、入聲作平聲、陰陽、末句都是討論作詞的音律問題；造語、用事、用字、對偶是討論塡詞的文辭問題；務頭則兼具音律和文辭。周氏既總題爲〈作詞十法〉，是就創作北曲提出十項簡要的法則(詞指曲而言)。由於周德清也從唱曲的層面分析務頭，故本節特別要討論「務頭」一項，並以之說明作詞與唱曲的關係。周氏於「務頭」條下云：

> 要知某調、某句、某字是務頭，可施俊語於其上。後註於定格各調內。

這句話提供三個訊息：其一，務頭包含調、句、字三種類型；其次，作爲務頭的調、字、句可施俊美之語；其三，實際例子見於第十法「定格」四十首內。由於周氏並未直接說明何謂務頭，後人解說又莫衷一是[31]，故應從兩方面入手，以掌握其原始涵義。首先考求「務頭」二字的意義。務頭者，務力於首要之處；延伸其義，是指作詞者要在調、句、字的首要、緊要之處加以用心。其次，依周氏之意，將其評爲務頭的曲例分成三類，加以觀察。現各舉一例說明之。

第一類：某字是務頭

〔仙呂·金盞兒〕　岳陽樓

> 據胡床，對瀟湘，黃鶴送酒仙人唱，主人無量醉何妨？若捲簾邀皓月，勝開宴出紅粧；但一樽留墨客，是兩處夢黃粱。

> 評曰：此是岳陽樓頭摺中詞也。妙在七字「黃鶴送酒仙人唱」，俊語也，況「酒」字上聲以轉其音，務頭在其上。有不識文義，以送為齎送之義，言「黃鶴豈能送酒乎」？改為「對舞」，殊不知黃鶴事——仙

人用榴皮畫鶴一隻，以報酒家，客飲，撫掌則所畫黃鶴舞以送酒。初無雙鶴，豈能對舞？且失飲酒之意。送者，如吳姬壓酒之謂。甚矣，俗士不可醫也！

周氏評「酒」字為務頭，有兩個觀點。其一，「酒」字在全曲中是第一個上聲字，在該句「黃鶴送酒仙人唱」是唯一的上聲字，此字在全曲中有轉音之作用。其二，「酒」字點出黃鶴事的典故，如改「送酒」對「對舞」，則失飲酒之意。故「酒」字如「詩眼」，同時具有音律和練字之美，是音、義兼得之字。

第二類：某句是務頭

〔商調·梧葉兒〕 別情

別離易，相見難，何處鎖雕鞍？春將去，人未還。這其間，殃及殺愁眉淚眼。

評曰：如此方是樂府。音如破竹，語盡意盡，冠絕諸詞。妙在「這其間」三字，承上接下，了無瑕玼。「殃及殺」三字，俊哉語也！有言：「六句俱對」，非調也。殊不知第六句止用三字，歌至此，音促急，欲過聲以聽末句，不可加也，兼三字是務頭，字有顯對展才之調。「眼」字上聲，尤妙，平聲屬第二著。

〔梧葉兒〕句法為三、三、五、三、三、三、七，共七句五韻。有謂第六句「這其間」下宜加一句作對，與一二兩句，四五兩句，共成三對六句者，如此則非本調。因此在聲情上歌至「這其間」此句時，音調促急，欲過聲轉折以唱末句，其間絲毫不容延緩，故不可再加別句而損其音之美，失其本調之律。[32]在文情上，此三字是將過去等待歲月中的離愁別緒和此刻「愁眉淚眼」

的情境貫連起來，點出詞人的別情，故周氏評其「承上接下」。「這其間」兼具聲情和文情之美，故爲全首務頭之句。

第三類：某調是務頭

〔南呂·罵玉郎·感皇恩·採茶歌〕　得書

長江有盡思無盡，空目斷楚天雲。人來得紙眞實信，親手開，在意讀，從頭認。　織錦回文，帶草連眞。意誠實，心想念，話慇勤。佳期未準，愁黛長顰。怨青春，捱白晝，怕黃昏。　敘寒溫，問緣因，斷腸人憶斷腸人。錦字香粘新淚粉，彩箋紅漬舊啼痕。

評曰：音律、對偶、平仄俱好，妙在「長」字屬陽。「紙」字上聲起音，務頭在上及感皇恩起句至「斷腸」句上。

這三章例爲帶過曲，必須運用。周德清分別指出三調務頭所在：〔罵玉郎〕是一「紙」字；〔感皇恩〕是全首[33]；〔採茶歌〕是前三句。其中〔感皇恩〕是由四組對偶句組合，亦即一、二句對；三、四、五句對；六、七句對；八、九、十句對；必須「音律、對偶、平仄俱好」，才能成爲三調中的務頭。在情境上，此詞乃「寄別」之作[34]，〔感皇恩〕全首正寫其讀書信時，由熟悉其字體之親切想念其情意之慇勤，進而歸期未準乃至時光漫長之傷情等場景，是爲三調中「精神」之所在。

由上舉例分析，「某調是務頭」乃就若干曲連用而言；「某句是務頭」乃就一曲調之「警句」；「某字是務頭」則指一句中的「詩眼」。凡爲務頭之所在者，皆是音律諧合兼詞采動人之處，即聲情與文情配合最勝妙處。故周德清說明務頭是：「以別精粗，如衆星顯一月之孤明也。」（〈作詞十法·造語〉）。童斐《中樂尋源》亦發揮其論：「顧一曲之中不能字字皆務頭，必某句某字是務頭，何也？曰衆山環抱，秀出一峰；綠葉扶持，艷標一蕊。唯以其少，愈顯其妙，數見反不鮮矣。」[35]

務頭所以要求音律及造語兼美，基本上是爲了演唱的緣故，此爲務頭所以與唱論相關之處。譬如〔仙呂・寄生草〕：「不達時皆笑屈原非，但知音盡說陶潛是」，周德清認爲：「若以『淵明』字，則『淵』字唱作『元』字，蓋『淵』字寫陰。」是將陰平字唱成陽平字。又如〔中呂・迎仙客〕：「十二玉闌天外倚」。周德清評：「妙在『倚』字上聲起音，唱此一字，況務頭在其上。」可見創作者依譜塡詞，不止要能善於運用安排語言文字的旋律，使其聲錯落有致，鏗鏘婉轉，還應使其能與音樂旋律結合，以達美聽動情之效果。周德清評爲務頭的例子，即是觀其字調平仄的變化，並且觀其在起音轉唱時，仍能分辨語言聲調的陰陽平仄。因此「務頭」一詞雖是以聲律和修辭的語言藝術成爲專門術語，但卻與演唱有關聯，這是周德清開創務頭論的重要意義。

周德清強調創作時，應守陰陽平仄之格律變化，使歌者合律，使聽者諧耳；芝菴提出演唱的原理技巧；夏庭芝則以歌唱藝術作爲品評女伶人的依據之一。第一章曾就《青樓集》中，分析元代伶人所具備的藝術修養有四類，其中「音樂藝術」類有一項「音色」。夏庭芝記述一百十七位作人中，僅對十二人的音色特別品評，可知這些人的演唱是別具特色的。從夏庭芝的評語，大約有四種不同的演唱風格。其一是歌聲宏亮、清亮者，如朱錦繡、龍樓景「歌聲墜梁塵」、「梁塵暗簌」。其二是歌聲高亢、嘹亮者，如賽簾秀、陳婆惜「聲遏行雲」；趙眞眞「繞梁之聲」。其三是歌聲圓潤婉轉，纍纍然如貫珠者，如聶檀香、王玉梅、米里哈、李定奴、宋六嫂。[36]其四是歌聲既高亢且清圓連貫、流轉融暢者[37]，如和當當「老而歌調高如貫珠」。此外還有絲竹咸精的張玉蓮，凡「（南北）舊曲其音不傳者，皆能尋腔依韻唱之」，夏庭芝評其「審音知律，時無比焉」，可見其音律造詣之深。

這些伶人必然都是能掌握行腔原理、技巧和情感，而後才能表現各自的嗓音特色。胡祗遹論「歌喉清和圓轉，纍纍然如貫珠」之美；芝菴的「聲要圓熟，腔要徹滿」、「推題丸轉」、「字多聲少，聲多字少，所謂一串驪珠」、「依腔貼調」等技巧，都體現在這些伶人身上。夏庭芝並未提出演唱理論，卻從演唱藝術的角度做了實際的批評。元代的唱論可說是建立理論與實際批評兼而有之。

第三節　三教所唱與心物交感

元代的演唱理論和實際批評，到明初，首先由朱權同時在兩方面繼承，並有新的開展。《太和正音譜·詞林須知》幾乎全部轉錄了芝菴的《唱論》。其中兩則是朱權進一步的闡釋和發揮[38]；而這兩則正好可以觀察出朱權對《唱論》的繼承與開展。

首先是芝菴所論：「三教所唱，各有所尚：道家唱情，僧家唱性，儒家唱理。」朱權則說：

> 古有兩家之唱，芝菴增入「喪門」之歌爲三家：
>
> 道家所唱者，飛馭天表，游覽太虛，俯視八紘，志在沖漠之上，寄傲宇宙之間，慨古感今，有樂道徜徉之情，故曰「道情」。
>
> 儒家所唱者性理，衡門樂道，隱居以曠其志，泉石之興。

> 僧家所唱者，自梁方有「喪門」之歌，初謂之「頌偈」；「急急修來急急修」之語是也；不過乞食抄化之語，以天堂地獄之說，愚化世俗故也。至宋末，亦唱樂府之曲，笛內皆用之。元初，讚佛亦用之。

芝菴所增入的「喪門」之歌乃指佛教所唱者。由於佛教經過魏晉、南北朝時期的發展；到隋唐時期的鼎盛，且與儒、道成爲唐代三大並重的文化思想；乃至宋代理學的產生以及陸象山心學的創立，更使儒、釋、道三教調合的理論成爲主導地位。[39]芝菴觀察到了隋唐以後，佛教對文學藝術等各方面的影響，故而增入僧家所唱；並且比較出三教之唱反映出來的主題思想有所差異。這三者之間的差異，芝菴各以「情」、「性」、「理」一字統攝，朱權則就其義加以闡述。

朱權在〈雜劇十二科〉中，對雜劇作了分類，其一曰「神仙道化」，其二曰「隱居樂道」(又曰「林泉丘壑」)，其三曰「神頭鬼面」(即「神佛雜劇」)。[40]元雜劇中的神仙道化科即包括道教劇和釋教劇。現存的道教劇無一不與神仙顯示、度脫凡人有關，故亦稱「度脫劇」。[41]這些道教劇皆以解脫塵寰、逍遙物外爲依歸，嚮往清淨無爲、無滯無礙的境界。故朱權言其「志在沖漠之上，寄傲宇宙之間，有樂道徜徉之情。」道家所唱曰「道情」即此意。這與朱權在〈樂府體式〉中新定樂府體一十五家，其中有「黃冠體」說：「神游廣漠，寄情太虛，有餐霞服日之思，名曰道情。」是相通的。現存的釋教劇，以弘法度世及因果輪迴之說爲本。[42]朱權認爲僧家所唱爲「喪門之歌」、爲「頌偈」、爲「乞食抄化之語」，實未得其眞義。芝菴云：「僧家唱性」，此「性」應指佛教的「法性」，也就是佛教的人生觀和世界觀。

周貽白先生解釋得好：

> 一切現實事物，雖然是互爲因果而無始無終地存在著，但人生是虛幻的。必須使人生超越現實的存在而進入不生不滅的境界。因而有所謂「無人相、無我相、無眾生相」以及「四大皆空」之說。凡出家修行者，必當具此「法性」。
>
> （《唱論注釋》頁八）

顯然朱權對「性」的解釋有所偏失。其實道、釋二家頗有相似之處，都以虛無爲本；道主無名，佛主性空；道主靜坐，佛唱禪定。因此道家所唱著重於表現逍遙解脫之情，僧家所唱則著重於表現談空說幻之性。

至於儒家所唱者性理，朱權以「衡門樂道，隱居以曠志，泉石之興」解釋，是與〈樂府體式〉中「志在泉石」的「草堂體」及「隱居樂道」一科相通。所謂「樂守」是指樂守聖賢之道。而且是在山林泉石、深山幽谷之處樂守聖賢之道。現存元雜劇中，宮大用《七里灘》演述嚴光（子陵）灑脫不求仕進，優遊於山水間；漢光武迎之入朝，仍堅辭不仕，而垂釣七里灘，以此終老的故事。馬致遠《陳摶高臥》則演述陳摶賣卜，遇趙匡胤，知爲眞主。後趙登基爲宋太祖，禮遇陳摶，而陳棄絕軒冕，高臥西華山。太祖乃於宮中築庵，請陳居住，號一品眞人。這兩本雜劇即屬隱居樂道的仕隱劇。[43]而其所以與儒家「性理」相關，因所指的是宋明儒學「性命理氣」之學，即窮究個人內聖的工夫（內而治己以作聖賢的工夫）。內聖工夫其中之一便是周敦頤與二程兄弟提出來的「尋仲尼、顏子樂處」。所謂「尋孔顏樂處」就是聖人具有「渾然與物同體」的胸襟，不爲外物所移，置富貴於度外，自然觸處皆能生趣而無物不樂的境界。[44]樂守聖賢之道亦即在

此。這由程顥《偶成》一詩可以印證：[45]

> 閑來無事不從容，睡覺東窗日已紅。萬物靜觀皆自得，四時佳興與人同。道通天地有形外，思入風雲變態中。富貴不淫貧賤樂，男兒到此是豪雄。

在林泉丘壑之處，不受時間空間的制約，時時有一種從容自得的情懷，能觀照萬物之美，與天地爲一；且富貴貧賤皆不改其志。柯師慶明〈試論漢詩、唐詩、宋詩的美感特質〉解釋：[46]

> 這種自覺一方面反映於自「萬物靜觀皆自得，四時佳興與人同」的體驗中察覺「道通爲一」，甚至「渾然與天體萬物同體」；另一方面則轉化爲「閑來無事不從容」的心性的操守與「富貴不淫貧賤樂」的德行的踐履，甚至以此爲「男兒到此是豪雄」的判準。

這種對宇宙萬物的體驗及其內在的操守德行，正是孔顏樂處。《陳摶高臥》第三折陳摶唱〔三煞〕曲：「身安靜宇蟬初蛻，夢遶南華蝶正飛。臥一榻清風，看一輪明月，蓋一片白雲，枕一塊頑石。直睡的陵遷谷變，石爛松枯，斗轉星移。長則是抱元守一，窮妙理，造玄機。」此之謂隱居樂道之意，是窮究抱元守一的妙理，也是儒家唱「性理」的生命情調。

朱權對《唱論》另一則的註釋，也別具意義。芝菴說：「竊聞古之善唱者三人：韓秦娥、沈古之、石存符。」朱權則補充秦青、薛譚二人，並說：「此五人，歌聲一遏，行雲不流，木葉皆墜，得其五音之正，故能感物化氣故也。」所謂「感物化氣」指的是音樂所具有本於心、感於物的特質。《禮記·樂記》已有說明：

> 凡音之起，由人心生也。人之心動，物使之然也。感於物

而動，故形於聲，聲相應故生變，變成方謂之音。比音而樂之及干戚羽旄之謂之樂。

人的心靈感於外物而動，心動乃發而為音聲，故「情深而文明，氣盛而化神，和順積中而英華發外，唯樂不可以為偽。」正因為音樂是人心眞實情感的表現，所以能感物化氣。然而更重要的是善唱者能將這種音樂的特質淋漓盡致地表現出來，以致能達到「上如抗，下如隊（墜），曲如折，止如槁木，倨中矩，句中鉤，纍纍乎端如貫珠」的境界。不僅善歌者能使「行雲不流，木葉皆墜」；甚至能使人的聽覺、心覺、觸覺都產生一種交融通感，故朱權說：

唱若遊雲之飛太空，上下無礙，悠悠揚揚，出其自然，使人聽之，可以頓釋煩悶，和悅性情，通暢血氣，此皆天生正音，是以能合人之性情，得者以之，故曰：『一聲唱到融神處，毛骨蕭然六月寒。』——〈知音善歌者〉

從人心之感物而動，情動於中而形於聲；然後透過人聲，將樂音「唱」出來，因而可以「頓釋煩悶、和悅性情，通暢血氣」，乃至可以「一聲唱到融神處，毛骨蕭然六月寒」，這正說明了心—物—音三者之間的回復交流及相互交感的意義。從朱權在〈知音善歌者〉中的實際批評可以找到印證：

李良辰　塗陽人也。其音屬角，如蒼龍之吟秋水。予初入關時，寓遵化，聞於軍中。其時三軍喧轟，萬騎雜遝，歌聲一過，壯士莫不傾耳，人皆默然，如六軍啣枚而夜遁，可為善歌者也。

蔣康之　金陵人也。其音屬宮，如玉磬之擊明堂，溫潤可愛。癸未春，渡南康，夜泊彭蠡之南。其夜將半，

> 江風呑波，山月啣岫，四無人語，水聲淙淙，康之扣舷而歌『江水澄澄江月明』之詞，湖上之民，莫不擁衾而聽，推窗出户是聽者雜合於岸，少焉滿江如有長嘆之聲。自此聲譽愈遠矣。

對李良辰、蔣康之的描述，猶如一段小品文字，充滿了戲劇性的「場景」，正是將一個知音善歌者如何感物動人的景象「描繪」成一幅具象可見的圖畫。

從朱權對芝菴《唱論》中兩則的闡釋，可見其對演唱批評理論的開創性。在理論方面，他將中國儒、釋、道三大主流思想納入戲曲唱論之中，同時與戲曲題材結合，因而觀照出三教所唱不同的主題思想及其表現的生命情調。在實際批評方面，他則繼承《禮記．樂記》的音樂美學思想，轉而運用到對知音善歌者的評論，因而突顯戲曲演唱者，不止是個人的藝術造詣，甚至可以與血氣性情、造物天地相互感通。此較《青樓集》中「聲遏行雲」、「清潤圓轉」的評語自有更深層的意義。朱權對唱論的探討是從實際的唱腔技巧轉而建立演唱理論的感情思想和感物動人的形上境界。

元代至明初，唱論的發展開拓了許多層面。芝菴有意建立演唱的原理原則及其如何行腔轉調的技巧，以唱出聲情；並就歌者稟性資質之異，表現其唱腔風格。朱權則從芝菴所偏重的演唱形式理論，轉而強調唱曲所反映的生命情調及其與天地萬物交感的形上理論。其後由魏良輔、沈寵綏、徐大椿、王德暉、徐沅澂等人繼續深入發揮芝菴的理論脈絡；而由潘之恆傳承朱權的理論脈絡；並由王驥德、李漁、黃旛綽等人融合二者。其次，周德清的「務頭論」，一方面運用聲韻理論，一方面聯繫作者與唱者的關係，對王驥德、沈寵綏、李漁、徐大椿、黃旛綽、王德暉、徐沅澂等人影響頗大。至於實際批評方面，則由夏庭芝、朱權、潘之恆及鐵橋山人等專書品評。明清時代唱曲論的發展脈絡，大致已由元代至明初這段時期見其端倪。因此本章所討論的四位理論批評家，對唱曲論的發展實有引導開創之地位。

【註釋】

[1]參藍凡《中西戲劇比較論稿》第六章〈戲劇演唱風味〉頁二三四。

[2]芝菴姓名事蹟不詳。《唱論》最早附刊於楊朝英《樂府新編陽春白雪》卷首，據此推其作於元代至正（一三四一～六一年）以前。周貽白《戲曲演唱論著輯釋》有《唱論注釋》，作「二十七節」（筆者認爲《唱論》的體例，稱「則」似更貼切）。以下引文據《中國古典戲劇論著集成》本，並多參考周氏注。

[3]參周氏《唱論注釋·引言》頁一。

[4]此說晉代已有之。《晉書·孟嘉傳》桓溫問：「聽伎，絲不如竹，竹不如肉，何也？」孟嘉答：「漸近自然。」（周氏注頁九）。

[5]參傅雪漪《戲曲傳統聲樂藝術》頁一〇四～六。此書在第三篇第二章〈表現手段〉中，有解釋《唱論》若干則，見頁一五二～四。以下參傅氏之意，據此。又關於「抑揚頓挫」詳細的討論見第四章。

[6]頂針格之例，如〔越調·小桃紅〕：「斷腸人寄斷腸詞，詞寫心間事，事到頭來不由自。自尋思，思量往日眞誠志。志誠是有，有情誰似？似俺那人兒。」（見《中原音韻》頁二四七）。

[7]疊韻如〔南呂呂·一枝花〕：「運春雲陣陣消，熙麗日遲遲照，送東風融瓏凍，濡樹雨入墟郊……。」是句中字字疊韻(見《雍熙樂府》卷八)。疊字如〔越調·天淨沙〕：「鶯鶯燕燕春春。花花柳柳眞眞。事事風風

韻韻。嬌嬌嫩嫩。停停當當人人。」(見《夢符樂府》)。疊句或作「重句格」，有兩種：一種是完全重複的字句；一種是重複的句型。前者如〔雙調〕〈蟾宮曲〉：「錦重重春滿樓臺，經一度花開，又一度花開。彩雲深夢斷陽臺，盼一紙書來，沒一紙書來。染霜毫，題恨詞，濃一行墨色，淡一行墨色。攢錦字，砌迴文，思一段離懷，織一段離懷。倩東風寄語多才，留一股金釵，寄一股金釵。」(見《全元散曲》)。後者如〔塞鴻秋〕〈村夫飲〉：「賓也醉主也醉僕也醉，唱一會舞一會笑一會，管什麼三十歲五十歲八十歲，你也跪他也跪恁也跪。無甚繁絃急管催，喫到紅輪日西墜，打的那盤也碎碟也碎碗也碎。」（見《雍熙樂府》卷三十）。關於此類例證之搜集，詳見張師清徽〈我國文字應用中的諧趣——文字遊戲與遊戲文字〉及〈曲詞中俳優體例證之探索〉等文。

[8]垛字、垛句的解釋，參《中國音樂詞典》頁六一及三五九。其例如關漢卿〔南呂·一枝花〕〈不伏老〉套數之〔煞尾〕：「我是蒸不爛、煮不熟、搥不匾、炒不爆，響噹噹一粒銅豌豆……。」

[9]周氏注：「換指換氣，即今之所謂氣口」(頁二一)。傅氏則將「垛換」二字解為「換頭」，指一個曲牌中，行腔轉換之處。筆者以為氣口的論述見另一則（詳下文）。頂、疊、垛、換應如周氏注，分為四項。

[10]以上「頓音」、「拖腔」參考《中國音樂詞典》頁五〇八及四九八。

[11]參傅雪漪之說。周氏注：「牽音應為有餘不盡之音，推音則為急起直追之音。」又注：「或謂題當作提，與推連屬而言，推為推開，提為提起。其實，推字既不作推開解釋，而提起則與高揭其聲的提起雷同。所謂題，在歌唱上應當作動詞用，有題評或題寫之意。」筆者以為題當作提，解為提起，頗具啓發之義，故傅雪漪解為「似是拔高」。

[12]周、傅二人皆釋「捶」為「捶煉」意。按：捶有捶擊之意，必有重擊之聲；可引伸為重聲，與「欠」之為輕聲相對而言，指行腔之輕重而言。

[13]楊蔭瀏《中國古代音樂史稿》冊三解釋此條說：「頂疊垛換，樂音的重疊和轉換；縈紆牽結，樂音的迂迴纏繞和嚴緊結構；敦拖嗚咽，既用著力的拖腔，又用含蓄的聲音；推題丸轉，宛轉表達內容；搥久遏透，控制氣息，終止得深透。」（頁二七八）。此解似乎看不出每句各自的對比和排比關係。

[14]周氏注：「平係對高或低而言，背係對正而言，圓係對磊塊而言。凡聲宜平者，既不能在調門上突顯高低；背聲即今之所謂反調，如反西皮、反二黃之類；聲圓，即所謂當使字字舉皆輕圓。」（頁三四）。

[15]本段解釋融合傅雪漪之解釋（同註五），以及何爲、王琴《簡明戲曲音樂詞典》（頁九五、一六一、四六二）之說法。

[16]參楊蔭瀏《中國古代音樂史稿》冊三頁二七九之注文；又許金榜《陽春白雪》（注釋本）附《唱論》，亦採楊注。唯楊注：「杌，似有險的意思。」許注：「似指搖曳之聲。杌，搖。」

[17]本段討論六種呼吸氣口，參傅雪漪《戲曲傳統聲樂藝術》頁七五～九三。

[18]參許金榜之注。同註一六。

[19]周氏注：「凡字句之轉換，雖以腔調爲其樞紐，氣長者則可宛轉相就，氣短者則或偷或取 ，或換或歇 。所謂愛者有一口氣，即指對於氣的珍惜。」傅雪漪更延伸其義說：「演員扮一個人物，首先要從劇中人物的身份、氣質、性格以呼吸塑造這個人物的氣質形態。這個基本呼吸（一口氣）從出場後一直保持不能放掉，人物的一切表演唱念都要在這個基礎上『起泛兒』(即各種感情動態的蓄勢)，這樣人物性格就始終如一，聲音與人物協調，就可以氣貫全身，意貫全劇。」（頁七四～五）。二說皆頗有啓發，然似不能貫穿上下文句。

[20]臧晉叔《元曲選》(一六一六)所錄改爲「宜」字。周德清《中原音韻》（一三二四）、王驥德《曲律·論宮調》（一六二三）所錄刪去「唱」

字。陶宗儀《輟耕錄》卷二七、《太和正音譜·詞林須知》(一三九八)所錄同《唱論》。

[21]語見《梨園原》頁二五。

[22]參周氏注頁五四，楊說見《中國古代音樂史稿》冊三頁一一五～二七。

[23]元雜劇因限定四折，故關目結構多形成起承轉合的刻板形式。首折大致爲故事的開端，第二、三折大都爲全劇的最高潮，第四折則多成爲強弩之末。參曾師永義〈中國古典戲劇的形式和類別〉。

[24]就現存元雜劇觀察，第一折幾乎全用〔仙呂宮〕；第二折多用〔南呂宮〕、〔正宮〕、〔中呂宮〕；第三折多用〔中呂宮〕、〔正宮〕或〔越調〕；第四折多用〔雙調〕，或有用〔中呂宮〕及〔正宮〕者。許子漢《元雜劇聯套規律研究——以關目排場爲論述基礎》，將《元曲選》、《元曲選外編》、《全元雜劇初、二、三編》及《全元雜劇外編》所收之劇，詳列其劇名、作者、折數及各折所用宮調作爲附錄，可一目了然，頗有參考性。

[25]許子漢之碩士論文乃以每一宮調爲章節，討論其聯套規律與劇情之關係，以此觀察宮調聲情說，並就各宮調之描述逐一印證，可以大致肯定《唱論》所言，頗具有創見。此以〔中呂宮〕爲例，即參考其說，餘不列舉，詳見該論文頁二一五～一八。

[26]意謂不能動聽；不能感人，聲調平直，無宛轉悠揚之致；聲調不能合律，與伴奏樂器不相協調；字音訛錯或未明字義；不能了知曲文曲義；嗓音不協；聲調不合；不符合節奏（曲之關節）；不能掌握呼吸氣口。參周氏注頁六二～三。

[27]意謂聲音散漫；枯燥無韻味；不圓潤〈以上參許金榜注〉；冰冷不熱情，字音不清，如小兒學語；尾音帶沙；發聲尖刺，時有躁音；聲音幽細，不夠調門；氣短；聲無情感，調無韻律，聲調不純，時帶重濁之音；發

聲不穩練，字音時顯跳動；嗓有格格之聲，有如拽鋸；鼻腔有齆聲。（以上參周氏注頁六四）。

[28]意謂鍛鍊不夠；未能反覆練習；閱歷不深，經驗不夠；只知私自遣興，當衆歌唱時不多。參周氏注頁六三。

[29]此段參周氏注頁六二及許金榜注。又周注：「打掐，指其深中筋節；本調，指其太少變化。」似不能連貫上下文義。按：「掐」有「掏取」之義，似有用心掏空、嘔心瀝血而不能唱出原本的格調。此處存疑。

[30]周德清《中原音韻》一書分爲兩部份：前部份是韻譜；後部份是「正語作詞起例」，包含字音的辨別、用韻之法、宮調和曲牌以及〈作詞十法〉，〈作詞十法〉見頁二三一～五四。

[31]筆者有〈務頭論之源變〉一文，就字、句、調三類分析周德清揭示務頭的原始涵義，並重新檢證各家說法之得失，進而肯定對「務頭」之詞有所發揮、擴充的學說。

[32]參任中敏〈作詞十法疏證〉，收入《散曲叢刊》冊四。

[33]任中敏〈作詞十法疏證〉云：「『至斷腸句上』始疑乃『至斷腸句止』」之訛。既思若自『感皇恩起句至斷腸句』皆務頭，務頭毋乃太長。疑『至』字乃『與』字之訛。三調中務頭各一也。」按「至」、「與」二字如何訛誤，任氏並無說解；又任氏之所以認爲「務頭太長」，是忽略周德清所謂的「要知某調、某句、某字是務頭」中的「某調」。

[34]根據楊朝英《朝野新聲太平樂府》卷五，這首〔罵玉郎〕帶過〔感皇恩〕、〔採茶歌〕是鍾嗣成之作，爲詠四別（敘別、恨別、寄別、憶別）之中的「寄別」。

[35]參童斐《中樂尋源》卷下〈歌譜三〉頁四七。又洪惟助先生亦分析周德清所指的務頭，有時是一個字；有時是一句或二句；有時是二對句、三對句；並解釋務頭乃曲中旋律之高潮處，此高潮處必要施俊語於其上，

蓋音樂之最美處，亦必要以文辭之美相副。參〈吳梅務頭之說商榷——並論評明清以來曲學者對務頭之解說〉。

[36]《青樓集》記述宋六嫂云：「與其夫合樂，妙入神品。」又引滕玉霄作〔念奴嬌〕贈詞，其中有「寒玉嘶風，香雲捲雪，一串驪珠引」之句，可知宋六嫂歌聲亦屬清圓婉轉者（見頁二二）。

[37]以上對各評語的解釋，參孫崇濤、徐宏圖《青樓集箋注》頁一一六、一一九、一四二、一六四、一六八、一七五、一七八、一八一、一八七、一八八、一九二、二二四。

[38]〈詞林須知〉未錄《唱論》最後的兩則；而對「帝王知音律者」、「古之善唱者」及「三教所唱，各有所尙」皆有補充，尤其對後二則的闡釋，可見朱權的創發。

[39]關於儒、釋、道思想成爲唐宋以來的主流，乃至融合等問題，詳見敏澤《中國美學思史》第二卷第四、五編的緒論。

[40]曾師永義在〈太和正音譜的曲論〉中，指出雜劇分類之始，應歸屬《正音譜》；並認爲「神頭鬼面」與「神仙道化」兩科易產生界線不明、混淆不清之現象(收入《說戲曲》)。羅錦堂先生《現存元人雜劇本事考》則將「神頭鬼面」一科歸類爲「神怪劇」，皆爲顯示靈怪、敘述變異之作。如《張天師》、《桃花女》、《柳毅傳書》、《鎖魔鏡》等（見頁四四八）。下文舉例說明道、釋、儒三教之劇即以羅錦堂先生之分類爲依據。詳見該書第三章〈現存元人雜劇之分類〉。

[41]如《莊周夢》、《誤入桃源》、《張生煮海》等十四本。

[42]弘法度世之主題者，如《西遊記》、《東坡夢》等五本；因果輪迴之主題者，如《來生債》、《冤家債主》、《看錢奴》等三本。

[43]《陳摶高臥》見臧晉叔編《元曲選》冊三；《七里灘》見隋樹森編《元曲選外編》。

[44]參夏長樸先生〈尋孔顏樂處〉。

[45]引自《千家詩》。臺南東海出版社，民國六十一年。

[46]柯師之文收入《文學與美學》第三集。

第三章　度曲論(中)
——崑劇興盛期

隨著戲曲的演進，演唱理論發展到了魏良輔[1]，可以說是邁入新階段。一方面是從宋元時代在溫州一帶民間已頗爲流行的南曲戲文，到明代嘉靖年間已與北雜劇相當，同時汲取北曲以爲滋養，形成所謂「傳奇」，成爲明代劇壇主流。另方面，南戲之聲腔原以江浙一帶盛行的海鹽腔爲主，嘉靖、隆慶年間，魏良輔等人以流行於崑山一帶的南曲腔調爲基礎，融合海鹽、弋陽等聲腔之長，變爲新聲，號曰「崑腔」。[2]於是，具清柔婉折的崑山水磨調逐漸廣被天下，以致傳統戲劇皆以崑山腔歌唱，形成所謂「崑曲」。[3]故王驥德〈論腔調〉云：「舊凡唱南調者皆曰『海鹽』，今『海鹽』不振，而曰『崑山』。『崑山』之派，以太倉魏良輔爲祖。」此後崑山腔劇本從梁辰魚《浣紗記》推波助瀾之後，遂蔚爲大國。崑腔興起後，隨著崑山腔劇本的大量創作、戲曲演員的藝術成就，以及魏良輔、湯顯祖、沈璟、王驥德、潘之恆、沈寵綏等戲曲批評家建立的理論而繁盛。換言之，自嘉靖、隆慶至明末清初，可說是崑劇蓬勃發展的重要時期。本章即討論這段時期的演唱理論。

第一節 唱曲三絕

魏良輔《曲律》即是崑山腔盛行之下應運而生的著作，共有十八條[4]，專論演唱南曲的方法和技巧，可謂是繼芝庵《唱論》之後，第二本條例式論戲曲聲樂的著作。分析魏良輔的演唱理論大致包括了：擇具而唱、學唱步驟、唱曲三絕、唱出曲名理趣、絲竹人聲相合、聽曲辨音等，以下逐一討論。

《曲律》開宗明義就指出唱者須有才具資質：「擇具最難，聲色豈能兼備？但得沙喉響潤，發于丹田者，自能耐久。若發口拗劣，尖靂沉鬱，自非質料，勿枉費力。」對唱者而言，稟賦的嗓音才質是必要條件，而演員「聲色」難以兼備[5]，故求能唱得響亮清潤、發於丹田而可經持久訓練者。若是發音時，字不眞、句不篤、聲不穩、音不準；或是假聲音窄而尖利刺耳，或嗓音嘶啞低悶而不易拔高雄遠[6]，則「自非質料，勿枉費力。」所以，戲曲演員不止要有先天的容貌姿色，更需有足以成其技藝的先天條件。

具有歌唱的質料，進而要掌握學唱的步驟：「先從引發其聲響，次辨別其字面，又次理正其腔調。」所謂「引發其聲響」指發聲的訓練，包括呼吸練氣、喉音力度、運用共鳴等[7]；其次辨別唱詞的字音字義，以準確地咬音吐字；再次是聽準調門，調嗓練唱，不僅要合腔依律，而且把腔調的旋律和唱詞結合起來。依循此唱曲三步驟後才能得曲之三絕：「字清爲一絕，腔純爲二絕，板正爲三絕。」此三絕可以說是由前第二、第三步驟延伸而來。魏良輔論「曲有三絕」，言簡意賅，必從《曲律》中的相關論述加以補充解釋。

三絕中以「字清」爲先，對於字清的要求，魏氏特別強調四聲的分辨：

> 五音以四聲爲主，四聲不得其宜，則五音廢矣。平上去入，逐一考究，務得中正，如或苟且舛誤，聲調自乖，雖具繞梁，終不足取。其或上聲扭做平聲，去聲混作入聲，交付不明，皆做腔賣弄之故，知者辨之。

五音指宮商角徵羽[8]，此謂唱曲時隨音階之變化，歌者仍要使平上去入聲調分明；如果四聲乖迕，苟且舛誤，則五音亦隨之廢弛不明。因此唱準字的聲調，才不會把字唱「倒」，而形成「交付不明」、「做腔賣弄」的現象。聲調之外，尚須克服五難：

> 曲有五難：開口難；出字難；過腔難；低難；轉收入鼻音難。[9]

「開口難」指唱曲時發出的第一個音，調門和工尺音皆要精確無誤。而一個字的唱出，大約分爲字頭發聲、字腹落韻、字尾收音三步驟，唱第一個字即要音準字清，謂之「出字難」。唱完一字的收音和下一字的起音時，其過腔剎那之間不易掌握，是謂「過腔難」；有時一個字的工尺很長，亦有過腔之難。低音之難則在音調雖低，卻要低而不沈，清而不悶。所謂「轉收入鼻音難」之「鼻音」指閉口字收尾的雙唇鼻音，即侵尋、廉纖、監咸三韻之字。[10]如王驥德《曲律·論閉口字》說：「閉口者，非啓口即閉；從開口收入本字，卻徐展其音於鼻中，則歌不費力而其音自閉，所謂鼻音是也。」所以從開口轉爲閉口，再收入鼻音，故「轉收入鼻音難」。由於北曲有閉口音，南曲則無，所以魏氏強調其難；沈璟《南曲新譜》於每個閉口字上加圈，以引起注意；

而王氏則進一步指示唱南曲時「歌者調停其音，似開而實閉，似閉而未嘗不開」的方法，以突顯北曲閉口字在南曲中的特殊性。唱者如能深得四聲之宜，克服五音之難，則能唱得字清音正了。

腔純爲第二絕，有長腔、短腔、過腔等不同的情況：

> 生曲貴虛心玩味，如長腔要圓活流動，不可太長；短腔要簡徑找絕，不可太短。至如過腔接字，乃關鎖之地，有遲速不同，要穩重嚴肅，如見大賓之狀。

這是說長腔要起伏宛轉，不可因其長而唱得拖沓；短腔要唱得簡潔有力，不可因其短而唱得急促；至於過腔接字之間的關鍵處，有緩有急，要唱得穩重而從容大方。運腔時能夠長而不長，短而不短，緩急有分，是之謂腔純。

板正爲第三絕。曲調的節拍是由「板眼」決定的，又因古以板擊拍，故稱「拍板」；強拍稱之爲「板」，弱拍或次強拍稱之爲「眼」。板眼又依照曲詞單字與工尺位置配合關係的不同，而有迎頭板、徹板、絕板的不同稱謂。魏良輔說：

> 拍，迺曲之餘，全在板眼分明。如迎頭板，隨字而下；徹板，隨腔而下；絕板，腔盡而下。有迎頭慣打徹板、絕板，混連下一字迎頭者，此皆不能調平仄之故也。

此段可以王驥德《曲律·論板眼》互証：

> 初啓聲即下者爲「實板」，又曰「劈頭板」（原註：遇緊調，隨字即下，細調，亦俟聲出徐徐而下）。字半下者爲「掣板」，亦曰「枵板」（原註：蓋「腰板」之誤）。聲盡而下者爲「截板」，亦曰「底板」。

曲詞中如一個字所配第一個工尺上板，則剛發音時那一瞬間的正板即是迎頭板（實板），俗稱頂板唱者；王驥德更指出隨緊調、細調之不同，歌者出聲速度亦有急緩之別。迎頭板指演唱中字音出在板上，故曰隨字而下；徹板（掣板）則是字音唱出以後下板，故曰隨腔而下，俗云板打在字腰上，又稱腰板。唱到一個音節段落，或一句唱腔之末尾腔盡處下一板，起斷句作用，稱爲截板或底板、絕版。[11]歌者必須掌握節拍，板眼分明，謂之「板正」；如有「迎頭板慣打徹板、絕板，混連下一字迎頭板」的現象，便是荒腔走板，字之平仄自然也無法分明了。

腔純、板正必需相輔相成，所以「不可高，不可低，不可重，不可輕，不可自做主張」，因爲腔調板眼有一定的宮譜，長短遲速有一定的度數規矩 。魏氏主張：「惟腔與板兩工者 ，乃爲上乘」；若是「有專于磨擬腔調，而不顧板眼；又有專主板眼而不審腔調，二者病則一般。」腔、板兩工的基礎則在字清，故爲「曲之三絕」。

唱者得曲之三絕，其目的在唱出各樣曲名理趣：

> 曲須要唱出各樣曲名理趣，宋元人自有體式。如：〔玉芙蓉〕、〔玉交枝〕、〔玉山供〕、〔不是路〕要馳驟。〔針線箱〕、〔黃鶯兒〕、〔江頭金桂〕要規矩。〔二郎神〕、〔集賢賓〕、〔月雲高〕、〔念奴嬌序〕、〔刷子序〕要抑揚。〔撲燈蛾〕、〔紅繡鞋〕、〔麻婆子〕雖疾而無腔，然而板眼自在，妙在下得勻淨。

本段文字說明曲牌旋律也有不同的聲情韻味，各舉一例說明之。《牡丹亭·尋夢》〔玉交枝〕敘述杜麗娘至花園尋夢不著而焦急憂心的情懷。板式爲一板三眼（４／４），除首句「似這等荒涼地面」音調稍緩，整首曲子要唱出一種馳放的旋律，以烘托人物在舞臺上遍尋牡丹亭、芍藥欄時，那份意馳神往的期盼與失落。

〔江頭金桂〕可以《金雀記·喬醋》為例。金雀是潘岳與井文鸞定情信物；婚後，潘於求取功名途中，竟將之贈與妓女彩鳳。文鸞得知情事，假意強逼潘取出金雀成對，潘無以應對，文鸞故作忌妒，唱〔江頭金桂〕責其無情；潘則小心賠罪，對唱前腔。板式為一板三眼加贈板（8／4），音調平穩，不疾不徐，旋律沒有波瀾起伏，正合其中規中矩之聲情。

〔集賢賓〕熟見於《牡丹亭·離魂》，湯顯祖連用四支（舞臺上多只唱第一支），鋪寫杜麗娘於中秋佳節病勢轉沈，央求春香為其開窗，以遙望月色的情景。板式為一板三眼加贈板，但音調高低起伏頗大，如「海天悠，問冰蟾何處湧？」，音低至ㄎ四（3̣ 6̣），而「須不是神跳鬼弄」之「是」字，音高至仕（1̇）。本支曲辭配上工尺譜後，一字多音，堪稱南曲清柔婉折的典型，加上麗娘病逝之前的感傷情緒，故唱來千回百轉，纏綿悱惻，聽之足以令人迴腸盪氣，無限酸楚。掌握此曲牌音調之高低、感情力度之強弱及音量響度之大小，方表現其「抑揚」之理趣。

《長生殿·驚變》有兩曲〔撲燈蛾〕，一曲形容楊貴妃和唐明皇對飲醉後嬌怯無力的神態；一曲描述唐明皇驚聞安祿山造反，權且幸蜀以待天下勤王的心情。這兩首曲辭，每一句都有疊字，板式是一板一眼（2／4），配上工尺譜後，旋律快速，腔調難以掌握，若唱的不妥貼，猶如誦經。故此曲雖疾而無腔，但要唱得板眼分明，字字均勻，乾淨俐落。

以上四例分別說明唱曲要結合聲情與詞情，將不同曲牌之馳驟、規矩、抑揚、疾而無腔、板眼自在等不同理趣情味彰顯出來。此外，還得掌握「北曲以遒勁為主，南曲以宛轉為主」的不同音樂風格：

> 北曲與南曲，大相懸絕，有磨調、絃索調之分。北曲字多而調促，促處見筋，故詞情多而聲情少。南曲字少而調緩，緩處見眼，故詞情少而聲情多。北力在絃索，宜和歌，故氣易粗。南力在磨調，宜獨奏，故氣易弱。近有絃索唱作磨調，又有南曲配入絃索，誠爲方底圓蓋，亦以坐中無周郎耳。

南曲爲五音調，行腔迂緩；以簫管（吹樂器）爲主要伴奏的樂器；加上襯字少，文字婉麗，故而字少詞緩，詞情少而聲情多，聽來宛轉細膩。北曲爲七音調（多變宮、變徵兩個半音），以絃索（彈樂器）爲主要伴奏的樂器，加上襯字多，且無入聲字，文字豪放，故而字多調促，詞情多而聲情少，聽來遒勁粗放。由於南北曲的音階、伴奏樂器、字數及文字風格之異，致使二者的音樂情調不同。歌者自當將其不同特質唱出來，才不會有「絃索唱作磨調」或「南曲配入絃索」的現象。否則即使得曲之三絕，亦如「方底圓盤」，不諧於耳。

登場演唱時，自然是要樂器伴奏的，但樂器之襯托人聲是有其原則的。魏良輔引前人陳可琴的話語說：「簫有九不吹：不入調、非作家、唱不定、音不正、常換調、腔不滿、字不足、成群唱、人不靜，皆不可吹。」[12]換言之，「絲竹管絃，與人聲本自諧合」，但並非「強相應和，以音之高而湊曲之高，以音之低而湊曲之低」，故字清、腔純、板正的人聲才能與絲竹管絃相諧合。

以上都是從演唱者的角度立論，魏良輔更論及聽曲者的立場：

> 聽曲不可喧嘩，聽其吐字、板眼、過腔得宜，方可辨其工

拙。不可以喉音清亮，便爲擊節稱賞。大抵矩度既正，巧由熟生，非假師傳，實關天授。

「不可喧嘩」是聽曲者應有的風度，所以「人不靜」時，樂器亦不伴奏；而以唱曲者之吐字、板眼、過腔等技巧辨其工拙（即曲之三絕），是聽曲者應有的鑑賞力。可知聽曲者該有很深的戲曲音樂素養，才能有如此審音辨曲的能力，魏良輔賦予聽曲者的品評能力是相當高的。

《曲律》和芝菴《唱論》皆屬曲話式的體例，雖然一論南曲，一論北曲，但專述唱腔的原理技巧則有其共通之處。例如芝菴所謂的「字眞、句篤、依腔、貼調」、「聲要圓熟，腔要徹滿」等觀念，魏良輔則用「字清、腔純、板正」曲之三絕加以統攝，並對每一絕都有具體詳盡的解釋，可說是對芝菴簡約的演唱術語，有進一步的補充闡釋。由這個角度比較二書，則誠如葉長海先生《中國戲劇學史稿》所說：「《唱論》的內容較全面，除了對演唱方法的技巧的論述外，還對演唱的歷史有所記錄，而且對演唱效果等方面亦著墨頗多。魏氏《曲律》的內容則較精要而略嫌單薄。」（頁九二）《唱論》所論及的內容，除了前文討論過的行腔原理技巧之外，還包括了著錄古之善唱知音者、聲調變化的各項體式、歌唱的門類、歌曲所唱題目、歌唱的地所環境等項目，眞可謂「宏富而雜蕪」。而由於魏氏集中於討論演唱藝術規律，故較精要而深入，並且有新的開展。例如芝菴論宮調聲情，魏氏論曲名理趣；北曲十七宮調和南曲十三宮調[13]，每宮調皆各統有若干曲牌，聲情表現由宮調論及曲牌，可見對曲情的體悟更加細微。對人聲和樂器之間的關係，芝菴只引論前人「絲不如竹，竹不如肉」之說；魏氏則從樂器襯托人聲的角度立論，引述陳可琴「九不吹」之說，印證樂器伴奏不可強相應和的觀念。這些都是魏氏承繼中而有創發者。至於魏良輔提出聽曲者應有的風度及鑑賞力，更是其獨到之處。劇場藝術理論中，觀衆學是一個很重要的課題，而度曲論中觸及觀聽者，實有深遠之意義。

第二節　審音致曲

崑劇在發展過程中，逐漸形成獨特的音樂性以及不同的流派。潘之恆的演唱藝術論正是由這個觀點著眼的。關於崑曲的聲腔特點，〈敘曲〉說：

> 甚矣！吳音之微而婉，易以移情而動魄也。音尚清而忌重，尚亮而忌澀，尚潤而忌纇，尚簡捷而忌漫衍，尚節奏而忌平鋪。有新腔而無定板，有緣聲而無轉字，有飛度而無稽留。

所謂微婉動魄、清亮圓潤、簡捷節奏、緣聲飛度，都是用以形容崑曲流麗悠遠、清柔婉折、體局靜好、婉麗嫵媚、一唱三歎的特性。而由於崑曲的流傳，形成不同的流派。潘氏〈曲派〉專文指出當時吳音（崑腔）有三派：崑山魏良輔立崑腔之宗；吳郡鄧全拙「稍折於魏，而汰之潤之，一稟於中和」，稱爲吳腔；無錫另爲一調，宗魏良輔而豔新聲。三派各有大家，其流傳情況如下：[14]

㈠崑山（附太倉、上海）魏良輔

㈡吳郡（吳腔）鄧全拙——　朱子堅、何近泉、顧小泉、黃問琴、張懷萱、高敬亭、馮三峰、王渭臺

㈢無錫——　陳奉萱、潘少涇

這三派的音樂風格是「無錫媚而繁，吳江柔而淆，上海勁而疏」（語見〈敘曲〉）。潘之恆〈曲派〉引錄吳郡人的評語：「錫頭崑尾吳爲腹，緩急抑揚斷復續」，言其「能節而合之，各備所長耳」。王驥德〈論腔調〉說：「崑山之派，以太倉魏良輔爲祖。今自蘇州而太倉、松江以及浙之杭、嘉、湖，聲各小變，腔調略同。」只是陳述崑腔流播的地區；而潘氏則歸納三個主要流派及其「聲各小變」之所在，並強調「三支共派，不相雌黃」。這一段崑腔發展的流派不止是戲劇史的記錄而已，同時說明演唱者的音色與表現的風格不同[15]，即會形成不同的派別。因此在演唱論的發展上，是從《青樓集》、《太和正音譜》對善歌者的評價，轉而關注到同一聲腔劇種中，演唱者所形成的風格派別；這個觀照的角度實具有開創意義。

潘氏的演唱理論不在字清、板正、腔絕的內容上，而在論述正字、取音等技巧對表演所產生的作用和影響。〈正字〉云：

> 夫曲先正字，而後取音。字訛則意不眞，音澀則態不極……。吐字如貫珠，於意義自會；寫音如霏屑，於態度愈工。令聽者淒然感泣訴之情，憯然見離合之景，咸於曲中呈露。……。奏曲而無音，非病音也，態不浹也。同音而無字，非病字也，意不融也。故欲尚意態之微，必先字音之辨。

如果念字有誤，曲詞的意義則不眞切；聲音枯澀，演唱的神態則不能充分表現出來。即有音而無字，則曲意不能融通；有曲而無音，則情態不能和洽。因此「正字」關涉曲辭意義的詮釋；「取音」則關乎唱曲情態的傳達。由是正字、取音不止是「聽覺」之所感，更是「視覺」之所見。唱曲者吐字如成串之珠，寫音如雨雪飄飛，即是達到「意眞」、「態極」之微妙，故云「欲尚意、態之微，必先字、音之辨」。[16]蔡鍾翔〈表演論〉說：「字和音的得失，所造成的影響是在意和態，因而欲求意、態表現之精確，就要從字音之辨著手。潘之恆把表演藝術看作是整體，唱曲中的正字、取音雖然只是其中一部分，卻關係著全局的成敗。關於審音辨字的重要性，前人從沒有論述得如此透徹。」[17]

潘氏所以將吐字、寫音與聽覺、視覺聯繫，是因爲清唱和戲場上的演唱藝術是不同的。魏良輔說：「清唱，俗語謂之冷板凳，不比戲場藉鑼鼓之勢，全要閒雅整肅，清俊溫潤。」潘氏更發揮唱曲與演劇之間的關係。〈曲餘〉說：

> 音也者，聲與樂之管也。聲之微爲音；音之宣爲樂。故曰：知聲而不知音，不能識曲；知音而不知樂，不能宣情。音既微矣，悲喜之情已具曲中。一顰一笑，自有餘韻，故曰「曲餘」。今之爲劇者不能審音，而欲劇之工，是愈求工而愈遠矣。

演劇的首要條件在審音，審音包括知聲、知音、知樂的完整過程。這段音樂理論來自《禮記·樂記》所說：「凡音者，生於人心者也。樂者，通倫理者也。是故知聲而不知音者，禽獸是也。知音而不知樂者，衆庶是也。唯君子爲能知樂。」「聲」指聲音，物體振動時所發出的響音謂之聲。「音」指音樂，樂音只是單單一個音符，音樂就是樂音加上秩序，成爲具有一定規則而和諧悅耳的聲音。「樂」指一種心理的情狀，生命的情狀，是一種既秩序又和諧的生命情狀；在欣賞音樂的過程中，忘自我忘音樂，將個人的生命與音樂的和諧秩序合而爲一，而產生一種生命情調，此之爲「樂」。[18]故知聲而不知音者，只是如禽獸般具有聲感而已；知音而不知樂者，則樂與我分離，只是一個庶人；惟有知樂者，能達秩序和諧之生命情調，才是君子。潘氏將這段音樂理論轉化爲唱論，說明知音才能識曲，知樂才能宣情。唱者由識曲進入宣情，才能達到「悲喜之情已具曲中」之境，才能得一顰一笑之餘韻（詳第六章身段論）。

歌者從正字、取音、識曲、宣情乃至得曲之餘韻，是充份體現自然的人聲。芝庵已肯定「絲不如竹，竹不如肉」、「取來歌裏唱，勝向笛中吹」之說。朱權也肯定「出其自然，使人聽之，可以頓釋煩悶，和悅性情，通暢血氣」，甚至可以「一聲唱到融神處，毛骨蕭然六月寒」的「天生正音」。潘之恆則就人聲與樂器的關係深入討論，〈獨音〉云：

> 夫受氣於地，惟竹也青；受音於天，惟肉也獨。古云：「竹不如肉，謂之自然」。然二者胡可淆也！故竹音勁者可以裂石，可以斷腸。肉音微者可以魂銷，可以情死。肉奏而情不爲死者，未足以盡肉之情。不盡肉之情，其去曲之微遠矣。

潘氏指出肉音和簫竹各稟受於天、地，各有其感物動人的力量，二者不可淆亂。受音於天的肉音表現至極微之處，而可以具有「魂銷情死」的力量，此之謂盡肉之情，致曲之微。其強調人聲的震撼力可與朱權相提並論。至於受氣於地的竹音，在戲曲音樂中的感染力量也是不容忽視的。〈初音〉云：

> 簫，仙音也，在參差縹緲間，聞之情怡，即欲飛去，此豈易言哉！樂部中雜之管弦，風靡靡然矣。近有慧流勝侶，游藝品外，而幽韻間出，心靈氣淑，出之清越，而極於悠長，啗然乍啓，神飄雲漢，而後簫乃可奏也。

崑曲以簫、笛爲主要伴奏樂器，其本身即具有聞之令人心情怡悅、飄飄欲仙之感。但當其合曲時，則應「協悽婉之音，其入以微而不能辨」；換言之，樂器與人聲要協調，「曲高而簫不振，簫妙而曲不調，皆爲罷奏。」此與魏良輔引證陳可琴所謂「簫有九不吹」之論相合（見前引）。凡唱曲與簫笛不能合諧，則如「澄水生波，流雲伏響，雖掞藻飛屑，令人意消」，故「必雙絕而後入神」。此外，樂器之間也要協調，所謂「簫澀而欲宏，笛亮而欲抑，須兩浹而韻始調」，潘氏特別強調「繁弦急管，錦瑟鸞笙，固有高會協奏之期，不可與秦樓漢浦沖霄凌波，而竟璈珮於空音矣。」[19]欲達此境，並非「徒在呼吸、聲響間尋佳境」，必須「能以唇舌之潤及虛，眼指之變赴節」，方能「漸近自然。」

潘之恆的演唱理論，不是具體詳密地論述行腔原理，咬字吐音的方法技巧等，因此，雖非如芝庵、魏良輔、王驥德等人有專書專題討論演唱藝術，但卻融合前人許多的觀點並而有新的開展。他提出的「正字」、「取音」是融會了芝庵的「字眞、句篤、依腔、貼調」，魏良輔「字清、腔純、板正」之三絕，以及王驥德的「識音義、明腔調、習板眼」等觀念；直接引伸正字、取音所產生的聽覺和視覺效果，聯繫其與演劇之間的關係，以印證「爲劇必自調音始」。又汲取〈樂記〉的音樂理論，從知聲、知音而知樂的完整過程，解釋「審音」在於能識曲、能宣情、能得「曲餘」的意義。此外，又從芝庵「絲竹不如肉」之說，以及魏良輔引證「簫有九不吹」之說，轉而肯定絲竹與人聲各爲天、地之音，並應相輔相成，才能「雙絕而入神」；進而提出弦管笙瑟只能有高會協奏之期，不可以凌越人聲而璈珮於空音。更重要的是，潘之恆從演劇的角度，強調唱者達到「悲喜之情已具曲中」之境，才能得一顰一笑之餘韻，顯然將「演」與「唱」的關係繫聯起來。

故而唱論乃從「冷板凳」的清唱延伸至戲場，並與身段結合，形成「唱念身段」的表演藝術（詳第六章）。

第三節 字學與曲理

繼芝庵《唱論》和魏良輔《曲律》兩本條例式的曲話之後，沈寵綏《絃索辨訛》及《度曲須知》則以專書專章的性質論述。[20]此二書在演唱理論的發展中，實有開創性的地位。

絃索是一種類似琵琶而略小的樂器，用於北曲清唱時主要伴奏的樂器；因而「絃索」也成爲北曲清唱的名稱。《絃索辨訛》一書即是爲絃索歌唱者指明字音和口法的專著。書中列舉了《北西廂記》及當時傳奇劇本中習彈的北曲聯套[21]，逐字音註，以示軌範。沈氏於〈絃索辨訛序〉說：

> 南曲向多坊譜，已略發覆；其北詞之被絃索者，無譜可稽，惟師牙後餘慧。且北無入聲，叶歸平、上、去三聲，尤難懸解。以吳儂之方言，代中州之雅韻，字理乖張，音義逕庭，其爲周郎賞者誰耶？不揣固陋，取《中原韻》爲楷，凡絃索諸曲，詳加釐考，細辨音切，字必求其正聲，聲必求其本義，庶不失勝國元音而止。

沈氏秉持魏良輔「南曲不可雜北腔，北曲不可雜南字」的原則，主張「北曲字音，必以周德清《中原韻》爲準，非如南字之別遵《洪武韻》也。」（語見《絃索辨訛·凡例》）因此依照周韻詳註音切於曲文之下，以便歌者能得北曲之正聲本義。除了對派入平、上、去聲的入聲，加以釐整商訂[22]；還對閉口、撮口、鼻音、開口張唇、穿牙縮舌、陰出陽收之字，以不同的符號記認，甚至有一字兩記認者，沈氏說：「須將兩旁六種圈點，熟辨胸中，庶披覽自然融貫。又必詳看前篇〈凡例〉，及後《度曲須知》，則南北唱法，自然了悟。」[23]換言之，熟悉六種特別記認的不同發音部位及發音方法之字，並掌握沈氏所考訂其他北音和南音之差異，自然了解南北曲唱法之異，從而可以掌握北曲的標準唱法。值得注意的是，《中原音韻》是歸納關、鄭、白、馬之作而得十九韻類；《太和正音譜·樂府》則依據北曲十二宮調的分類，列舉出每一宮調中每一支曲牌的句格譜式，詳細注明四聲平仄，分別標明正字、襯字，是現存唯一最古的北雜劇曲譜。此二書，一爲韻譜，一爲曲譜，皆是作者填製北曲雜劇平仄押韻的規範。而《絃索辨訛》標注字音，並利用圈點方式指出北音在發音部位及發音方法的特點，成爲歌唱者之範本。其性質之差異正反映出曲論家所關注的對象不同，由是戲曲不當止是作者的案頭創作，也應該與場上演唱關聯。換言之，戲曲不但要求文字音律之美，還要考慮到演唱時能流利輕滑而易歌。王驥德論南曲講求平仄、陰陽、押韻、閉口字等音韻問題，正是結合製曲與唱曲的關係（詳第五章）。不過，王氏所論偏重在填詞製曲的創作理論；而沈寵綏則偏重場上演唱，故其《絃索辨訛》直接提供演唱北曲的實際方法；至於《度曲須知》一書「論北兼論南，且釐榷尤爲透闢」，更由演唱的經驗出發，主張作曲時便要考慮到實際演唱的問題，撰寫此書之旨趣正如其書名。

沈寵綏《度曲須知》全書二十六章，每章皆有標題，沈氏云：「集中議論有創聞習說之異，意旨有軒豁微渺之殊，故篇目之排列，從淺及深，繇源達委，有序存乎其間。」（語見《度曲須知·凡例》）全書中，除末兩章〈律曲前言〉和〈亨屯曲遇〉分別是

節引魏良輔《曲律》和王驥德的《曲律》，其他各章內容，約可歸納為四個主題：[24]

一、論字音：〈字母堪刪〉、〈翻切當看〉、〈俗訛因革〉、〈陰出陽收考〉、〈同聲異字考〉、〈異聲同字考〉、〈文同解異考〉。

二、論唱法：

㈠出字方法：〈出字總訣〉、〈字頭辨解〉。

㈡收音方法：〈中秋品曲〉、〈收音總訣〉、〈收音譜式〉、〈收音問答〉、〈鼻音抉隱〉、〈音同收異考〉。

㈢四聲唱法：〈四聲批窾〉。

三、論南北曲用韻用字：〈宗韻商疑〉、〈字釐南北〉、〈北曲正訛考〉、〈入聲正訛考〉、〈方音洗冤考〉。

四、論南北戲曲聲腔之流變及北曲絃索調之存亡：〈曲運隆衰〉、〈絃索題評〉、〈絃律存亡〉。

此書除論南北戲曲之興衰及用韻用字之異同，主要在解說演唱南北曲出字、收音的方法，而其方法是以音韻學中的反切為基本原理。漢語音節結構是由聲母、韻母和聲調構成。聲母是音節的第一個輔音音素；韻母是聲母後面的部分，包括介音（韻頭）、主要元音（韻腹）和尾音（韻尾）；聲調則是指音節的高低、升降。其中韻母的主要元音及聲調是必備的要素。反切之法是以二字為一字之音，宋代以前的反切，上字與所切之字同聲母，下字與所切之字同韻母、同聲調。宋代以後，反切上字除表聲母外，另有與被切字同介音、同聲調的傾向；下字則表現被切字的主要元音、韻尾和聲調（有時也表現介音）。明代以後，並且講求下字用零聲母字，以避免聲母夾在中間，阻礙上下字的摩切合併；

即使找不到零聲母字作下字，也要用喉擦音字，盡量避免下字聲母的干擾。沈氏所用反切，就是這種改良式的反切，，所以才可以建立「切法即唱法」的理論，其於〈字母堪刪〉說：

> 予嘗考字於頭腹尾音，乃恍然知與切字之理相通也。蓋切法即唱法也。曷言之？切者，以兩字貼切一字之音，而此兩字中，上邊一字，即可以字頭爲之，下邊一字，即可以字腹、字尾爲之。如「東」字之頭爲「多」音，腹爲「翁」音，而「多」、「翁」兩字，非即「東」字之切乎？「簫」字之頭爲「西」音，腹爲「鏖」音，而「西」、「鏖」兩字，非即「簫」字之切乎？「翁」本收鼻，「鏖」本收嗚，則舉一腹音，尾音自寓，然恐淺人猶有未察，不若以頭、腹、尾三音共切一字，更爲圓穩找捷。

沈氏這段文字，以「西」、「鏖」切「簫」，「鏖」是洪音讀法（廣韻豪韻，於刀切），而「簫」是細音讀法，可知腹音已經不包括介音，介音由字頭細音「西」字表現。此外，「翁」、「鏖」於中古都是影母字，後代方言中絕大多數讀零聲母；由於下字無聲母，因此可以「連誦」而得被切之字，也因此可以將切法轉用於唱法。沈氏提出者即是「三字切法」：「上一字即字頭，中一字即字腹，下一字即字尾」，例如「簫」爲「西鏖嗚」切，「西」、「鏖」、「嗚」分別爲字頭、字腹、字尾。三字切法中「字頭」指聲母或聲母與韻頭相拼之「聲介合母」（若該字無介音，則僅指聲母）；「字腹」即韻腹或指主要元音，或包括介音，或指聲母以下整個部分；「字尾」即韻尾。就切法來看，這是將韻尾和主要元音獨立成兩個部分，其中介音、韻尾重複冗贅的地方，有助於語音連誦輕滑易行。

雖然沈氏所指的字頭和字腹有時都包括介音，字腹有時又包括韻尾，對字音的劃分也不甚明確。但由三字切法，以及轉音經緯圖表將韻母分開口、齊齒、撮口、閉口、合口五類來看（詳下文），顯然是由介音、主要元音和韻尾的角度爲韻母分類。大致上說，沈氏提出字音的頭、腹、尾與音節的聲、韻、調之間的關係是：字頭對應聲母與介音，字腹對應主要元音，字尾對應韻尾；而頭腹尾所用之字，原則上與被切字同聲調。

以三字切法說明「凡敷衍一字，各有字頭、字腹、字尾之音」。沈氏解釋字頭之音說：「凡字音始出，各有幾微之端，似有如無，俄呈忽隱。於簫字則似西音，於江字則似幾音，於尤字則似奚音，此一點鋒鋩，乃字頭也。」倘若字頭先有贅音之冒雜，如唱「離」字，有一兒音冒於其前；或唱「那」字，先預贅一舐腭之音，極欠乾淨，此之謂「字疣」（俗云「裝柄」，又云「摘鉤頭」）。字疣不可誤認爲字頭，〈字頭辨解〉云：「字疣之音，添出字外，而字頭之音，隱伏字中，勢必不可去，且理亦不宜去。凡夫出聲圓細，字頭爲之也；粘帶不清，字疣爲之也。……。善唱則口角輕圓，而字頭爲功不少；不善唱則吐音龐雜，字疣著累偏多。」由字頭唱至字尾，其間即是腹音「爲之過氣接脈」，故腹音不可廢。如「蕭豪二字，何等高華，若不用字腹，出口便收嗚音，則幽晦不揚，而字欠圓整；故尾音收早，亦是病痛。」反之，如去其尾音，則「唱到其間，皆無了結」。如「先」字有「煙」音之腹，若無舐顎音之尾，則唱似「些」音。故必「由腹轉尾，方有歸束」。由字頭、字腹轉至字尾，其時間速度稍有不同，〈字頭辨解〉又云：

予嘗刻算磨腔時候，尾音十居五六，腹音十有二三，若字頭之音，則十且不能及一。蓋以腔之悠揚轉折，全用尾音，故其爲候較多；顯出字面，僅用腹音，故其爲時少促；至字端一點鋒鋩，見乎隱，顯乎微，爲時曾不容瞬，使心浮氣滿者聽之，幾莫辨其有無。

字頭之音乍出，「其齒舌間一點微風，略帶音響」，故見乎隱，顯乎微，爲一瞬之間。而所謂「顯出字面」，是因爲「聲調明爽，全係腹音」，亦即主要元音響度最大，故「爲時少促」。至於尾音則用以轉折，故爲時最長。雖然一字有三音，聽者但聞徐吟一字，而「不覺其有三音之連誦。」換言之，「繇字頭輕輕吐出，漸轉字腹，徐歸字尾，其間從微達著，鶴膝蜂腰，顛落擺宕，眞如明珠走盤，晶瑩圓轉，絕無頹濁偏歪之疵矣。」正因爲腔之悠揚轉折，全用尾音，而當時唱家多半忽略韻尾，因此，沈氏倡議三字切法，將字尾特別拈出。[25]

對時人唱曲的批評，沈氏在〈中秋品曲〉說：

從來詞家只管得上半字面，而下半字面，須關唱家收拾得好。蓋以騷人墨士，雖甚嫻律呂，不過譜釐平仄，調析宮商，俾徵歌度曲者，抑揚諧節，無至沾脣拗嗓，此上半字面，塡詞者所得糾正者也。若乃下半字面，工夫全在收音，音路稍訛，便成別字。……。平上去入之交付明白，向來詞家譜規，語焉既詳，而唱家曲律，論之亦悉；至下半字面，不論南詞北調，全係收音，乃概未有講及者，無怪今人徒工出口，偏拙字尾也。

這段文字說明，詞家只要平上去入能合曲律即可；唱家不但要表現出平仄聲調的抑揚頓挫之美，而且要精確地將音節中所有包括的成分表現出來，才是「完音」，尤其是具悠揚轉折的韻尾部分。由於沈氏特重收音的部分，所以引用沈璟《正吳編》中的〈出字總訣〉提供上半字面的口訣；另著〈收音總訣〉（含入聲收訣）提供下半字面之口訣 。如江陽韻 ，出字總訣曰：「口開張」；收音總訣曰：「緩入鼻中」。

除〈收音總訣〉，並有〈收音譜式〉、〈收音問答〉、〈鼻音抉隱〉等篇章專論尾音問題。沈氏就《中原音韻》十九韻字尾歸納收音方式：

> 東鐘、江陽、庚青三韻，音收於鼻。眞文、寒山、桓歡、先天四韻，音收於舐腭。廉纖、尋侵、監咸三韻，音收於閉口。齊微、皆來二韻，以噫音收。蕭豪、歌戈、尤侯與模，三韻有半，以嗚音收；魚之半韻，以于音收。其餘車遮、支思、家麻三韻，亦三收其音。──〈中秋品曲〉

所謂「三收其音」可從〈收音譜式〉找到解釋：車遮韻腳俱收哀奢切之音，支思韻腳俱收衣詩切之音，家麻韻腳俱收哀巴切之音，意思是三韻分別有不同的收音。其中對俱收鼻音的東鐘、江陽、庚青韻腳特別說明其發音上的異同。〈收音總訣〉云：「曲度庚青，急轉鼻音」，「江陽東鐘，緩入鼻中」，〈鼻音抉隱〉解釋：「曲度庚青，急轉鼻音，亦不過較東鐘之緩收者，略促其候耳。」換言之，「庚青之收鼻略早，兩韻之收鼻較遲」，微有小異。雖然「東鍾、江陽，其音天然歸鼻，無煩矯正」，但恐唱者不知收音，以致如「東」字有「翁」音之腹，無鼻音之尾，則唱似「多」音。又有「自負喉音嘹亮，縱情使去，往而莫返」者；或有「梨園子弟，務欲四筵聳聽，一味浩歌闊唱」者，皆不收江陽韻之鼻音韻尾。故沈氏異於前人曲譜，特加以記認。[26]不止東鐘諸韻，應收於鼻，閉口、舐腭之音亦與鼻音有關[27]，〈鼻音抉隱〉說：

> 蓋舐腭、閉口，唱者無心收鼻，而聲情原向口達，無奈脣閉舌舐，氣難直走，於是回轉其聲，徐從鼻孔而出，故音乃帶濁。

閉口、舐腭之收鼻，則又絕非庚青收鼻之音。前者是脣關一啓，忽然開口舒舌，其音原向口出，不從鼻轉，乃緣音之收鼻，非其本情。而「庚青三韻，則是開口收鼻，用意爲之，聲響直透腦門而出，故其音較清。」（〈鼻音抉隱〉）。可見沈氏列舉各音門路，是爲使唱家得「音音歸正，字字了結」；誠如〈音同收異考〉所說：「韻韻各成口法，聲聲堪著推敲。至於出口一而含舒略判，收音等而輕重微懸。」以實際演唱理論印證，可知其申論十九韻尾之說乃非空論。

以上討論的是沈氏創造一字切成字頭、字腹、字尾的方法；而從字尾中又引伸出十九韻收音的方法，尤其是鼻音韻尾問題。現在從另一個角度來看沈氏於〈翻切當看〉一章中論述「陰陽交互切法」及「經緯圖說」兩個問題及其與唱曲的關係。所謂「陰陽交互切法」是說一個陰調的被切字可用一個陽調字做反切下字，反之亦然。就沈氏所舉之例觀察，例如「唐，徒郎切」；「當，多郎切」，「唐」爲陽調字，「當」爲陰調字，二者都用陽調的「郎」字做爲反切下字。又如「移，盈基切」；「希，興基切」，「移」爲陽調字，「希」爲陰調字，二者都用陰調的「基」字做爲反切下字。換言之，一個陽調字並非必用陽調字做反切下字，陰調字亦然。這是因爲被切字的陰調或陽調是由反切上字聲母的清濁而定（聲母爲全清或次清則爲陰調字，聲母爲全濁或次濁則爲陽調字），與反切下字之爲陰調或陽調無關。就唱曲而言，

「陰陽交互切法」是在提醒歌者，當被切字與反切下字的陰陽調不同時，唱者應該注意收音時，不可受反切下字的聲調牽引，以免將陰調字唱成陽調字，或將陽調字唱成陰調字，如唱「當」字時，因反切下字爲陽平調「郎」，而將「當」唱成陽平調。如此則是犯陰陽不明之病，而聽者自難辨其音、難解其意了。

沈氏又運用陳獻可所著《皇極圖韻》中的轉音經緯圖[28]，借以說明利用轉音的方式，能使歌者精確掌握聲母及介音開齊合撮的讀法，「經緯圖說」說：

> 前陰陽交互，及三十六母翻切[29]，其妙在於熟呼。即如「當」字爲「都郎」切，須口中先呼「都郎」二字，隨呼「都登丹當」四字，以極熟爲度……。蓋「都郎」即「當」字之切脚，「登丹」即「當」字之轉音（原註：轉音者，從上轉下之過文也）。聲籟皆本天然，一經呼唱，則機括圓溜，而天然字音出矣。

這是說，唱「當」字時，先掌握「都」字的聲母，再經由「登、丹」二字的轉音掌握其開口性質，而後配合反切下字「郎」的主要元音及韻尾，而唱出「當」字的音來。換言之，如歌者對每一字音，都能利用轉音經緯圖，熟呼第一字的聲母，第二、三字介音的開齊合撮，以及第四字的主要元音及韻尾，自然能夠達到機括圓溜、一呼唱即字音出的熟妙。但切腳轉音不能「止憑牙舌虛翻」，故沈氏進一步說明：

> 今其轉音一圖，上排「見」、「溪」諸字母……，而邊旁所列，則僅庚寒、眞先、文元、侵鹽、魂桓十韻之目，緣轉音字眼，總收在此十韻中，其餘二十六韻，絕無干涉故耳。每一母下有五等轉音，共計十字(原註：如「見」母下有

庚干、巾堅、君涓、金兼、昆官，十字爲五等之轉音。餘倣此。）但看切脚上一字，屬第幾母所轄，則轉音即在本母一行，斷不牽溷別母之下。又看下一字，韻旁鈐何口法，則轉音口法，亦皆符券，斷不毫溷餘四等轉音之中。蓋以上半切定三十六行之一行，以下半切定一行中五等之一等，斯轉音辨法盡之矣。

轉音經緯圖上排是根據唐末韻圖的三十六字母，依牙音、舌音(分舌頭音和舌上音)、齒音(分斜齒音和正齒音)、唇音（分重唇音和輕唇音）、喉音、半舌音、半齒音等七個發音部位排列。下排所列是各發音部位分屬角、徵、商、羽、宮、變徵、變宮七音[30]以及各聲母之清濁。右邊旁所列是庚寒等十韻目；再將此十韻目分開口、齊齒、撮口、閉口、合口五等轉音，列於左邊旁。上下左右而成轉音經緯圖，轉音二字即在其中。沈氏以「當，都郎切」爲例：

「都登丹當」之切（原註：「當郎」兩字，出開口岡韻，故須開口翻切，斯「登丹」轉音，不覺忽來，蓋「登丹」亦開口字面，氣類所以相從。今人口法，每誤用齊齒止合得「丁顛」二音，雖切來仍是「當」字，然齊齒之「當」，而非開口之「當」，所憂絲毫糊突者此耳。）其上邊「都」字，乃第五端母所轄，而「登丹」轉音亦天然列在端母下。至下邊「郎」字，按首圖屬在唐韻，邊旁記開口，乃其「登丹」二字，隸後圖庚寒兩韻，亦轉音之旁記開口者也。以開口字韻，求開口轉音，一橫一直，照前排去。則十字中心，曲尺轉角，正「登丹」兩字之位。

這種「以四切一」的轉音的原則，能清晰地掌握每個字由上轉下的音程，而且更精確表現韻母發音時，開、齊、合、撮、閉五種口形。因此可以說，轉音經緯圖在強調對聲母及介音的精確掌握；而陰陽交互切法則在辨析字的聲、韻、調。若是歌者可以充分熟悉運用二者，則字之聲、韻、調及其介音，便無有「絲毫糊突，什一差訛」了。

儘管沈氏提醒歌者要注意被切字與反切下字之間陰調、陽調的關係，然而陰陽交互切法這種傳統的反切，卻使歌者不易掌握；至於經由四個字轉成一個字音，則更是複雜煩瑣，甚至不免有拗口之病；此二者對歌者學習咬字吐音，實未盡理想。因此沈氏創造一字三切法，使歌者既便於掌握聲母、介音、主要元音、韻尾，又不遺漏音節中所包括的成分，以達到「切法即唱法」的理想。故云「精於切字，即妙於審音，勿謂曲理不與字學相關也。」沈氏頗爲肯定一字三切法，甚至假設「當年集韻者，誠能以頭腹尾之音，詳切各字，而造成一韻書，則不煩字母，一誦了然。」一字三切中的字頭既可以取代字母，而得字之聲母（或介音），則字母也可以不論，此所以沈氏有字母堪刪之說（〈字母堪刪〉）。

王驥德《曲律·論平仄》云：「欲與曲者，先須識字。識字先須反切，反切之法，經緯七音，旋轉六律；釋氏謂七音一呼而聚，四聲不召自來，言相通也。今無暇論切，第論四聲。」王驥德先已體察反切的重要性，沈氏則更進一步利用改良式的反切，提供歌者辨析字頭、字腹和字尾[31]，其傳承及開創之意義可見一斑。沈氏於《度曲須知·序言》提及魏良輔審音而知清濁，引聲而得陰陽，海內翕然宗之。然而「鴛鴦鏽出，金針未度，學者見爲然，不知其所以然。習舌擬聲，沿流忘初，或聲乖於字，或調乖於義，刻意求工者，以過泥央逝；師心作解者，以臆斷遺理。」沈氏因有感慨而撰此書，以彰顯「一字有一字之安全，一聲有一聲之美好」，故而「頓挫起伏，俱軌自然；天壞元音，一線未絕，其在斯乎？其在斯乎！」沈氏將音韻學運用於演唱理論中，代表其最大的成就，也突顯明代唱論的一大特色。[32]

魏良輔提出字清、腔純、板正之「唱曲三絕」，成爲演唱崑曲的原則，並且就三絕之內容有較爲簡要而具體的論述，可說是爲戲曲演唱建立「傳聲理論」的基本架構。沈寵綏提出「字學即曲理」之論，是就「字清」的論題，做更深入的剖析，其理論核心即在如何運用改良式的反切原理，將一字之音區分爲字頭、字腹、字尾，使歌者能明確掌握咬字吐音之法，將一個字所包括的成分清晰無誤地傳唱出來。潘之恆提出由審音而識曲、由知樂而宣情的理論，其深義在得曲之餘韻，則是爲戲曲演唱建立「傳情理論」的內涵。崑劇興盛期的度曲論，正好反映出不同的旨趣和方向。

【註釋】

[1]曹澂明、周文康〈魏良輔生平蠡測〉，魏良輔生卒年約一五〇二～一五八一前後。

[2]周貽白認爲崑山腔又參以金元北曲和弋陽腔的唱法，改用管簫爲主要伴奏，然後才形成一種咬字比較圓潤的「水磨腔」。錢南揚則認爲「崑山腔靜好，弋陽調喧，二者相反，不會合在一起。」關於崑山腔的發展可參錢南揚《戲文概論·源委第二》第二節、周貽白《中國戲劇史長編》中〈各地方戲劇的發展〉一節。

[3]參曾師永義〈曲學淺說〉頁二一四。

[4]《曲律》最早見於明人周之標選輯的《吳歈萃雅》卷首，有十八條。後

又收入明人許宇選編的《詞林逸響》，標作《崑腔原始》，有十七條。近年有人看到明末張丑（字青父，號米庵）所著《眞迹日錄》的抄本，其中有「婁江尙泉魏良輔南詞引正」一項，其卷尾有跋文說明《南詞引正》凡二十條。此書即是《曲律》，二十條中與《吳歈萃雅》、《詞林逸響》所載有詞句上的出入，而且有五條爲後二者所無。以下引用《曲律》據傅惜華編《古典戲曲聲樂論著叢編》本（以《吳歈萃雅》爲底本，用其他各本加以校勘）。周貽白先生另有《曲律注釋》（以下引用簡稱周氏注），收入《戲曲演唱論著輯釋》。以上參考《曲律注釋·前言》（頁六七至八〇）及《中國古典戲劇論著集成》本《曲律·提要》。

[5]周氏注：「聲色，指聲音高低應歸何調，即所謂音色。」周氏並從宮商角徵羽五音俱全、喉唇齒齶嗽五種發聲方法，及陰平、陽平、上、去、入五音解釋「兼備」二字之義（頁八〇）。筆者以爲「聲色」指演員的音色。

[6]參周氏注頁八〇。

[7]傳統戲曲聲樂講「氣沈丹田」，故唱者要有自然正確的呼吸練氣，以求氣息作到深、通、匀、鬆、活，把吸氣和呼氣的肌肉群對抗均衡，把氣息的眞正支持點放在下丹田至腰間。喉肌的鬆緊對共鳴、音量大小都會有影響，故喉結要在自然正常的位置，氣流才不會受到阻塞；喉頭要穩定，若是往上提，喉管擠緊，則氣吸不深，沈不下去；喉頭不宜開得過大，使口腔上部、硬顎、軟顎無法抬起，發出扁、悶、橫、空、散之聲；喉肌也不宜使勁用力發聲，而發出僵硬粗散之聲。共鳴則是指腔體共鳴，人身的共鳴腔體可分頭腔、咽（喉）腔、口（咽）腔、胸腔四個部分，對美化聲音和語言有很重要的作用，可使聲音圓潤、響亮、豐滿。呼吸、喉音、共鳴都是戲曲聲音訓練中重要的課題。以上參賈方〈舞臺語言發聲訓練中的兩個問題〉、孫松林〈戲曲演員必須具備良好的、協調的歌

（演）唱狀態〉。

[8]參周氏注頁八四。

[9]此則《南詞引正》第十九條作：「五難：閉口難，過腔難，出字難，低難，高不難。」周氏認為「轉收入鼻音難」實兼指閉口；「高不難」則與「五難」行文矛盾，故依《曲律》本（頁一〇七）。

[10]周氏進一步說明，對於唱曲而言，則凡轉入鼻音而收音者，必先閉口，使能轉入鼻中。如庚青、江陽、東鍾，乃至魚模、歌戈、蕭豪、尤侯等韻中之字，皆須閉口轉鼻。不過收閉口者，閉口係指合口呼或滿口呼之音。如「嗚」字為合口呼，轉鼻音者，則先為閉口而以鼻音出之，具有兩個程序，其難在於截斷一字之音而另起一音（頁一〇七）。

[11]頭板的符號是【、】，腰板的符號是【㇄】，底板的符號是【一】。以上關於板的專有名詞，參王守泰《崑曲格律》頁六五及何為、王琴《簡明戲曲音樂詞典》頁一九七、四五〇、五二三。

[12]陳可琴，未詳其人。所論「簫有九不吹」亦不見他書。論者雖為簫，實指配合歌唱而言。見周氏注頁一一一。

[13]關於南北曲宮調之異及其演變，拙著《王驥德曲論研究》中有整理，見頁一三三至一四〇。

[14]參葉長海先生《中國戲劇學史稿》第五章第四節〈潘之恆的戲曲表演理論〉頁一六三。

[15]例如潘氏於〈傳音〉云：「茂才徐宗南音細而潤；從事潘海桑有大兒，音勁而圓。逸客褚養心，音亮而潔，皆一時竟爽。」

[16]引文中「㥪」字，汪效倚《潘之恆曲話輯注》云：「疑即慨的異體字。」又注此句說：「如果要追求曲中微妙的韻味，那就必須先辨別清楚每個字的讀音。」(頁二六、二七)。筆者以為「意態」對應上文「意不眞」和「態不極」，分別指「意義」和「態度」而言，不是指曲中的韻味。

潘氏另有〈曲餘〉專文討論曲之餘韻，詳下文。

[17]該文收入蔡鍾翔《中國古典劇論概要·附錄》，語見頁二二八。

[18]關於聲、音、樂三字的解釋，參陳師修武《人性的批判——荀子》中的〈樂論篇〉，頁三一八～三二五。

[19]秦樓，相傳春秋時人簫史，善吹簫，作鳳鳴；秦穆公以女弄玉妻之，爲作鳳臺以居。一夕吹簫引鳳，與弄玉共升天仙去。漢浦，相傳周鄭交甫於漢皋臺下遇二女，解珮相贈。參趙山林選注《安徽明清曲論選》頁五四。

[20]沈氏二書收入《中國古典戲曲論著集成》冊五。作者並有書序，皆作於崇禎己卯（一六三九年）。

[21]包括兩套雜曲，及《千金記》、《焚香記》、《寶劍記》、《紅拂記》、《西樓記》、《紅梨記》、《珍珠衫》、〔小十面〕等套曲。沈氏於〔小十面〕曲後曰：「此曲向無牌譜，僅云〔小十面〕。邇年婁東名爲〔賞宮花〕，郡中更分爲〔小梁州〕等四曲，此皆好事者強爲牽附，非出前人眞派也。」（頁一八一）。

[22]沈氏於《西廂記》「鬧會」之〔新水令〕套曲末尾有按語說明，入之收平者大都無誤；入之收上、收去者，尙費商量。如「雖離了」曲中「空目斷」之「目」字、「當日向西廂」之「日」字，本是去聲，今皆平唱。「接著舊愁」之「接」字、「淚濕」之「濕」字，本是上聲，今亦皆平唱。此皆翻改不盡處，故沈氏虛心釐整商訂（頁五一）。

[23]沈氏將閉口、撮口、鼻音於字之左旁記認；將開口張唇、穿牙縮舌、陰出陽收於字之右旁記認。記認之符號分別是□、○、△、■、●、▲。集中有一字兩記認者，如窗字、追字則穿牙兼撮口；生字、爭字則穿牙兼鼻音；男字、堪字則開口兼閉口；存字、唇字則撮口兼陰出陽收。見頁二〇～二一。

[24]此分類參考傅惜華〈古典戲曲聲樂論著解題〉所述再予以整合。其中〈同聲異字考〉指聲調同而聲母或韻母不同者；〈異聲同字考〉指字同而聲調或韻母不同者，並有「陰陽並收」項，提醒凡吳音聲母有清濁之別者，中原音韻則不分；〈文同解異考〉指字同而音義皆不同，唱者宜按本曲文理，由其文義，選擇正確的音讀，以求聲情中可看出詞情。故此三章歸於「論字音」之下。見《古典戲曲聲樂論著叢編·附錄》頁三〇四～三〇六。

[25]本大段之引句未注明者，皆出自〈收音問答〉及〈字頭辨解〉。因原文太長，所論又有互證之處，故融會貫通，加以敘述。

[26]〈收音問答〉中，沈氏設一客相問：「東鍾、江陽兩韻，自來曲譜，不記鼻音，吾子收鼻之說，毋乃誕與？」沈氏就兩韻歸鼻之本然及其與庚青韻收鼻之小異，並舉例加以回答。

[27]〈鼻音抉隱〉於篇末補充云：「閉口之收鼻，非余創說，伯良王氏，已先言之。但口閉矣而無竅可通，不得不從鼻轉，此亦理所易曉者。至舌舐上顎，口固開也，而聲出脣間，夫復何疑？然其舌顎緊牢貼，外雖啓，內實閉，舍是鼻孔，他無出路。試令並掩其鼻，有不聲頓響絕也哉？唱者不信，請細演之」。案：伯良王氏指王驥德，其《曲律》有〈論閉口字〉，詳見本章第一節引。

[28]陳獻可即陳藎謨，明末清初人，《皇極圖韻》書成於崇禎五年（一六三二）。此書韻圖部分稱爲「四聲經緯圖」，以四聲列圖，平上去聲韻各三十六類，入聲韻實際只有二十一類，聲母採用三十六字母。「轉音經緯圖」則是「四聲經緯圖」的簡化，詳下文。

[29]「三十六字母翻切」即是將每一字母製造一個反切，再以四字切一法加以轉音。如：經
經巾堅見。此謂「見，經電切。巾堅爲轉音。」
電

[30]唐末早期韻圖七音略即以宮、商、角、徵、羽、半徵、半商之名指聲母發音部位，分別是喉、齒、舌根、舌、唇、半鼻、半舌。此種口法後來爲明清曲論家採用，以使歌者藉讀「宮、商、角、徵、羽」五個字，掌握口腔器官的形狀，而知五種發音部位。如明楊慎曰：「合口通音謂之宮，開口吐聲謂之商，張牙湧唇謂之角，齒合唇開謂之徵，齒開唇緊謂之羽。」（引自王德暉、徐沅澂《顧誤錄·五音口訣》）。陳獻可「轉音經緯圖」更以口法七音與之相配，沈寵綏即直接引錄，作爲「以四切一」轉音理論的基礎。其後徐大椿《樂府傳聲》亦創作〈辨五音訣〉（詳第四章）。

[31]沈氏論四聲唱法主要見於〈四聲批窾〉，詳第四章。

[32]本節論述承蒙楊師秀芳解惑指正，特此致謝。

第四章　度曲論(下)
——崑劇衰落期

崑山水磨調自明嘉靖間創製以後，即逐漸廣被劇壇，使得中國戲曲由體製劇種轉變爲聲腔劇種，此即所謂「崑曲」，至康熙間猶有餘勢。此後各地聲腔競起，從康熙末至道光末（約一七〇〇～一八五〇）的一百五十年間，中國戲曲進入所謂「亂彈」時期，主要是梆子、皮黃兩大新的聲腔崛起，與原來的崑腔、弋陽腔兩大聲腔劇種互相競爭。此即「花部」與「雅部」之爭，崑腔因之逐漸衰頹。[1]可知，崑劇從明代隆慶、萬曆之交開始，到清代嘉慶初年（一五七〇～一八〇〇年），時間長約二百三十年之久。另一面，從元代至清代中期，戲曲發展經過五百餘年的歷史，北曲、南曲與世推移，腔調口法已有很大變化。這種情形可以從徐大椿《樂府傳聲·序》得到印證：[2]

> 若今日之南北曲，皆元明之舊，而其口法亦屢變。南曲之變，變爲崑腔，去古浸遠，自成一家。其法盛行，故腔調尚不甚失，但其立法之初，靡慢模糊，聽者不能辨其爲何語，此曲之最違古法者。至北曲則自南曲甚行之後，不甚講習，即有唱者，又即以南曲聲口唱之，遂使宮調不分，陰陽無別，去上不清，全失元人本意。又數十年來，學士大夫全不究心，將來不知何所底止？嗟夫！樂之道久已喪失，猶存一線於唱曲中，而又日即消亡。余用憫焉，爰作

傳聲法若干篇，借北曲以立論，從其近也；而南曲之口法，亦不外是焉。

正是在唱曲之中，還能追索演唱口法，因此，在崑劇逐漸衰落以及南北曲口法屢變的過程中，仍有戲曲理論家細辨音切，以便唱者能得南北曲之正聲本義。本章即是討論毛先舒、徐大椿和王德暉、徐沅澂等人的演唱理論。

第一節　論四聲唱法

崑山腔興起後，魏良輔《曲律》即對唱者提出「平上去入，逐一考究，務得中正」的原則，此後明代沈璟、王驥德《曲律》、沈寵綏《度曲須知》，清代黃旛綽《梨園原》、徐大椿《樂府傳聲》等，對四聲唱法都有進一步的闡釋；尤其明末清初毛先舒更以《南曲入聲客問》一卷，專論南曲入聲的問題。由於同時關涉南北曲入聲，又必兼及平上去三聲的唱法，故將相關論點一併敘述，以便掌握歷來論四聲唱法發展脈絡。

周德清《中原音韻》共分十九韻，每韻有陰平、陽平、上聲、去聲四部份，又根據中古聲母的全濁、清、次濁之不同而將入聲分別派入陽平、上聲和去聲。其〈正語作詞起例〉云：「平上去入四聲，《音韻》無入聲，派入平上去三聲。前輩佳作中間備載明白，但未有以集之者，今撮其同聲。」；又云：「入聲派入平上去三聲者，以廣其押韻，爲作詞而設耳；然呼吸言語之間，還有入聲之別。」[3]董同龢先生《漢語音韻學》從這兩段話解釋北曲語言已無入聲；但周德清自己的語言，還是有入聲之別。[4]另有一派學者則認爲北曲語言還有入聲，派入平上去只是爲了唱曲之便。[5]因此《中原音韻》有無入聲，至今仍懸而未決。明清以來的曲家，多主張北曲無入聲，王驥德《曲律·論平仄》說：

南曲與北曲正自不同：北則入無正音，故派入平、上、去之三聲，且各有所屬，不得假借；南則入聲自有正音，又施於平、上、去之三聲，無所不可。

王驥德明確指出南曲入聲是獨立的調類，北曲則無。對於南曲四聲的特性，王氏則如此描述：「平聲聲尙含蓄，上聲促而未舒，去聲往而不返，入聲則逼側而調不得自轉矣。」既然四聲各有特性，則演唱時必有不同，王氏引沈璟（詞隱）論南曲四聲唱法：

詞隱謂：遇去聲當高唱，遇上聲當低唱，平聲、入聲又當斟酌其高低，不可令混。或又謂：平有提音，上有頓音，去有送音。蓋大略平去入啓口便是其字，而獨上聲字，須從平聲起音，漸揭而重以轉入，此自然之理。

這段話可用沈寵綏《度曲須知·四聲批窾》及「附四聲宜忌總訣」中論南曲唱法加以補充。沈寵綏解釋，去聲當高唱是指陰聲字，如翠、再、世等字，須出音即高，再往下降；《遊園》〔皂羅袍〕「雲霞翠軒」之「翠」字，腔格爲「五六工尺」（6 5 3 2）最爲典型。然陰去聲不可用「冒」，所謂冒是指「字端邪撇，聳上而仍滑下，則其音閃在半調中間，使操管絃者，上下徽孔，兩湊不著，俗名曰『冒』，唱家並忌之。」如果是去聲陽字，如被、淚、動等字，則用「豁腔」，即音出口之後再拔高一音（如係伴音則拔高二度），其記譜爲「∨」，例如《遊園》〔遶池遊〕「夢回鶯囀」之「夢」字，腔格爲「五」，唱成6 i̇。所謂「初出不嫌稍平，轉腔乃始高唱，則平出去收，字方圓穩，不然，出口便高揭，將『被』涉『貝』音，『動』涉『凍』音，陽去幾訛陰去矣。」總之，送音是唱去聲字的特色，取其音調直送不返、一去不回之意。

沈璟謂「上有頓音」，沈寵綏解釋：「所落低腔，欲其短不欲其長，與丟腔相倣，一出即頓住。夫上聲不皆頓者，而音之頓者，誠警俏也。」這是說上聲字有一種特殊的唱法，即一出口便往下落一音，謂之頓腔，俗稱落嗓，是低沈短促之音，如同丟腔一吐便放，略無絲毫粘帶，與去聲字恰相反。例如《遊園》〔步步嬌〕：「便把全身現」的「把」字，其音爲「上四」（1 6̣），所落即是低腔，落下之後必有一停頓，再往下連，以顯出警俏的特色。上聲固宜低唱，但若是「前文間遇揭字高腔及緊板時曲情促急，勢有拘礙，不能過低，則初出稍高，轉腔低唱，而平出上收，亦肖上聲字面。」如《遊園》〔皀羅袍〕「斷井頹垣」，「斷」字腔格爲「六∨五・六」（5 1̇ 6 6 5），前爲去聲高唱，接唱「井」字宜初出稍高，再轉腔低唱，其腔格爲「上・尺工尺」（1 1 2 3 2）；可見唱上聲字最難把握。

關於平聲唱法，朱昆槐先生《崑曲清唱研究》論及平聲腔格說：「平聲字的音調平緩、悠長、起伏不大，與主腔配合較少衝突。陰平平出，陽平往上揚，但也都只是表現在腔頭部份，不影響拖腔之主旋律。」（頁一八四）「陰平平出」正可以作爲沈寵綏提出「陰平字面，必須直唱，若字端低出而轉聲唱高，便肖陽字平面」的註腳；「陽平往上揚」是因繇低轉高，故云「平有提音」。平聲唱法看似單純卻也不可輕忽，沈璟說：「當斟酌其高低，不可令混。」沈寵綏則說：「平聲自應平唱，不忌連腔，但腔連而轉得重濁，且即隨腔音之高低，而肖上去二聲之字；故出字後，轉腔時，須要唱得純細，亦或唱斷而後起腔，斯得之矣。」正因為平聲字平緩悠長，所以不忌連腔，而如果該字多音且拍子延長，仍必須保持平聲字調，不可唱成上去聲。如《長生殿·驚變》〔泣顏回〕「涼生亭下」，涼字腔格為「六五仩五」（5 6 $\dot{1}$ 6）；生字腔格為「六五六工·尺」（5 6 5 3 3 2），各為八拍，轉腔時必須唱得純細，強弱分明。此外，陽平字亦不可用冒音，所謂「陽平忌拿」，就是沈寵綏所說「輪著高徽揭調處，則其字頭低出之聲，簫管無此音響，合和不著，俗謂之『拿』，亦謂之『賣』，最為時忌。」但如果「陽平遇唱平調，而其字頭低抑之音，原絲竹中所有，又不謂之『拿』矣。」如《紅梨記·亭會》〔風入松〕「好事難成」，「成」字腔格為「工合」（$\underset{\cdot}{3}$ $\underset{\cdot}{5}$），字頭正是低抑之音，故唱此字可用拿腔。沈寵綏論如何斟酌平聲高低之法，可謂具體而微。

至於唱入聲字面，沈氏說：「毋長吟，毋連腔（原註：連腔者，所出之字與所接之腔，口中一氣唱下，連而不斷是也。），出口即須唱斷。至唱緊板之曲，更如丢腔之一吐便放，略無絲毫粘帶，則婉肖入聲字眼，而愈顯過度顛落之妙。」例如《遊園》〔遶池遊〕「亂煞年光遍，人立小庭深院」，煞、立皆入聲，須斷得乾淨俐落。《崑曲清唱研究》解釋入聲頓字與上聲頓音有別，後者為低沈之腔，與腔有關；入聲為短促之字，與字有關，入聲字要唱得輕俏找絕（短促甘脆）才能表現入聲得特色（頁一八六），所謂「一出字即停聲，具以輕俏找絕為良」。如果入聲唱長，則似平聲；如果唱高，則似去聲；唱低則又似上聲；故「惟平出可以不犯去上，短出可以不犯平聲，乃絕好唱訣也。」可知既要唱出入聲頓字顛落之妙，又不能唱似平上去，其難實不亞於唱上聲字。

沈寵綏論四聲唱法更爲細密，可謂後出轉精。尤其是南曲入聲字的唱法，更成爲清代曲家關注的論題。李漁《閒情偶寄·音律第三·少塡入韻》就說：「北曲止有三聲，有平、上、去而無入，用入聲字作韻腳，與用他聲無異也。南曲四聲俱備，遇入聲之字，定宜唱作入聲，稍類三音，即同北調。」毛先舒著有《南曲正韻》（今未見流傳），凡入聲皆單押，不雜平上去三聲類中。其後又著《南曲入聲客問》一卷，以問答形式闡述南曲中有關入聲的見解。[6]

北曲是以入聲派入三聲，南曲入聲則爲獨立調類，演唱時自然有所差異，因此毛先舒設爲客問七題[7]，雖以南曲入聲爲名，實則兼以北曲對比。其中第一、四、五、六題較有創見。第一問，毛氏著《南曲正韻》以入聲單押，仍是作三聲唱之，豈非仍以入作平上去？又何不仍隸入三聲中？毛氏答：「北曲之以入隸於三聲也，音變腔不變；南曲之以入唱作三聲也，腔變音不變。」所謂「腔變音不變」，意謂南曲入聲的調値本不變，但按韻譜的要求唱作平上去三聲，即隨調之所宜而唱之。例如明陸采《明珠記》〔畫眉序〕曲文「金巵泛蒲綠」句，「綠」字直作「綠」音，不必如北之作「慮」，此不變音也；〔畫眉序〕首句韻，應是平聲，歌者雖以入聲吐字，而仍須微以平聲作腔也，此變腔也。北曲則反之，例如元吳昌齡《張天師斷風花雪月》第二折〔南呂·一枝花〕第五句：「他從來老老實實」，「實」字《中原音韻》作平聲，繩知切，是變音也；而第五句譜原應用平聲，此處恰塡平字，平聲字以平聲腔唱，是不須變腔也。

毛氏接著說：「北曲之以入隸三聲，派有定法……若南之以入唱作三聲也，無一定法，凡入聲字俱可以作平、作上、作去，但隨譜耳……所以別出單押之法，而隨譜變腔爲定論。」這個論點，王驥德《曲律·論平仄》已有述及：

> 大抵詞曲之有入聲，正如藥中甘草，一遇缺乏，或平上去三聲字面不妥、無可奈何之際，得一入聲，便可通融打諢過去。是故可作平、可作上、可作去；而其作平也，可作陰，又可作陽，不得以北音爲拘。此則世唱之者由而不知，而論者又未敢拈而筆之紙上故耳。

所謂「入聲短促急收藏」，入聲調是以塞音韻尾及短促的特點爲辨調作用，而古入聲尾在今吳方言多變爲喉塞音；當入聲字施於曲中，聲音相對拉長，整個聲調就容易舒聲化[8]，因此「在曲子裡必須譜成平、上、去任何腔格形式的字位上，都可以用入聲字代替」。[9]此入聲所以可作平、可作上、可作去之故，但必須是單押，才可以隨譜變腔而音不變。

第四、五、六之答問，皆是討論演唱南曲時閉口音的問題。《中原音韻》的侵尋、監咸、廉纖三韻皆保存[-m]韻尾，所以唱北曲時，從開口收入本字，而徐展其音於鼻中，歌不費力而其音自閉，王驥德稱之爲「鼻音」，即指閉口字收尾時的雙唇鼻音。南曲無此類閉口鼻音，故魏良輔有「轉收入鼻音難」之說（引文見第三章第一節）。王驥德、毛先舒關注的即是唱南曲，凡遇此類字時該如何演唱？王驥德《曲律·論閉口字》說：

> 吳人無閉口字，每以「侵」爲「親」，以「監」爲「奸」，以「廉」爲「連」，至十九韻中遂缺其三。此弊相沿，牢不可破，爲害非淺。惟入聲之緝，若合、若葉、若洽等字，閉其口則聲不可出，散叶於齊微、歌戈、家麻、車遮四韻

中，其勢不得不然。若平聲，則侵尋之與監咸、廉纖，自可轉闢其聲以還本韻，惟歌者調停其音，似開而實閉，似閉而未嘗不開。此天地之元聲，自然之至理也。乃欲概無分別，混以鄉音，俾五聲中無一閉口之字，不亦冤哉。

王氏認爲收雙唇韻尾的閉口音是語言發聲的一種，雖然吳語方言無閉口字，而讀侵、親爲一類，但王氏仍主張唱南曲時，能模擬北曲閉口音的唱法而將閉口鼻音的特點唱出來。其具體方法是：唱平上去的閉口音時，運用「似開而實閉，似閉而未嘗不開」的技巧，也就是「發音時閉著雙唇，但是聲音仍可從鼻腔出來」[10]，如此即可轉闢其聲以還其本韻。至於南曲入聲，如緝、合、葉、洽等字，可能當時的吳語還保留[-p]韻尾，閉其口則聲不可出，因此不得不散叶齊微、歌戈諸韻之中。[11]到了毛先舒進一步肯定南曲入聲字無閉口唱法的理論。

毛氏指出唱南曲時，出字之後，必須作腔，入聲是詘然而止，若入聲而又閉口，則無腔矣，故平上去三聲可用閉口，入聲則無。然則，南曲入聲既可以唱作平上去，而此三聲原有閉口，則唱入聲何以不依上聲而收閉口？毛氏申論：「唱入聲不閉口，止是兩截；唱入聲閉口便是三截」。例如「質」字，是入聲不閉口，唱者以入聲吐字，仍須照譜，以平上去三聲作腔，則是兩截。如果是「緝」字，唱者以入聲吐字，而仍須以三聲作腔，作腔以後又要收歸閉口，便是三截；則唇舌遽難轉折，將不甚中聽。故唱入聲閉口，不可依三聲而收閉口音。換言之，唱平上去三聲，可以有吐字、有作腔、有收韻三截；而入聲之唱，無穿鼻、展輔、斂唇、抵齶、閉口，只有直喉，都無收韻，故止有兩截。可知毛氏同於王氏，也主張南曲之平上去三聲可用閉口；而強調南曲入聲無閉口唱法，則是著眼在演唱實際的困難。

毛氏可說是第一位以專卷討論南曲入聲唱法的度曲家。清人張潮〈南曲入聲客問題辭〉云：

> 周德清以入聲派入三聲，爲北曲者，自應奉爲繩尺。今南方既有入聲，而編南曲者必欲廢之，何歟？毛君稚黃，以入聲單押，隨調之所宜而唱之，雖曰自我作古，然其論則極正當而可行也。

稱許毛氏自我作古，可知其開創之處。而由於北曲以入聲派入三聲，因此這個問題，除了毛先舒提到「音變腔不變」之說，曲家多未就此深論。一直到徐大椿《樂府傳聲》才有較爲深入的論述。其〈入聲派三聲唱法〉云：

> 南曲唱入聲無長腔，出字即止，其間有引長其聲者，皆平聲也。何也？南曲唱法以和順爲主，出聲拖腔之後，皆近平聲，不必四聲鑿鑿，故可稍爲假借。

南曲入聲不連腔，出口即唱斷；然其曲調婉轉曲折，故不論是平上去入，凡唱一字拖腔之後，聽來則頗似平聲，故可通融假借。此說可與王驥德、毛先舒解釋南曲之入聲可作平上去三聲互證。而北曲情況則不同，徐氏〈入聲派三聲唱法〉又說：

> 北曲無入聲，將入聲派入三聲，蓋以北人言語，本無入聲，故唱曲亦無入聲也。然必分派入三聲者？何也？北曲之妙，全在於此……北曲則平自平，上自上，去自去，字字清眞，出聲、過聲、收聲，分毫不可寬假。故唱入聲，亦必審其字勢，該近何聲及可讀何聲，派定唱法，出聲之際，歷歷分明，亦如三聲之本音不可移易。然後唱者有所執持，聽者分明辨別，非若南曲之皆似平聲，無相徑庭也。

凡是唱北曲派入三聲的入聲字，仍須依派定的聲調而唱，亦如三聲之本音，出聲、過聲、收聲皆清晰分明。如此唱者才可以按照派定的規律而切實地掌握，聽者也才可以分明辨別。徐氏說：「觀派入三聲之法，則北曲之出字清眞，益可徵據，此探微之論也。」可見其分析北曲入聲之深刻細致。徐氏接著討論演唱入聲派入三聲之字時，所依據的方法，〈入聲讀法〉云：

> 北曲皆遵《中州音韻》，其平上去三聲皆與《唐韻》及《洪武正韻》等相同，其有異者，百中之一耳。其五音四呼，亦不相遠。若入聲之字皆派入三聲，竟有大相徑庭，全非其字者，何也？蓋三聲多連合一貫，獨至入聲而別。有有三聲而無入聲之字，亦有有入聲而無三聲之字。今北曲無入聲之唱，盡將入聲唱作三聲，而三聲中無此字，則不得不另作一聲矣。

一般韻書的排列，多依平上去三聲或平上去入四聲相承，連合一貫，每一聲調各有一韻目。如《廣韻》「東、董、送、屋」，「脂、旨、至」等[12]；《洪武正韻》亦然。[13]《中原音韻》[14]則先分韻目，各韻目之下再分聲調。而將入聲字派入三聲之後，往往無法辨認其原來字音。換言之，如果是「有三聲而無入聲之字」或「有入聲而無三聲之字」，則不得不變成另一個字音。如「曲」字，本「邱六切」，若本音之平聲，則「邱都切」，是有聲無字，故變而作「區」。又例如入聲「樂」字，本「盧各切」，若按照本音讀成平聲，讀作「盧沙切」(讀如lua，漢字無此字)，則是有音無字，故「樂」字的平聲字變而讀作「勞」字。[15]因此如《中原音韻》有一些字音，是「古韻從無此讀法，而五音四呼又不通者，此乃當時之土昔，則不妨或從古音，或從今音，不必悉遵其讀也。」

此外，派入三聲亦有一定之法，與古音稍殊。例如「出」字，《中州韻》作上聲，音杵；古音作平聲，則「赤知切」；作去聲，則「赤至切」，三聲多有通融之處。何以古音可以三聲通用？徐氏解釋：「古人有韻之文，皆以長言詠嘆出之，其聲一長，則入聲之字，自然歸入三聲。」因此徐氏主張：「古人有此讀法者，三聲原可通用，不必盡從《中州韻》；如從無此音者，則不可自我亂之，恐人之難辨也。」徐氏之論頗具啓發性，當入聲唱作三聲，而三聲中又無此字時，試從古音推求，亦是一法。

徐氏同時也論及平、上、去三聲唱法，亦可以與沈璟、沈寵綏做一比較。沈寵綏說陰平直唱，陽平繇低轉高；徐氏〈平聲唱法〉則說：「平聲之音，自緩、自舒、自周、自正、自和、自靜，若上聲必有挑起之象，去聲必有轉送之象，入聲之派入三聲，則各隨所派成音。故唱平聲，其尤重在出聲之際，得舒、緩、周、正、和、靜之法，自與上去迥別，乃爲平聲之正音，則聽者不論高低輕重，一聆而知其爲平聲之字矣。」此將平聲給人舒展、流暢、一瀉無餘、毫無障礙、平直而沒有曲折，平和、穩定而毫無起伏蕩動的感覺描述出來。[16]

沈璟提出上聲當低唱，須從平聲起音，漸揭而重以轉入；沈寵綏補充上聲字前遇揭字高腔及緊板時曲情促急，該上聲字須初出稍高，轉腔低唱。徐氏則從「挑起」的角度說明，唱上聲字時，字頭半吐即向上一挑，「挑後不復落下，雖其聲長唱，微近平聲，而口氣總皆向上，不落平腔，乃爲上聲之正法。雖數轉而聽者仍知爲上聲，斯得唱上聲之法矣。」（〈上聲唱法〉）。徐氏更強調挑起後維持向上，使其音數轉而仍不失爲上聲調。這是就黃旛綽《梨園原·曲白六要》提出「上聲，其音向上」的話語，做更深入的解釋（詳見第五章）。

沈璟謂遇去聲當高唱，沈寵綏謂去聲高唱當指陰聲字；徐氏則分別就北曲和南曲論去聲唱法，〈去聲唱法〉云：「南之唱去，以揭高爲主；北之唱去，不必盡高，惟還其字面十分透足而已。」所指「透足」是指將字音交代得透徹，唱得飽滿；換言之，唱北曲去聲，頗須用力，不能唱似平聲。因爲「北音尚勁，去聲眞確，則曲聲亦勁而有力。」而今北曲之最失傳者，是唱去聲者盡若平聲。徐氏指出這是由於「南曲盛行，曲尚柔靡，聲口已慣，不能轉勁」，而歌者「一則循習使然，一則偷氣就易，又久無審音者爲之整頓」，故使北曲去聲唱法失傳，以致無法表現北曲雄勁有力的風格。

徐大椿《樂府傳聲》專章分論平上去入四聲唱法，尤其強調北曲派入三聲後的入聲唱法和讀法，前人幾無論及，可謂剖析精微，通融達變。論四聲唱法至徐氏，大體完備。其後王德暉、徐沅澂《顧誤錄》雖有〈四聲紀略〉[17]，然多引錄沈璟、沈寵綏〈四聲批窾〉之說，並無新意；但其〈沈衣仲養氣論〉一段文字頗有新意：

> 度曲者得四聲之是，雖拙亦佳，非徒取媚於聽者之耳也。如陽平拖音稍長即類陰，陰平發音稍重即類陽矣。去聲亢矣，過文宜抑而復揚。入聲促矣，出字貴斷而後續。雖有一定之腔，亦有鏗鏘以就韻；雖有不移之板，亦宜辨別以成文。而其要領，在於養氣。譚子《化書》云：「氣由聲也，聲由氣也；氣動則聲發，聲發則氣振。」

這段話提出了三個意見。其一，唱曲如能掌握四聲唱法，即使音色不美，也可算是一個善於唱曲的人。其二，雖然四聲之唱各有定法（即文中所謂定腔、定板），但其中仍有活法，使曲調聲韻轉折之處得到最佳的詮釋，而能鏗鏘就韻、辨別成文。其三，四聲之唱，不論定法、活法，其運用自如的要領在於「養氣」。養氣就是練氣，聲帶、喉腔、口腔等雖是發聲、發音的器官，而「氣」才是發聲、發音的動力。氣包括呼吸系統、循環系統與中樞神經各器官的功能。所以說：「氣由聲也，聲由氣也；氣動則聲發，聲發則氣振。」就戲曲表演的整體性而言，要使歌唱念白的聲音有力，必須持之以恆地鍛煉呼吸氣息，才能控制曲之高低、強弱、輕重、吞吐、收放等變化，使聲音飽滿圓潤。進而能以意引氣，以氣動情，才是養氣的至境。

從元代到明初崑劇成立之前，雖有芝菴《唱論》，但並未論及北曲四聲唱法；而從魏良輔到李漁，正是崑劇繁盛時期，故論四聲唱法多偏重於南曲；崑劇衰落後則由毛先舒、徐大椿兼論南北曲唱法之異，徐大椿更試圖追索北曲入聲和去聲之唱法；《顧誤錄》引述的養氣論則由歌唱四聲的論題延伸出養氣之說，並可發揮爲形上的情意之氣，正可以作爲四聲唱法的結論，也找到它的美學意義。元明清四聲唱法理論的演變，由此可約略得其發展脈絡。

第二節　傳聲與傳情

上節提及徐大椿專章分論平上去入四聲唱法，只是《樂府傳聲》中的五章，並非徐氏演唱理論的核心部份。本節擬就此書涉及的層面加以討論。《樂府傳聲》共三十五章，每章皆有標題。全書的理論體系，可由徐大椿《樂府傳聲·序》中的一大段文字加以說明：

> 樂之成，其大端有七：一曰定律呂，二曰造歌詩，三曰正典禮，四曰辨八音，五曰分宮調，六曰正字音，七曰審口法。七者不備，不能成樂。……何謂宮調？旋宮之六十調，與今所存北曲之六宮十一調，南曲之九宮十三調是也。何謂字音？一字有一字之正音，不可雜以土音；又北曲有北曲之音，南曲有南曲之音是也。何謂口法？每唱一字，則必有出聲、轉聲、收聲，及承上接下諸法是也。七者不盡通，不得名專精之士。然七音之學，非一人所能兼，則亦有可分習者。律呂、歌詩、典禮，此學士大夫之事也。其八音之器，各精一技，此樂工之事也。惟宮調、字音、口法，則唱曲者，不可不知。然宮調大端難越，即有失傳，而一爲更換，即能循板歸腔；至字音亦一改即能正其讀；惟口法則字句各別，長唱有長唱之法，短唱有短唱之法；在此調爲一法，在彼調又爲一法；接此字一法，接彼字又一法，千變萬殊。此非若律呂、歌詩、典禮之可以書傳，八音之可以譜定，宮調之可以類分，字音之可以反切別。全在發聲吐字之際，理融神悟，口到音隨。顧昔人之聲已去，誰得而聞之？即一堂相對，旋唱而聲旋息，欲追其已往之聲，而已不復在耳矣。此口法之所以日變而日亡也。

徐大椿以抽絲剝繭的方式述其戲曲聲樂理論。首先指出「成樂」的七要素，缺一不可。歌者將樂曲唱出來只是成樂之一，是觀衆聽者隨即可以耳目得之。但就在歌者演唱的一剎那間，其背後卻是複雜的組合。包含了十二律呂、五音二變、詩歌曲辭、絲竹樂器、旋宮轉調、字音平仄、唱字口法，以及「郊天祭地，宴饗贈答，房中軍中」等慶典禮俗文化。七音之學，各有所司，其中宮調、字音、口法三項，是唱曲者不可不知、不可不學的。而這三者之中又以口法最無定法，最為千變萬化，也最難傳授。作者表明此書名之為「傳聲」者，乃「所以傳人聲也」；也就是歌者運用宮調、字音、口法，而經由自然的肉音所傳唱出來的樂聲。胡彥穎《樂府傳聲·序》云：「夫聲出於口，非審口法，則開合發收混矣。聲本於字，非正字音，則陰陽平仄淆矣。聲寄於調，非別宮調，則字句雖符，腔板全失，而曲不可問矣。」故聲之所以傳者，乃是「出於口，本於字，寄於調」。然而《樂府傳聲·曲情》又云：「唱曲之法，不但聲之宜講，而得曲之情為尤重。蓋聲者眾曲之所盡同，而情者一曲之所獨異。」可知曲情不是從尋腔依調或字音口法中可以求得的。則《樂府傳聲》的演唱理論主要包括了「傳聲」與「傳情」兩大體系。茲將全書各章與其體系分類如下：

一、緒論：〈源流〉、〈元曲家門〉。

二、傳聲：

㈠宮調：〈宮調〉、〈字句不拘之調亦有一定格法〉、〈定板〉、〈底板唱法〉。

㈡字音：〈北字〉、〈四聲各有陰陽〉、〈平聲唱法〉、〈上聲唱法〉、〈去聲唱法〉、〈入派三聲唱法〉、〈入聲讀法〉。

㈢口法：〈五音〉、〈四呼〉、〈陰調陽調〉、〈出聲口訣〉、〈聲各有形〉、〈喉有中旁上下〉、〈鼻音閉口音〉、〈歸韻〉、〈收聲〉、〈交代〉、〈出音必純〉。

三、傳情：〈曲情〉、〈起調〉、〈斷腔〉、〈頓挫〉、〈輕重〉、〈徐疾〉、〈重音疊字〉、〈高腔輕過〉、〈低腔重煞〉、〈一字高低不一〉、〈句韻必清〉。

先述其傳聲理論。第一「宮調」部份包括了宮調、曲牌、板拍等問題。自芝菴《唱論》提出十七宮調聲情說，其後曲家多引錄其說，只有王驥德《曲律》稍加解釋，認爲「所謂『仙呂宮清新綿邈』等類，蓋謂仙呂宮之調，其聲大都清新綿邈云爾。」而且強調並非「作仙呂宮曲與唱仙呂宮曲者，獨宜清新綿邈，而他宮調不必然。」徐大椿所論則與王氏不同：

> 古人分立宮調，各有鑿鑿不可移易之處。其淵源不可得而尋，而其大旨，獨可按詞而求之者，如黃鐘調唱得富貴纏綿；南呂調唱得感嘆傷悲之類。其聲之變，雖係人之唱法不同，實由此調之平仄陰陽，配合成格，適成其富貴纏綿、感嘆傷悲；而詞語事實又與之合，則宮調與唱法須得矣。

吳同賓、李光《樂府傳聲譯注》說明，各種調子的「調性」是由其穩定音與不穩定音之相互關係，由音級的音高位置按其與主音的關係所形成的特性而決定的。所謂富貴纏綿、感嘆傷悲是音樂上的調性問題；平仄陰陽係指曲詞格律問題。格律可以影響調性，但不能決定調性，二者並無絕對關係，故文中所說概念不夠明確。[18]徐大椿從平仄陰陽和詞語事實的配合成格，解釋各宮調的情感屬性，只是求其大旨。其立意在要求填詞者「仍宜依本調如何音節」而創作，以使歌者能「唱出神理」；換言之，作者要使「詞、調相合」，唱者則該把該宮調的情感和神理唱出來，如此才「不失古人配合宮調之本」。對芝菴提出的宮調聲情說，徐氏較王驥德的論點，有更明確的詮釋。

徐氏之後有王德暉、徐沅澂《顧誤錄》亦列出各宮調，標題〈音節所宜〉，並加以申論：「以上音節，與曲情吻合，方不失詞人意旨，否則宮調雖叶，而對景全非矣。此製譜與登歌者，所亟宜審究而體玩者也。今人常有將就喉嚨，將曲矮一調唱，是歡樂曲痛哭而歌，悲戚曲嬉笑而唱也，切宜戒之。」王、徐二氏又從各宮調的音調節奏著眼，要求歌者不可改變其音節，因而改變其情感屬性，此則失詞人意旨，而與曲情不合了。其論述宮調的角度雖與徐大椿不同，但皆從曲情肯定各宮調之間不可移易的關係；也證明清代曲論家對宮調聲情的重視。

關於腔板，魏良輔和王驥德都已對唱者提出「板正腔純」的要求；而對於板拍的作用及其差異，《樂府傳聲》才有較爲清楚的解釋：

> 板之設，所以節字句，排腔調，齊人聲也。南曲之板，分毫不可假借；惟北曲之板竟有不相同者。蓋南曲惟引子無板，餘皆有板；北曲則祇有底板，無實板之曲極多。——〈定板〉
>
> 南曲惟引子用底板，餘皆有定板；北曲則底板甚多，何也？蓋南曲之板以節字，不以節句；北曲之板以節句，不以節字。節字則板必繁，節句則一句一板足矣。——〈底板唱法〉

南曲除了引子，其餘皆有「定板」，即多「實板」（指用以節字之板）；北曲則「底板」爲多。其區別在：定板是一個曲子中的板數（小節）是固定的；每板與每板之間的絕對值也是固定的。反之，底板的板數則不固定，其絕對值是自由的。[19]徐氏〈定板〉進一步說明：

南曲之字句，無一調無定格，而北曲則不拘字句之調極多。又南曲襯字極少，少則一字幾腔，板在何字何腔，千首一律；若北曲則襯字極多，板必有不能承接之處，中間不能不增出一板，此南之所以有定，北之所以無定也。

北曲「不拘字句之調」，意指「此一調字句不妨多寡」，但是「在此一調中增減，並不謂可增減在他調」。其增減之法是：不可在起調及收調一二句處，只在「中間發揮之處，因上文文勢趨下，才高思湧，一瀉難收，依調循聲，鋪敘滿意，既不踰格，亦不失調。」而且是在同句法之下增減[20]，如此才不損原調之章法句法及音節，而「聽者方能確然審其爲何調」（以上語見〈字句不拘之調亦有一定格法〉）。這是說「過文轉接之間，板可略爲增損，所以便歌也。至緊要之處，板不可少有移易，所以存調也。」（〈定板〉）。可知北曲無定之中，又有一定之格法，板雖寬而未嘗不嚴。而正因爲北曲板之無定，故：

凡唱底板之曲，必音節悠長，聲調宏放，氣緩辭舒，方稱合度。又必於轉接出落之間，自生頓挫，無節之中，處處皆節，無板之處，勝於有板。——〈底板唱法〉

徐氏的論點，正對所謂「字多而調促，促處見筋，故詞情多而聲情少」的北曲作了彌補。也可以說，對於如何掌握並表現南北曲宮調及其腔板，有頗爲具體的方法。

第二，「字音」部份包括字的正音（指南北曲用字不可雜以土音方言，必各遵相通之正音）、四聲陰陽及各聲調之唱法。正音和陰陽的問題，明代王驥德、沈寵綏已有詳盡的討論（參第三章、第五章），徐氏並未出其右。而論四聲唱法，徐氏則頗有創發之處，已詳述於上一節。

第三，「口法」部份是傳聲理論的主體，雖名爲「法」，其實最無定法，全賴於歌者在發聲吐字之際，理融神會，口到音隨。口法用於說明念字發音時，器官的動作方法和口腔形狀，音韻學家和語言學家都用口法作爲分析字音和語音的根據[21]；度曲家亦將口法運用於歌唱時咬字吐音的依據。口法包括「五音」和「四呼」，〈出聲口訣〉云：

喉、舌、齒、牙、唇，謂之五音；開、齊、撮、合，謂之四呼。欲正五音，而不於喉、舌、齒、牙、唇處著力，則其音必不眞；欲準四呼，而不習開、齊、撮、合之勢，則其呼必不清。所以欲辨眞音，先學口法；口法眞，則其字無不眞矣。

五音指的是發音部位，也就是發出字聲時(聲母)，發音器官的動作部份。這五個發音部位是就口腔位置從內自外而言，〈五音〉說：「最深爲喉音，稍出爲舌音，再出在兩旁牝齒間爲齒音，再出在前牝齒間爲牙音，再出在唇上爲唇音。」[22]其位雖分五層，但因其深淺不一，五音之中又各有五音。例如喉音有上、下、兩旁和中間，故「出聲之時，欲其字清而高，則將氣提而向喉之上；欲濁而低，則將氣按而著喉之下；欲敧而扁，則將氣從兩旁逼出；欲正而圓，則將氣從正中透出，自然各得其眞，不煩用力而自響且亮矣。」換言之，發聲時隨氣之運用而著力於該部位之不同位置，以表現該字之清濁高低或敧正圓扁。不止喉音之字如此，其他部位亦然。故「喉舌齒牙唇爲經，上下兩旁正中爲緯，經緯相生，五五二十有五，而出聲之道備矣。」（〈喉有中旁上下〉）。《樂府傳聲》書末附錄〈辨五音訣〉以宮商角徵羽說明五種發音部位：

> 欲知宮，舌居中（中喉音）；欲知商，口開張（齒頭、正齒音）；欲知角，舌縮卻（牙音）；欲知徵，舌柱齒（舌頭、舌上音）；欲知羽，撮口取（唇重、唇輕）。

從〈辨五音訣〉和〈喉有中旁上下〉，知徐氏是以五個發音部位為主，並強調各部位用力之地可有不同。這些不同容或有之，例如每個聲母部位受不同的韻母影響，可能發音部位略有不同；但是否果然各分為五，「五五二十有五」，如此畫一，恐怕不能免於牽強附會之譏。王守泰《崑曲格律》也認為發音時，器官動作絕無如四肢般分成左右，故批評其為牽強附會之說（頁四〇）。不過，徐氏以喉、舌、齒、牙、唇五音，較之於黃旛綽《梨園原·曲白六要》中的唇、齒、喉、舌、鼻、半唇、半齒、半喉、半舌、半鼻等十音，音類更容易把握[23]；而且中國各地方言不同，然各方言聲母總不離這五個發音部位，因此是可以五音作為口法的依據。

四呼是字音韻母部分發音開始瞬間，各種不同的口型。發音時嘴巴張開較大，嘴唇是自然唇，凡沒有韻頭，而韻腹又非[i]、[u]、[y]者，稱之為開口呼。發音時嘴唇是圓形，凡韻頭或韻腹[u]者，稱之為合口呼。發音時上下齒切合在一起，嘴唇是平的，凡韻頭或韻腹[i]者，稱之為齊齒呼。發音時嘴唇撮合起來，凡韻頭或韻腹[y]者，稱之為撮口呼。就發音開始瞬間，唇狀的圓展而言，開口呼、齊齒呼因為不帶圓唇性質，又統稱廣義的開口；合口呼、撮口呼因為帶有圓唇性質，又統稱廣義的合口。就發音開始瞬間，共鳴腔的大小而言，開口呼、合口呼因共鳴腔大，又統稱洪音；齊齒呼、撮口呼因共鳴腔較小，又統稱細音。列表如下：

	洪　音	細　音
開口	開口呼	齊齒呼
合口	合口呼	撮口呼

五音、四呼是掌握字的發音部位和方法，〈四呼〉云：「喉舌齒牙唇者，字之所從生；開齊撮合者，字之所從出。喉舌齒牙唇，各有開齊撮合，故五音爲經，四呼爲緯。」學口法的基礎即在於掌握五音四呼之經緯，也就是以五音四呼之「口形」而「傳聲」。〈聲各有形〉中敘述的口形有「大、小、闊、狹、長、短、尖、鈍、粗、細、圓、扁、斜、正」等類，故〈出聲口訣〉說：「其形何等，則其聲亦從而變矣；欲改其聲，先改其形，形改而聲無弗改也。」這就是徐氏提出的「有聲之形」、「以形改聲」的口法理論。《樂府傳聲譯注》解釋所謂聲音之「形」，頗可參考：

> 氣流從咽管送出，通過口腔內部各發音器官，對這些器官進行沖激，由於字音不同，各發音部位在節制氣流通過時的阻力也就不同，在氣流最後通過唇部時，口型的張斂程度和開合形狀也不相同……各種因素綜合起來，這些氣流在人的感覺上就構成了種種不同的「形象感覺」（或形體感覺）。本篇中所說的聲音之「形」，實際上就是這種形象感覺。把無形的聲音，通過這種敏銳細致的感覺，設法使之具體化、形象化，使歌唱者能夠進一步控制發音器官，掌握發音技術，這確實是一種獨創的見解，也是經過苦心鑽研的結果，應該肯定。[24]

得五音四呼之口形，才能音正字清；反之，音正字清，則其形自從。故云「欲辨眞音，先學口法；口法眞，則其字無不眞矣。」徐氏於〈交代〉中說明表現字眞的技巧：

> 凡曲以清朗爲主，欲令人人知所唱之爲何曲，必須字字響亮。然有聲極響亮，而人仍不能知爲何語者，何也？此交代不明也。何爲交代？一字之音，必有首腹尾，必首腹尾音已盡，然後再出一字，則字字清楚。若一字之音未盡，或已盡而未收足，或收足而於交界之處未能劃斷，或劃斷而下字之頭未能矯然，皆爲交代不清。

這段話主要提出所謂「交代不清」的四種情況，可知唱曲之清朗響亮在上一字之音盡、收足、劃斷及下一字頭之矯然（明顯突出）。並非聲響就能唱得字眞，在聲高、字眞之外，又能使聽者知爲何字何音，才是「交代清楚」。例如唱「天淡雲閑」，第一個「天」字收聲時未抵顎（舌尖未觸及上顎齒齦），則收聲必成爲[ie]，天字即唱成「貼」音。第二個「淡」字的出聲，由於第一字收聲的[ie]舌尖正抵下齒背，急切不克靈活上升，便很容易將「淡」唱成「代」字。第三字受第二字影響，也必將唱成「魚」字，第四字唱成「斜」字。[25]故徐氏〈交代〉說：「必尾音盡而後起下字，而下字之頭尤須用力，方能字字清澈。」因此唱腔中第一字的收聲不準，第二字聲母時吐字亦必不清，如此連鎖反應，則可影響全句唱腔。換言之，每發出一字時，只要四呼、四聲、五音無誤，則其字音就準確可辨；而「收聲之法，則不但當審之極清，尤必守之有力」，徐氏特別強調：

> 收聲之時尤必加意扣住，如寫字之法，每筆必有結束，越到結束之處，越有精神，越有頓挫。則不但本字清眞，即

下字之頭，亦得另起峰巒，益覺分明透露，此古法之所極重，而唱家之所易忽，不得不力爲剖明者也。——〈收聲〉

徐氏具體指出兩種收聲之法：「一則當重頓，一則當輕勒。重頓者，煞字煞句，到此嶄然劃斷，此易曉也。輕勒者，過文連句，到此委宛脫卸，此難曉也。」所謂重頓，就是唱到一字或一句的收尾時，驟然間打住，將上下文截然劃斷。所謂輕勒，是爲了既要能通連上下語氣的橋樑作用，又要把上下文的界限勾勒清楚，所以唱到收尾時，就不能急遽地收煞，而是要逐漸地徐緩下來，柔和宛轉地輕輕收住。[26]不論是重頓或輕勒皆是要使兩字或兩句之間界限分明。而收聲之法實與歸韻之法密切相關。沈寵綏《度曲須知·中秋品曲》已歸納十九韻字尾的收音方式（見第三章引），由於徐氏著力發揮五音四呼的口法，故論歸韻法亦以口法分析，如「東鐘字，則使其聲出喉中，氣從上顎鼻竅中過，令其聲半入鼻中，半出口外，則東鐘歸韻矣。」[27]這是說，每一字的收聲最後必須歸於該字韻母，則「雖十轉百轉，而本音始終一線，聽者即從出字之後，驟聆其音，亦鑿鑿然知爲某字也。」（〈歸韻〉）。

結合傳聲理論中的「字音」和「口法」，其立論主旨在唱曲要四聲圓潤、五音準確、四呼清晰、收聲有力、歸韻分明，而令人能字字辨別。誠如〈出音必純〉所說的：「凡出字之後，必始終一音，則腔雖數轉，聽者仍知爲即此一字。不但五音四呼不可互易，並不可忽陰忽陽、忽重忽輕、忽清忽濁、忽高忽低，方爲純粹」。至於如何使唱曲達到這種情境，則是下文所要敘述的「傳情」理論。

所謂「傳情」就是唱曲者要傳曲中感人動神之情給予觀聽者，

徐氏將這種抽象而難以言傳的理論具體化，從幾方面論述表現曲情的技巧。首先是起調的第一個字，因爲「通首之調，皆此字領之；通首之勢，皆此字蓄之；通首之神，皆此字貫之；通首之喉，皆此字開之。如治絲者，引其端而後能竟其緒，此一字，乃端也。」就是說，整支曲牌的高低都由第一個字定調，而後其氣勢、神理、音韻，皆隨第一字的蘊蓄、融貫、開展而有端緒。故「此字一梗，則全曲皆梗；此字一和，則全曲自和。」（〈起調〉），可知第一字爲全曲之造端，是一段唱的關鍵。傅雪漪《戲曲傳統聲樂藝術》說：「一段唱詞的開始，必須與前面的前奏（過門），在節奏、感情、強弱各方面統一連貫。戲曲則更要與前面的行動、叫板開唱的念白、鑼鼓，在節奏和調門方面協調。就是沒有前奏的唱句，也要將感情蓄勢的氣口做得鮮明準確，和觀衆與樂隊交流得密切。」（頁一五九）傅氏的話語可以作爲「起調」的補充說明。起調之後，全首曲子的氣勢、神理、音韻就在斷連、頓挫、高低、輕重、聲響、疾徐等變化中表現出來。

「斷連」是演唱中間轉折和銜接的變化。由於北曲之神理在其斷法之精微，故徐氏於〈斷腔〉詳述其九種斷法：

> 有另起之斷，有連上之斷，有一輕一重之斷，有一收一放之斷，有一陰一陽之斷，有一口氣而忽然一斷，有一連幾斷，有斷而換聲吐字，有斷而寂然頓住。

另起之斷是上一樂句與下一樂句之間的間斷；連上之斷是在一個樂句中，爲了表現而中間停頓一下；一輕一重之斷是在強弱音轉變地方的停頓；一收一放之斷是在漸強轉到漸弱轉換地方的停頓；一陰一陽之斷是在眞假聲或粗細聲轉換之間的停頓[28]；一口氣而忽然一斷是一口氣唱下來忽然一斷（頓住，休止在強音上）；一連幾斷是在中間連續間隔幾次的斷（不換氣）；斷而換聲吐字是在斷開以後，呼吸、換氣，接著再唱；斷而寂然頓住是在停頓以後完全休止。這幾種斷法，「南曲亦間有之，然不若北曲之多」。南曲之斷，與北曲不同，因爲「南曲之唱以連爲主；北曲之唱以斷爲主」。而「南曲之斷，乃連中之斷，不以斷爲重」，即是在連綿不絕之中偶而的間歇或停頓；北曲則是「斷中之連，愈斷則愈連，一應神情，皆在斷中頓出」，也就是在很多間歇或停頓中間，聽起來仍是緊密而前後連貫的。[29]

徐氏特別分辨「斷」與「頓挫」不同：「頓挫者，曲中之起倒節奏；斷者，聲音之轉折機關也。」其對「頓挫」的解釋應是從曲之「文理」和「神理」兩層次立論。唱曲不能「一味直呼，全無節奏」；況且「一人之聲，連唱數字，雖氣足者，亦不能接續」。故必通文理，以知此曲該於何處頓挫，使唱者可以歇氣、取氣。而曲文斷落之處，則與各曲牌之字句和韻協有關，〈句韻必清〉說：

> 牌調之別，全在字句及限韻。某調當幾句，某句當幾字，及當韻不當韻，調之分別，全在乎此。唱者遵此不失，自然事理明曉，神情畢出，宮調井然。

這裡指出每一曲牌的分別在其字數、句數和韻協之異，其實還應包括句式、平仄、對偶等。這六個因素也就是構成譜律的基礎，由此而曲調的主腔韻味，板式疏密、音調高低，乃有一定的準則。[30]而前四者正是辨別曲文斷落的重要因素；就是說，唱曲時必須言語有斷、文章有句，才能令觀聽者解其情、曉其義。故通文理乃掌握頓挫的先要條件，而後才能表現「神理」。

所謂「頓挫」是唱者應通曉各曲牌的字、句、韻，以知其曲文斷落；再根據對於曲詞內容的理解和體會來處理頓挫，而將曲中不同情感的節奏起伏變化傳唱出來。[31]故云：「頓挫者，曲中之起倒節奏」，也就是曲調中的起伏節奏。

高低、輕重與聲響（聲高）則又是三種不同的表現方式。徐氏於〈高腔輕過〉說：「腔之高低，不係聲之響不響也。蓋所謂高者，音高，非聲高也。音與聲大不同。用力呼字，使人遠聞，謂之聲高；揭起字聲，使之向上，謂之音高。」這裡分辨音的高低和聲的響度是不同的。前者指音域，後者指音量；故高音、低音皆可以聲響。徐氏解釋：

> 凡高音之響，必狹、必細、必銳、必深；低音之響，必闊、必粗、必鈍、必淺。如此字要高唱，不必用力儘呼，惟將此字做狹、做細、做銳、做深，則音自高矣。……凡遇當高揭之字，照上法將氣提起透出，吹者按譜順從，則聽者已清晢明亮，唱者又全不費力。——〈高腔輕過〉

所謂「將氣提起透出」即是歌唱呼吸氣口中的「提氣」，又叫「取氣」（詳第二章），發高音和低音時都要提氣。[32]「發高音時提氣的勁頭一定要以感情來帶動，從丹田提氣，感覺氣已經提到前額再發聲（注意是感覺，是提氣，不是彆）。發聲時膈肌向下拉，感覺似乎是一條弦，由上額和膈肌這『兩只手』有韌性的用力抻直；從外形看是胸廓張開鬆暢，腹肌有彈性的內收。這樣不僅腹、膈有力支持，胸腔共鳴飽滿，而且軟顎自然提高，咽喉一帶通暢，聲門沒有壓力，氣息貫通，聲音堅韌、響亮、準確、有力。」如是則會感覺到氣路狹窄、尖細，氣息也較深，故不必用力喊叫，其音自高。

「低音時的提氣，則是需要更多的胸腔共鳴，不需要上下拉的力量，而是橫膈有韌性的向上給予支持，千萬不能因唱低音而放鬆膈肌的支持。上面頭腔雖不用著力向上牽引，但仍要保持一定的額竇共鳴。更多的則是胸腔有力的向外部擴張，聲音才能寬厚扎實。」如是則會感覺到氣路寬闊、粗鈍，氣息也較淺。故〈低腔重煞〉云：「低腔則與高字反對，聲雖不必響亮，而字面更須沈著。凡情深氣盛之曲，低腔反最多，能寫沈鬱不舒之情，故低腔宜重、宜緩、宜沈、宜頓，與輕腔絕不相同。今之唱低腔者，反以爲偷力之地，隨口念過，遂使神情渙漫，語氣不續，可知曲之神理，全在低腔也。」

高低與輕重全然不同，古代形容聲音的輕重，基本上即是現在音樂上所說的強和弱。〈輕重〉云：「輕者，鬆放其喉，聲在喉之上一面，吐字清圓飄逸之謂。重者，按捺其喉，聲在喉之下一面，吐字平實沈著之謂。」輕音是把喉頭打開，舌頭平放，完全鬆弛下來，聲音感覺在喉頭上邊，如此則氣路通暢，可以發出弱音。重音是使下巴下垂，把喉頭壓下去，聲音感覺在喉頭下邊，如此可以發出強音。[33]在演唱中，輕重可有不同的作用，例如從容喜悅時，語宜用輕；急迫惱怒時，語宜用重。扮演瀟灑文雅之角色，語宜用輕；扮演粗豪魯莽之角色，語宜用重。故輕重可用於不同的角色人物，可表現不同的喜怒之情。

對於三者的差別，徐氏在〈輕重〉文中有一個結語：「高低者，調也；輕重者，氣也；響不響者，聲也。似同而實異，細別之自顯然。」可知高低是音域、音調問題；輕重是氣息強弱、感情力度的問題；聲響是音量問題。[34]故唱高腔時未必強、也未必響；唱低腔時也未必弱、未必輕。「有輕而不響者，有輕而反響者，有重而響者，有重而反不響者。」調、氣、聲三者之間的配合運用，全因情、景、事、理、時、地而置宜，並以能表現曲情爲依歸。

唱曲速度的快慢，也是有關曲情表現的另一個問題，〈徐疾〉說：「曲之徐疾，亦有一定之節。始唱少緩，後唱少促，此章法之徐疾也；閒事宜緩，急事宜促，此時勢之徐疾也；摹情玩景宜緩，辨駁趨走宜促，此情理之徐疾也。」從樂曲先後的章法結構、事件進行的緩急時勢、抒情敘事的內容情境等方面判斷唱曲之疾徐快慢。而不論是緩慢是急促，都應該「徐必有節，神氣一貫；疾亦有度，字句分明」。疾唱時尤須掌握恰當的分寸，如有重字疊句，則「必界線分明，念完上字之音，鉤清頓住，然後另起字頭，又必與前字略分異同，或一輕一重，一高一低，一徐一疾。」[35]如有形容一時急迫之象，及收曲幾句，而較尋常言語更急速時，亦必「字字分明，皎皎落落，無一言輕過」；又如遇「緊要眼目，又必跌宕而出之」，使「聽者聆之，字句甚短，而音節反覺甚長，方爲合度。」（〈徐疾〉）。此所謂「緊要眼目」當可解釋爲務頭，歌者必須刻意地將曲之務頭凸顯出來（詳第二章）。

爲了傳達曲情，起調之後，對斷連、頓挫、高低、輕重、聲響的掌握，皆應與曲之疾徐快慢相互配合，徐氏特別指出：「曲品之高下，大半在徐疾之分，唱者須自審之。」可知徐疾之分是否合度，是判定演唱藝術高下的重要準則，也是傳情理論的核心問題。然而徐氏更進一層說：

> 曲之工與不工，唱者居其半，而作曲者居其半也。曲盡合調而唱者違之，其咎在唱者；曲不合調，則使唱者依調則非其字，依字則非其調，勢必改讀字音，遷就其聲以合調，則調雖是而字面不眞，曲之不工，作曲者不能辭其責也。

……故作曲者與唱曲者，不可不相謀也。──〈一字高低不一〉

延伸此段話語，意謂作曲者必先不離宮失調、不出韻乖聲；而後唱曲者掌握宮調、字音、口法，及起調、斷連、頓挫、高低、輕重、聲響、疾徐等行腔轉調的原理技巧，以傳達曲情，唱出神理。故而完整的度曲理論，必由作曲者與唱曲者相輔相成。徐大椿顧及語言與音樂的關係，可見其思考層面之周密。

沈寵綏《度曲須知》以音韻學建立唱曲出字收音的理論，徐大椿則一方面承繼其說，提出「字音」、「口法」之說；一方面又擴充潘之恆「曲餘」說和李漁的「曲情」說（詳第六章）。換言之，沈氏以反切法敘述字頭、字腹、字尾爲其度曲理論之核心。徐氏則以分析五音、四呼口法爲「傳聲理論」的主題；再著力發揮如何唱出曲情的各種原理技巧，而成其「傳情理論」的內涵。而既然曲之工與不工是唱曲者居其半，作曲者居其半，則王驥德即是從作曲者切入，從而聯繫與唱曲的關係，故以製曲理論爲重；徐大椿則直接由唱曲者的觀點立論，故以度曲理論爲主；李漁則兼論二者，並延伸至劇場（詳第五章）。由此可知徐大椿《樂府傳聲》理論開創異於前人之處。

第三節　度曲學曲論

清代晚期的另一本演唱專著是王德暉、徐沅澂合著的《顧誤錄》。[36]據周棠《顧誤錄·序》云：「惺宇徐君，於讀書出宰之際，輯成《顧誤》一編，探六律之源，闡九宮之祕，證今稽古，釐正詳明。其友曉山王君，素稱同調，辛亥歲遇於京邸，因出所著《曲律精華》，互相參校，付之剞劂。」可見《顧誤錄》是徐、王二人各出手稿，合爲一書之作。辛亥歲爲咸豐元年（一八五一年），則此書較徐大椿《樂府傳聲》晚了一個世紀，此時期已崑劇衰落、而花部爭鳴的時代。全書共四十章，各標名目。依其內容大約可分六類：

一、**律呂宮調**：〈音節所宜〉、〈南北宮調說〉、〈十二律集說〉、〈十二律長短次序〉、〈十二律相生〉、〈十二律陰陽方位〉、〈七調方圖〉、〈七調圓圖〉、〈七調旋十二律圖〉、〈十二律旋宮圖〉、〈七音去律圖〉、〈十二律宮調說〉、〈十二律宮調目〉、〈十二月宮調〉。

二、**五音論**：〈五音總論〉、〈五音口訣〉、〈聲調論〉。

三、**南北曲及四聲陰陽唱法**：〈南北曲總說〉、〈四聲紀略〉、〈辨聲捷訣〉、〈毛先舒陰陽略〉、〈沈衣仲養氣論〉、〈陰去摘聲錄〉、〈北曲入聲字〉、〈南北韻逕庭字〉、〈俗唱正訛〉。

四、**出字收韻**：〈中原韻出字訣〉、〈工尺即反切論〉、〈頭腹尾論〉、〈韻學源流〉、南北方音論〉。

五、**觀聽論**：〈曲中厄難〉。

六、**度曲學曲論**：〈度曲得失〉、〈度曲十病〉、〈度曲八法〉、〈學曲六戒〉、〈紅黑板論〉、〈襯字論〉、〈尾聲論〉、〈煞尾論〉。

葉長海先生《中國戲劇學史稿》說：「論度曲方法的，大略採自《唱論》、《度曲須知》、《閒情偶寄·演習部》和《樂府傳聲》，亦少發明。但本書於曲律方面門類詳備，自成系統，於研究我國戲曲歌唱方法頗有參考價值。」（頁四二九）所評甚是。

傅惜華〈古典戲曲聲樂論著解題〉則認爲所論律呂宮調各章多陳陳相因之言，殊無足取；而「書中論述，雖難免有因襲沈寵綏《度曲須知》、徐大椿《樂府傳聲》之處，然此書作者於發聲出字收韻之方法，該贍精當，頗有發明，要亦不失爲歌曲入門之南針也。」（頁三一七）個人以爲〈沈衣仲養氣論〉和〈音節所宜〉頗有創見（已詳述於本章第一、二節）；而發聲出字收韻方法則主要因襲沈寵綏和徐大椿之說，並無發明之處；倒是度曲學曲論，歸納歌唱方法，以條理方式著述，果然可以爲歌曲入門之南針。

〈度曲十病〉指：「方音、犯韻、截字、破句、誤收、不收、爛腔、包音、尖團、陰陽」等十種。方音的問題，明清以來的曲家多有考述；惟《顧誤錄》作者開宗明義：「入門須先正其所犯之土音，然後可與言曲」。作者歸納南北方音之不同，或誤於不分母，或誤於不分韻（參〈南北方音論〉）。如北音尖團倒置，南音雖辨尖團，卻不分舌尖音和捲舌音，此謂之聲母不分。首先提出尖團問題的是黃旛綽《梨園原·曲白六要》（詳第五章第三節），《顧誤錄》進一步提出分辨尖團的方法：

> 北人純用團音，絕鮮穿齒之字，少成習慣，不能自知。如讀湘爲香，讀清爲輕，讀前爲乾，讀焦爲交之類，實難備舉。入門不爲更正，終身不能辨別。然而不難，要知有風即尖，無風即團，分之亦甚易易。

從「北人純用團音」這句話可知，在京劇形成的時代，北京語音已經尖團不分，絕少尖音字，而一律讀爲團音了。《顧誤錄》以送氣與否作爲分辨的原則，有風即送氣之音，就是尖音；無風則爲團音。《梨園原》、《顧誤錄》等曲論家，唯恐唱曲者以尖、團不分的北京語音演唱崑曲，因此強調區分尖、團，作爲唱念時咬字正音的規則之一。

至於韻母不分者，如北音有閉口字，且分侵尋、監咸、廉纖三韻，分之甚細；南曲則無閉口字，或合而爲一；以致「收音時信口所之，不知念成何字」的現象。此外北音只有平聲分陰陽，南曲則四聲皆有陰陽，全以聲母清濁判之。因此如不正土音，度曲時就會產生尖團、犯韻、誤收、陰陽之病。[37]

以上所犯是字音不正之病，截字、不收則是咬字不清之病。如「將字截爲兩處，單字唱成疊字」；或「出而不收，張而不閉，是僅有上半字，無下半字」。唱曲時，每個字都配上工尺，如或「工尺未完，收口太早，下餘工尺，僅有餘腔，並無字面」，亦屬截字之病。關於字和腔之間的關係，王德暉、徐沅澂提出兩個新詞語，一是「包音」，一是「爛腔」。所謂「包音」之病是：

> 即音包字是也。出字不清，腔又太重，故字爲音所包，旁人聽去，有聲無辭，竟至唱完不知何曲。此係僅能用喉，不能用口之病。喉音到口，須用舌齒唇鼻，別其四聲，判其陰陽，全在口上用勁，方能字清腔正。若聽喉發音，不用齒頰，雖具繞梁，終成笑柄。

歌者所以會犯音包字之病，是因只會用喉頭發聲，而不會運用口腔（包含唇、齒、顎、舌）和鼻腔個主要的共鳴器官。尤其口腔部位才是構成字音、語言之關[38]，才能別四聲、陰陽而字清腔正，不致於犯有聲無辭之病。唱字由喉音到口中，則「須要留頓，落腔須要簡淨」。王德暉、徐沅澂提出「曲之剛勁處要有稜角；柔軟處要能圓湛。」而在細曲中圓軟之處，最易形成爛腔，俗名「綿花腔」；又如「字前有疣，字後有贅，字中有信口帶腔，皆是口病」，此即是爛腔之病。

為避免犯度曲十病，作者進一步提出〈度曲八法〉是：「審題、叫板、出字、做腔、收韻、換板、散板、擻聲」。「審題」即解「曲中之情節」。度曲十病中有「破句」之病，謂「切忌誤連誤斷，割裂詞旨」，所談的是句法和文理的關係。掌握文理及其句法正是解明曲情的基本條件。《閒情偶寄》、《梨園原》（詳第五章）和《樂府傳聲》論之甚詳。「出字」、「收韻」之法亦則是就十病中的尖團、犯韻、誤收、陰陽、截字、不收而言。至於叫板、換板、散板、做腔、擻聲則是討論腔板和字句演唱的關係，是度曲八法中較有創發之處，其意義內涵頗為豐富；同時可以與其相關的腔板理論印證，值得加以申論解釋。關於板眼的問題，〈紅黑板論〉說：

> 後人分板為五。【、】為頭板，【乚】為腰板，【—】為底板；三者皆為正板。【X】為頭贈板，【IX】為腰贈板。葉廣明《納書楹》分之最細，俗稱紅黑板。是以正板為紅板，贈板為黑板也，惟南曲用之。

頭板、腰板、底板三種正板的意義在王驥德《曲律·論板眼》中已有說明（見第三章）。傳統唱曲時，常以鼓板按節拍，凡強拍均擊板，故稱該拍為「板」；次強拍和弱拍則以鼓簽敲鼓或用手指按拍，稱「眼」。板眼依節奏快慢分為一板三眼、一板一眼、流水板、散板四種。一板三眼以四拍為一小節，第一拍稱為板，第二拍稱為頭眼，第三拍稱為中眼，第四拍稱為末眼。頭眼和末眼又稱小眼，皆是弱拍，以【、】為符號；中眼是次強拍，以【。】為符號。一板一眼以二拍為一小節，第一拍為板，第二拍為眼。眼又依著和工尺配合位置的關係，而分成「正眼」和「側眼」。落在一個音開始的眼是為正眼，此時如遇到中眼則以【。】為符號；如遇到小眼則以【、】爲符號，和頭板符號相似而小些。位於一個音拖延中或兩個音夾縫中的眼叫側眼，此時如遇到中眼則以【△】爲符號；如遇到小眼則以【ㄴ】爲符號，和腰板符號相似而小些。

〈度曲八法·換板〉說：「曲之三眼一眼，本係一體，原可無須頭眼、末眼，如《納書楹》僅載中眼，已足爲法。蓋緣頭眼、末眼本無定處，可以聽人自用，今譜爲初學立法，故增之爲容易地步。」葉氏主張只用板和眼，不用小眼（即不標頭眼、末眼），他認爲：「板眼中另有小眼，原爲初學而設，在善歌者自能生巧，若細細注明，轉覺束縛。」[39]由於頭眼、末眼皆是弱拍，可自由申縮、聽人自用，故不標示；然加以注明，固便於初學，亦不易與一板一眼混淆。

流水板有板無眼，節奏急促。散板有板無眼，只在曲詞句逗或句末處加一底板作爲停頓或終止。沈璟《南九宮譜》於「用韻句下板，其不韻句止以鼓點之，譜中只加小圈讀斷」，開創鼓、板之分，王驥德視爲定論。傳奇的腳色上場先唱引子，在音樂上，引子即屬散板，例如《牡丹亭·遊園》杜麗娘一上場唱〔遶池遊〕引子即是。有時在引曲之後，還有一、兩支散板曲，如明李開先《寶劍記·夜奔》〔點絳唇〕之後，還有〔新水令〕、〔駐馬聽〕也是散板曲。[40]〈度曲八法·散板〉說：「曲之有板者易，無板者難。有板者，聽命於板眼，尺寸自然合度。無板者，須自己斟酌緩急，體會收放。」換言之，散板雖然節拍自由，但不是節拍雜亂或隨意，樂音的長短、強弱、速度均有一定的規律。所謂「過緩則散慢無律，過急則短促無情，須用梅花體格，錯綜有致；有停頓，有連貫，有抑有揚，有申有縮，方能合拍。」梅花花冠五瓣，唱散板曲要如其花瓣之形，有線條有迂迴，有起伏有升降。王德暉、徐沅澂以「梅花體格」爲喻，甚爲生動。

贈板是南曲常用的板式，「贈」者，增加也；即把原來一板三眼中的中眼改成板，把頭眼和末眼改成中眼，並在原來板和眼以及眼和眼之間分別各加上一眼，如此則把一板三眼的時間拖成二板六眼。贈板分頭贈板和腰贈板兩種，用法和頭板、腰板相同。[41]葉堂《納書楹曲譜》所收曲套都區分正板和贈板，俗稱紅黑板。紅黑板式運用的情形是：

> 大抵紅黑間用，無論何樣板起，末字必須紅板住也。次曲抽去贈板，取其便易，如首次曲牌名俱同，再次曲可以抽板矣。有贈板中唱散板一句者，或贈板中忽唱無贈板者，又或末二句唱無贈板者，此皆演家取其便處，並非正格。至於浪板，原爲跌宕曲情而設，雖清唱亦不可少，如《活捉》、《思凡》、《撈月》、《羅夢》之類，被弦索者，皆宜用之；但要審度音節，不可濫用耳。——〈紅黑板論〉

贈板的唱腔，曲調細膩入微，速度緩慢，宜於表現曲折宛轉的情緒，其後多轉入其他板類，本身不作結束，故不論正板或贈板起，末字必須以正板收束，回到主腔旋律作結。爲登場演唱時取其便易，贈板曲可以有四種情形：如第一、第二支曲牌名相同，則第二支曲（即前腔）可以抽去贈板，以免連唱兩支贈板，使歌者費力而聽者困倦；贈板曲中可唱一句散板；或忽唱無贈板；或末二句唱無贈板；但這種唱法皆非正格。至於跌宕曲情的浪板，應指流水板，是敘述性較強的曲調，適合表現輕鬆愉快或慷慨激昂的情緒。如《思凡》中色空尼姑嚮往凡塵俗世，最後決定趁師父師兄不在庵中逃下山中，接著唱〔風吹荷葉煞〕一大段流水板即屬此類。[42]

正板、贈板之外，還有所謂「換板」：

> 換板之說，乃配宮調者，此牌板數不足，須加板方合格局；或板數已足，須撤板以符定數。度曲到此，須將氣勢搬足，順其自然節奏，裍成一板，方無拗折之患。凡尾聲疊板之下，接唱處皆然。

誠如徐大椿《樂府傳聲·底板唱法》所說：「南曲惟引子用底板，餘皆有定板；北曲則底板甚多」，定板是每個曲牌之板數（小節）是固定的，每板與每板之間的絕對值也是固定的；底板的板數則不固定，其絕對值是自由的。因爲南曲之字句，無一調無定格，又襯字極少，少則一字幾腔，板在何字何腔，千首一律；而北曲則襯字極多，板必有不能承接之處，中間不能不增出一板。此所以南曲定板爲多，北曲則少。可知曲牌字句之增減，則板數亦必隨之而改變。北曲格式之變化，有襯字、增字、增句、減字，減句、犯調等現象。[43]南曲格式雖然變化少，但引子、集曲、尾聲亦有增減字句的情況。[44]因此度曲者則必須在曲牌字句增減與板數增減之間斟酌。如板數不足，則須加板，如抒情的文戲或熱鬧的武戲，爲了突顯演員配合該曲詞意境而表現載歌載舞或敏捷矯健的身段動作。如板數已足，則須撤板，度曲者處理撤板的情況，尤須顧及字句文理之氣勢貫穿，順上下樂句之間的自然節奏，裍成一句完整的板式[45]，才不會拗折嗓子。而不論是曲牌中或尾聲疊板處或過文轉接之間，加板、撤板皆必合格局、符定數，才能依調循聲，既不踰格，亦不失調，方得換板之法。徐大椿《樂府傳聲·字句不拘之調亦有一定格法》主要是從北曲曲牌字句如何增減的角度立論；王德暉、徐沅澂則從度曲、譜曲的角度立論，就腔板如何與字句配合而有更深入的討論。

曲牌不同，起板則有不同，例如：「〔集賢賓〕、〔二郎神〕、〔傾盃序〕、〔繡帶兒〕、〔小桃紅〕等曲，起板在一二句之後。如〔桂枝香〕、〔解三酲〕、〔鎖南枝〕、〔駐美聽〕等曲，一二字即起板。」(〈叫板〉)這兩種不同的起板方式，各舉二例，並配上工尺譜才能明白：[46]

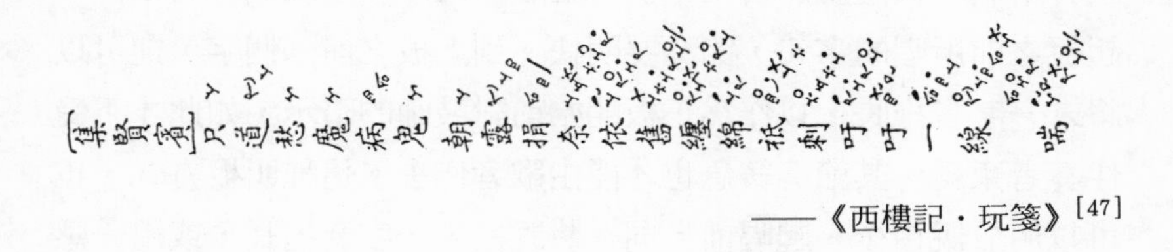

——《西樓記·玩箋》[47]

——《牡丹亭·叫畫》[48]

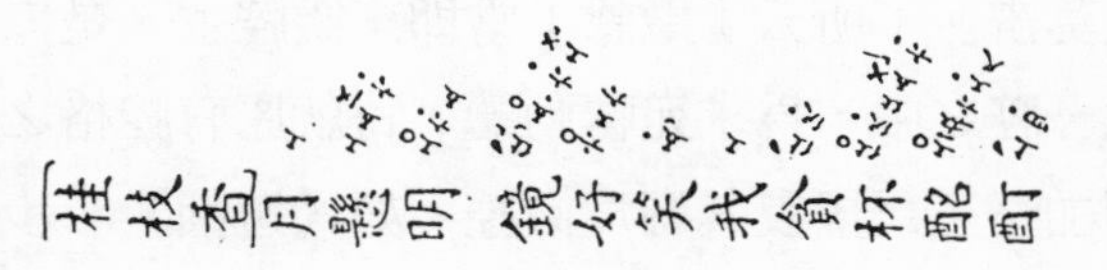

——《紅梨記·亭會》[49]

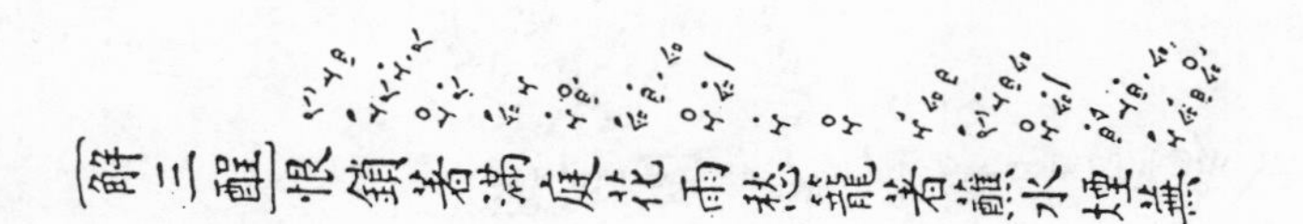

——《紫釵記·陽關》[50]

〔集賢賓〕起板在第一句之後的「奈」字；〔二郎神〕第二句之後的「獨」字才上板；〔桂枝香〕第二個字「懸」即上板；〔解三酲〕第二個字「鎖」即上板。〈度曲八法·叫板〉進一步說：「其未起板之前，無論幾字，萬不可拖長，務須連唱、快唱，使之一氣呵成，緩則節奏散漫，上板處不能扼要矣。須於上板之前一字，蓄勢叫板，庶緩急可以自操，不受管弦束縛，否則爲和我者所制，緩急焉能自主。」不論起板在一二字或一二句之後，起板之前所唱的字句，節奏要明快。到上板之前一個字，則可以將末一字音拖長，以作爲正板開始前對鼓師的暗示，如此才不受伴奏者束縛，其節奏緩急也才能由歌者作主。這種叫板方式，也可以用於說白後、起唱前，同樣將說白末一字音拖長，或用一感歎字，或用哭、笑、身段叫板。[51]叫板的唱念都要富於思想感情，能與下文的詞情呼應，而有蓄勢待發之勢。

唱者要將不同的板式表現出來，「擻聲」和「做腔」是很重要的技巧。〈度曲八法〉說：「曲之擻處，最易討好。須起得有勢，做得圓轉，收得飄逸，自然入聽。最忌不合尺寸，並含混不清，如有似無，令人莫辨。」所云「擻聲」當即「擻腔」，是崑曲腔格唱法之一。凡一腔之中，爲求宛轉動聽，特就原有腔格之腰眼或腰板之間，別加三工尺搖曳其音爲擻腔。如《遊園》〔步步嬌〕：

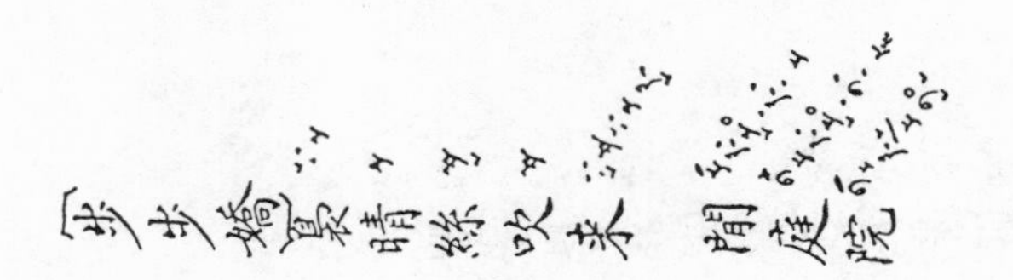

「裊晴絲吹來閒庭院」之「院」字，其腔格爲【四上尺㇄上

四】，細晰之，「四上」兩字下之「尺 〜」，其工尺爲『尺（工尺尺）』，此「工尺尺」即擻腔。[52]唱擻腔時當運用頤頷兩部位，若僅用喉間顫動，則不足以盡腔圓之致。換言之，擻是字之擻，腔之擻，非音之擻；是口腔(舌顎間)之擻，非喉中之擻[53]，故王德暉、徐沅瀓強調要「做得圓轉，收得飄逸」。

擻腔就是一種做腔，〈度曲八法〉說：「出字之後，再有工尺則做腔」，有些是一字配一個工尺，有些則一字配數個工尺。如上文舉《遊園》〔步步嬌〕之例，「晴、絲、吹」字都只有一個音，「裊」字則有兩個，「來、閒、庭、院」等字都是五個音以上。[54]做腔時，「闊口曲腔須簡淨，字要留頓，轉彎處要有稜角，收放處有要安排，自然入聽，最忌粗率村野。小口曲腔要細膩，字要清眞。」所謂闊口曲、小口曲之分，可從〈學曲六戒〉中「不就所長」的話語互證：

> 人聲不同，須取其與何曲相近，就而學之，既易得口氣，又省氣力。往往有絕細喉嚨，而喜闊口曲冠冕，嫌生旦曲扭捏者。又有極洪聲音，而喜生旦曲細膩，嫌闊口粗率者。

可知闊口曲聲音洪亮剛勁，屬淨丑之曲，故唱字要簡練潔淨，轉彎處要有稜角而不生硬；小口曲細膩嬌婉，屬生旦之曲，故唱字要清圓眞確而不軟綿。唱闊口曲、小口曲都要以「字爲主，腔爲賓；字宜重，腔宜輕；字宜剛，腔宜柔」，如此才不會反賓爲主而犯「包音」字之病。至於同一工尺，「有宜大宜小宜連宜斷、宜申宜縮之處，則在歌者之自爲變通，隨時理會。」（〈做腔〉）。

度曲之八法和十病是論歌唱的方法及曲病，〈學曲六戒〉則談學習唱曲的態度，包括：「不就所長、手口不應、貪多不純、按譜自讀、不求盡善、自命不凡」。《顧誤錄》繼承芝菴《唱論》「凡人聲音不等，各有所長」、以及魏良輔《曲律》「擇具最難」的觀念，將「不就所長」列爲首戒。如上所述，闊口曲、小口曲各有不同的做腔，每個人又各具不同的音色，故基於先天的音色，配合所扮飾的行當，學曲者戒在「舍其所長，用其所短」。根據自己聲音所長，則初學入門，戒在手口不應；必「手拍板眼、口隨音節，方易純熟」，然後再爲授曲。但不能因爲「自己聲音稍勝於人，加以門外漢贊揚，箇中人事故，遂眞覺此中之能事畢矣。」此等人戒在自命不凡。至於穎悟之人則戒在貪多不純、按譜自讀，必先能誦曲詞，記清板眼，而後才看譜上笛；學完一曲一套再學新曲套。力戒自己持曲按讀，必有曲師口授，方能體會細膩小腔、纖巧唱頭、曲情字眼及節奏口氣等。學曲之後，則力戒不求盡善，王德暉、徐沅澂說得好：「苟能曲盡其妙，亦人生快事也。」[55]

《顧誤錄》的十病、八法、六戒，基本上是以字音、板眼、腔調爲主要論題。〈度曲得失〉云「惟腔與板兩工，唱得出字眞，行腔圓，歸韻清，收音準，節奏細體乎曲情，清濁立判於字面……。洗盡世俗之陋，傳出古人之神，方爲上乘。以下十病、八法、六戒，乃爲初學不求甚解者針砭，知音者幸勿以其淺近而忽之也。」可知作者要求唱曲者之腔圓、板正、字眞，而有度曲學曲論；同理，「聽曲者須於字面腔調，及收放齒頰之間，辨歌者工拙」（〈曲中厄難〉）。從這個層面看，《顧誤錄》的度曲理論可說是從魏良輔《曲律》中「字清、腔純、板正」之三絕深入發揮。字清問題由沈寵綏《度曲須知》建立了字學與曲理關係的理論；《顧誤錄》則以腔純、板正兩個問題爲核心，建立度曲學曲論，其創發之處、成就一家之言由此可見。

【註釋】

[1]參曾師永義〈國劇的過去、現在與未來〉、《中國京劇史》上卷第一章〈京劇形成的社會環境〉。

[2]徐大椿生卒年，一說是一六九三「一七七一年，一說是一七〇〇～一七七八年。參周妙中〈歷代曲家年里字號室名綜表〉。

[3]語見《中原音韻》頁二一〇～二一一。

[4]董先生說：「照理想，周德清是應該把那些字直接併入上述三調而無須分列的，不過他究竟是南方人(江西高安)，總不兔受自己方言的影響，又不能完全擺脱傳統韻書的羈絆，所以雖併而仍留痕跡。」參《漢語音韻學》頁五八。

[5]高福生〈中原音韻入聲補述〉說：「從文獻上證明《中原音韻》有入聲，最可信從是李新魁和楊耐思的著作。李著縱橫連貫，旁徵博引，語皆有據，辭無不達；楊著則注重使用《中原音韻》其書本證和與之關係密切（音韻系統，而不是編寫體制）的同期材料的佐證，以少勝多，言簡意賅，似可成爲定讞。」案：楊著《中原音韻音系》，中國社會科學出版社，一九八一年。李著《中原音韻音系研究》，中州書畫社，一九八三年。參梁惠陵編輯《中原音韻新論》頁六、二五二。

[6]毛先舒，明末諸生，與毛奇齡、毛際可齊名，時人語曰：「浙中三毛，東南文豪」，康熙中卒。

[7]傅惜華〈古典戲曲聲樂論著解題〉說是六題，據其上下文實爲七題（頁三一〇）。

[8]參陳多、葉長海先生《曲律注釋》頁八一。

[9]參王守泰《崑曲格律》第二章〈工尺譜〉頁七九。

[10]參《曲律注釋》頁九九。

[11]《曲律注釋》說：中古漢語緝、合、葉、洽等入聲韻是以[-p]收尾。至《中原音韻》時代，中原方音入聲不再存在；而且[-p]尾掉落以後，這些韻的元音也發生變化，而與齊微、歌戈諸韻合流。這是中原方音的語言變化，並非「閉其口則聲不可出」而「不得不然」的押韻方法（頁九九）。案：王驥德此段文字一方面是提供唱南曲平上去閉口字的唱法，一方面說明南曲入聲無閉口的原因。

[12]徐氏所說的《唐韻》，是唐代孫緬撰，今已不存。故舉宋陳彭年、邱雍等奉敕撰《廣韻》爲例，此書共分二百零六韻，是中古音韻學的首要研究資料。

[13]《洪武正韻》，明樂韶鳳等十一人奉敕編撰。共分七十六韻，即平、上、去各二十二韻，入聲十韻。

[14]徐氏在本段所說的《中州音韻》、《中州韻》都是《中原音韻》的別稱或略稱。參吳同賓、李光《樂府傳聲譯注》頁五五。

[15]《樂府傳聲譯注》：「現在北崑唱『樂』字，仍唱作『勞』字去聲。又河北省樂亭縣的『樂』字，現在也讀如『勞』字去聲。」見頁五六。

[16]參《樂府傳聲譯注》頁四五。

[17]王德暉、徐沅澂《顧誤錄》收於《中國古典戲曲論著集成》冊九。

[18]《樂府傳聲譯注》頁六八。

[19]同上註，頁一〇八。徐氏的實板、底板，其意義與魏良輔、王驥德不同。

[20]同句法之增句，如〔仙呂·混江龍〕之增句在第六句下，可增四字句或三字句；或先增四字句，再增三字句。增句多少不拘，但必爲雙數，須用對偶。參鄭騫先生《北曲新譜》頁八一。鄭先生另有〈仙呂混江龍的本格及其變化〉，收入《景午叢編》下集。

[21]王守泰《崑曲格律》頁三七。

[22]根據《樂府傳聲譯注》的分析，徐氏所說的齒音、牙音、舌音等部位，恐有錯誤。牙音應指舌根音，是氣流在舌根與軟顎接觸處受到調節所發出的聲音，其音當在兩旁臼齒之間。按《說文》，牙者牡齒也；《本草綱目》說，兩旁曰牙，當中曰齒。故牡齒應是臼齒，而牙音也應該從兩旁臼齒之間發出。與此相應，所說的牝齒應爲門齒或犬齒，即是由前牝齒間發出的齒音。舌音的部位較牙音靠外，依發音部位不同，又有舌面音與舌尖音之異。故似應改作：「最深爲喉音，稍出在兩旁牡齒間爲牙音，再出爲舌音，再出在前牝齒間爲齒音，再出在唇上爲唇音。」（頁二八）。其說爲是。

[23]王守泰認爲聲母分配五音，最簡便而清楚的是：喉音、舌音、半舌半齒音、齒音、牙音、唇音。此外又列舉四種主要音類分法：其一是陳獻可的「四聲經緯圖」，即守溫三十六字母的分類。其二是清代潘耒《類音》，分喉、舌、顎、齒、唇音，共五十字母。其三是徐大椿《樂府傳聲》的五音，徐氏未舉具體字例說明。其四是清樊騰鳳《五元方音》：「喉音土脾宮，齒音金肺商，牙音木肝角，舌音火心徵，唇音水腎羽。」王氏對這幾種分類都有評論（頁三八至四〇）。案：王氏尚未舉《梨園原》十音之說（詳第五章）。相較之下，仍以喉舌齒牙唇五音最爲簡便。

[24]《樂府傳聲譯注》頁二四。

[25]此例參溥雪漪《戲曲傳統聲樂藝術》頁三四。案：「天淡雲開」唱詞出自《長生殿·驚變》〔粉蝶兒〕。

[26]《樂府傳聲譯注》頁六三。

[27]徐氏認爲「人之喉嚨，靈頑不一。靈者則各韻自能分出韻之音；頑者一味響亮，不能鑿鑿分別。」惜其只分析東鐘、江陽和支思三韻的歸韻口法，無法給予後代歌者一套完整的法則。以上引語見〈歸韻〉。

[28]徐氏有〈陰調陽調〉一文討論入聲之陰陽，其謂：「逼緊其喉，而作雌

聲者，謂之陰調；放開其喉，而作雄聲者，謂之陽調。」《樂府傳聲譯注》解釋陰調是假聲，陽調是眞聲(頁七〇)。故「一陰一陽之斷」的解釋據此。

[29]本段參考《樂府傳聲譯注》頁八一。

[30]字數是一個調子本格正字的總數。句數是一個調子本格所具有的句數。句式是一個調子本格所具有的句子，其每句之字數和音節形式。平仄是每個句子的平仄格式，平聲中有時別陰陽，仄聲中有時分上去。韻協是何處要押韻，何處可押可不押，何處不可押韻，甚至於何句必須藏韻。又關於句式的討論詳第五章。參曾師永義《中國古典戲劇選注》頁一八。

[31]《樂府傳聲譯注》將「頓挫」主要解釋爲「分句」和「休止」，並認爲可能還包括演唱者通過頓挫、節奏來表達情感上的起伏、強弱、轉變、衝動與抑制等等(頁八五)。筆者認爲徐氏的頓挫意涵，是指唱者通過對曲辭文理的掌握，而後表達曲中的神理。由文理到神理，前者是方法，後者是目的，故感情的頓挫才是主旨。

[32]以下解釋高音和低音的提氣，參傅雪漪《戲曲傳統聲樂藝術》頁八一至八三。

[33]《樂府傳聲譯注》說：「下巴緊張，把喉頭逼緊，聲音固然可以加大，可是氣路不通，用不上氣，形成了習慣所說的『喉音』，這種唱法是否適當，還值得研究。」其對輕重之解釋，見頁八七。

[34]傅雪漪將徐大椿的「響不響者，聲也」解釋成「輕響」，認爲輕響是聲形問題，是吐字口形的問題。口腔共鳴大則聲音響，反之則聲音輕。並將高低、強弱、輕響三種唱法歸屬於「抑揚」含義。見《戲曲傳統聲樂藝術》頁一〇四。但筆者以爲如上所述，口形包含五音四呼，似不能以輕響規範之，且「輕響」二字不是對立性的詞語，故採取《樂府傳聲譯注》的解釋，指音量之大小。

[35]語見《樂府傳聲·重音疊字》,「重音」指疊韻字，如逢蒙、希夷之類。關於疊韻、疊字、重句（疊句）之例，詳見第二章註七。

[36]《顧誤錄》收入《中國古典戲曲論著集成》第九冊。

[37]《顧誤錄》於「方音」條下說：「愚竊謂中原實五方之所宗，使之悉歸《中原音韻》，當無僻陋之誚矣。」作者既知南北方音不同，而要求歌者正其所犯土音，豈能悉歸《中原音韻》？這是作者矛盾而未通達之處。

[38]人的發音器官，主要有三個部分：第一是肺（容氣之所）；第二是聲帶（發聲之源）；第三是口腔（構成字音、語言之關）。發音也必須經過三個步驟，第一是呼氣；第二是成聲；第三是構音，主要就是口腔所起的作用。參傅雪漪《戲曲傳統聲樂藝術》頁三。

[39]葉堂選輯校訂《納書楹曲譜》是清代崑曲「清唱」曲集，成書於乾隆五七年（一七九二年）。不帶道白及「引」曲的戲曲或散曲，稱爲清唱；因不用鑼鼓，只用三弦點鼓、拍板、笛子等伴奏樂器，故對歌詞字聲與音樂的配合，要求更爲嚴格，音韻方面也更講究。收入王秋桂先生主編《善本戲曲叢刊》第六輯。

[40]《牡丹亭·遊園》見王季烈、劉富樑《集成曲譜》聲集卷四（冊三頁五二七）。

[41]以上對正板、贈板的解釋參王守泰《崑曲格律》頁六四至六七。

[42]《思凡》出自明鄭之珍《孽海記》，見《粟廬曲譜》下冊頁二〇三。《活捉》出自明許自昌《水湖記》，見《集成曲譜》振集卷五。《羅夢》出自清無名氏《一文錢》，見殷溎深《六也曲譜》貞集。

[43]曲中原來只有本格的「正字」，其後加「襯字」使曲意流利活潑；襯字原爲虛字，寖假而易爲實字，其地位乃提升而爲「增字」；增字起初不超出三字，後遂累積成句，即所謂「增句」；「減字」和「減句」都是就本格正字和句數稍加損易，其例不多。至於「犯調」以南曲爲多，北

曲只有十調。參曾師永義〈北曲格式變化的因素〉。

[44]南曲聯套因場面之異而用不同引子：凡大場用長引；普通正場用較短之全引或集引；短場用則用半引，即就引子的曲牌只塡頭兩句，如〔女冠子〕，〔卜算子〕之類（參張師清徽《明清傳奇導論》頁一四一）。集曲乃集相同宮調或異宮調而同管色之曲牌，各取其中一二段而另組成新調，又可視爲犯曲，即一曲牌爲主格，而集其他曲牌爲犯聲之性質。尾聲則如《顧誤錄·尾聲論》所云：「句僅三句，字自十九字至二十一字止，多即不合式矣。如《四夢》傳奇之尾聲，多不入格局，至有三十餘字者。度曲不顧文義，刪落字句，遵依尾聲格式，則兩失之矣。」可知半引、集曲、尾聲都有增減字句的情形。

[45]筆者以爲此所謂「一板」不是指一拍，而是指一句完整的板式，或一板三眼或一板一眼或贈板皆有可能。

[46]板眼符號已於正文中說明，另外補充工尺和音階對照，如此則可閱讀以下曲文之工尺譜：

$\dot{1}$	$\dot{2}$	$\dot{3}$				
仩	伬	仜				
1	2	3	4	5	6	7
上	尺	工	凡	六	五	乙
$\underset{\cdot}{1}$	$\underset{\cdot}{2}$	$\underset{\cdot}{3}$	$\underset{\cdot}{4}$	$\underset{\cdot}{5}$	$\underset{\cdot}{6}$	$\underset{\cdot}{7}$
上	尺	工	凡	合	四	一

[47]《西樓記·玩箋》見《集成曲譜》金集卷六（冊二頁七五七）。

[48]《牡丹亭·叫畫》見《集成曲譜》聲集卷五（冊四頁六〇五）。

[49]《紅梨記·亭會》見《集成曲譜》振集卷四（冊七頁五七四）。

[50]《紫釵記·陽關》見《集成曲譜》聲集卷六（冊四頁七五五）。

[51]如《牡丹亭·遊園》杜麗娘唱完〔遶池遊〕引子散板之後，有一段說白，最後一句「好天氣也」，即可將「也」字音拖長，做爲叫板，再接唱〔步步嬌〕。

[52]此例參俞振飛輯《粟廬曲譜》頁一三～一四，一九五三年影印出版。案：俞振飛根據其父俞粟廬生前口授崑曲唱法加以校訂，手寫工尺譜影印。

[53]參《戲曲傳統聲樂藝術》頁一八五。

[54]王德暉、徐沅澂提出從字與工尺配合關係，求字之反切，別具創見。其〈工尺即反切論〉云：「愚謂曲之工尺以度其音，猶字之反切以得其韻。如曲中有二工尺之字，乃天然反切，絕無纖毫假借。即字用一工尺者，亦出口之字與收音之字，與反切吻合，不殊此理。至工尺多者，無論幾字，試去其中間工尺，只取首字之音與末字之音，合而讀之，即本字之反切也。」

[55]本段乃融合〈學曲六戒〉加以敘述，不另注明。

第五章　曲白論

前三章度曲論，可知元明清以來純粹討論演唱的戲曲專著實爲宏富可觀。此外，有理論家主要是從製曲、撰白的角度延伸至與唱曲、說白的關係，如王驥德；或更延伸至劇場上授曲與教白，如李漁;或直接就曲白藝術提出六大要訣，如黃旛綽等人。可看出這些曲論家同時關注度曲、賓白及其之間的關係。本章將這些不同角度的論述，統稱爲「曲白論」，一方面探討曲白藝術的內涵，也同時觀照戲曲文學創作論與表演藝術曲白論之間的密切關係。

樂曲和賓白[1]可說是古典戲曲的兩大要素。就戲劇的發展而言，由於這種一唱一說的形式，才使中國戲劇由形製短小、情節簡單的小戲系統，進入體製繁複、情節曲折的大戲系統。[2]可見講唱文學對古典戲曲的滋養何其重要。說唱形式運用在劇本文學上，就是每一折（齣）之中，以若干曲牌聯綴成套曲，曲辭中間以獨白、對白、夾白、滾白等不同的賓白形式。[3]大致而言，賓白和曲辭的配合，大多是交互使用，也就是「曲白相生」；但也有「重疊」或「相輔」的情形。所謂「重疊」即是賓白與曲辭所表現的意義相同，曲辭不過是歌唱表白一番而已。所謂「相輔」，即是曲辭所說明的事件或思想，有一部分和賓白相同，但另有開展。[4]曲辭和賓白的相生相成，共同推動關目情節的發展。從戲劇文學到劇場搬演，則是透過演員，將曲辭和賓白「唱」、「念」出來。故而延伸出戲曲表演體系中的「唱腔藝術」和「念白藝術」。

第一節 度曲與撰白

首先就曲白關係提出美學理念的是元代胡祗遹，〈黃氏詩卷序〉中論及「九美」，其中有三美：一「語言辨利，字真句明」；二「歌喉清和圓轉，纍纍然如貫珠」；三「一唱一說，輕重疾徐，中節合度；雖記誦閑熟，非如老僧之誦經」。如上所述，賓白有各種不同的形式，對演員而言，它們都可以統稱為「舞臺語言」。語言的功能在戲曲中，不僅為交代劇情和傳達角色心聲，而且代劇作家敘事及起唱之需。而戲曲語言又常帶有較強的音樂性，尤其是韻白，更須掌握抑揚頓挫，使其鏗鏘悅耳。劇中人物間的對答，不論何種情境，搭配必須絲絲入扣。[5]演員在舞臺上歌唱時，尚可借助樂器伴奏以敘事、抒情，而在念白時則全憑演員自己口齒清晰，應接靈敏以傳情達意，故念白時，要辨捷流利，字字真切，句句明白。唱曲時，必具備清和圓轉的音色，以及如一串驪珠的演唱技巧。至於一說一唱之間則必須有輕重緩急、抑揚頓挫之分，合乎節奏起伏變化；不能如老僧誦經般地機械刻板。也就是說，不論唱曲或說白，在記誦閑熟之外，還必須有一種情感流動，一種生氣貫注。此三美乃分別就念白、唱曲及曲白之間的關係而論的。[6]胡氏只是提出簡要的綱領原則，至於其內容的補充，具體的實踐，便有待王驥德、李漁等理論家了。

元代及明代初、中期的曲籍多是以優伶演藝生涯、作家生平、作品目錄、曲韻、曲譜為主的「著錄系統」，及以條例式、筆記式論曲的「曲話系統」為主，到王驥德《曲律》開始分卷分章，並擬標題，首論曲源，雜論居後，首尾完整，是明代第一本門類詳備、論述全面、組織嚴密、自成系統且具開創性的理論專著。[7]《曲律》所論述的層面包括戲曲的本質功用、歷史發展、體製結構、語言藝術，以及唱論、作者論與批評論等等。其論音韻問題原屬語言藝術中聲律論的範圍，然這些論述和唱論有密切關係；而其〈論賓白〉及〈雜論〉中的幾則文字，皆與說白有關。因此必須加以融會貫通，才能觀照王驥德的曲白論。

王驥德〈論腔調〉中採錄芝庵《唱論》共十則[8]，可見王氏不僅將論北曲的《唱論》運用於南曲，並且視爲「唱曲名言，皆所當玩」，將它當成唱曲的重要原則。魏良輔說「聲色豈能兼備」，王氏〈論腔調〉則云：「樂之筐格在曲，而色澤在唱」，所謂「筐格」是指各種曲調有其基本的唱腔與固定的格律；「色澤」意指先天的音色，唱者如何不逾規矩，而能游刃其中，唱得宛轉動聽，全賴色澤之表現。故〈雜論一〇三〉云：「天之生一曲才與生一曲喉，一也。天苟不賦，即畢世拈弄，終日咿呀，拙者仍拙，求一語之似，不可幾而及也。」可見天賦曲喉色澤是演唱者必備條件，和魏良輔「但得沙喉響潤，發於丹田者，自能耐久。」之說相較，王氏更重視天生具有的音色。

唱曲者雖具天賦曲喉，後天學習亦同等重要。其首要工作是「識字」，〈論須識字〉說明：

> 識字之法，須先習反切。蓋四方土音不同，其呼字亦異，故須本之中州；而中州之音復以土音呼之，字仍不正，惟反切能該天下正音……。至於字義，尤須考究，作曲者往往誤用，致爲識者訕笑……。則作曲與唱曲者可不以考文爲首務耶！

此說明「識字」包含識字音和識字義。字固有方音之異，即中州音也有一字多音的現象。音義有別，故唱曲時不但要避免其他方音的影響，也要視上下文義和格律，使用正確的音讀。此所以王驥德認為作曲者與唱曲者皆應以考文字音義為首務。如此則作曲者不會誤用而音律乖舛，而唱曲者不致唱訛字。王氏以考文為首務之說與魏良輔主張：「初學先從引發其聲響」有所差異。王氏從識音義的論題，延伸出四聲、陰陽、用韻、閉口字、務頭論等音韻問題，以及其與演唱之間的關係，這是王氏開展出來的理論。

首先是平上去入四聲論題，〈論平仄〉云：「曲有宜於平者，而平有陰、陽；有宜於仄者，而仄有上去入。乖其法則曰拗嗓。」平仄四聲不僅是說話時表現的語言聲調，也是文學語言文字的旋律，歌唱時會因四聲高低提頓不同的音調變化而有不同的唱法。因此作曲時，宜平宜仄之處不可乖法，才不會令唱曲者拗嗓（關於四聲唱法，第四章已詳述）。

其次是陰陽之說。周德清《中原音韻》將平聲分陰陽，上去俱無，而入聲作平聲俱屬陽平；王氏則主張南曲是平上去入皆有陰陽，入作平可作陰可作陽[9]，因此演唱南北曲時有所差異，〈論陰陽〉云：

> 周氏以清者為陰，濁者為陽，故於北曲中，凡揭起字皆曰陽，抑下字皆曰陰；而南曲正爾相反，南曲凡清聲字皆揭而起，凡濁聲字皆抑而下。……。《中原音韻》載歌北曲〔四塊玉〕者，原是「彩扇歌，青樓飲」，而歌者歌「青」為「晴」，謂此一字欲揚其音，而「青」乃抑之，於是改作「買笑金，纏頭錦」而始叶；正聲非其聲之謂也。南調

反此，如《琵琶記》〔尾犯序〕首調末「公婆沒主，一旦冷清清」句，「冷」字是掣板，唱須抑下，宜上聲，「清」字須揭起，宜用陰字清聲；今並下第二、第三調末句，一曰「眼睜睜」，一曰「語惺惺」，「冷」「眼」「語」三字皆上聲，「清清」「睜睜」「惺惺」皆陰字，叶矣。末調末句，卻曰「相思兩處，一樣淚盈盈」，「淚」字去聲，既啓口便氣盡，不可宛轉；下「盈盈」又屬陽字，不便於揭，須唱作「英」字音乃叶。

王驥德結合聲母清濁與陰陽調說明唱南曲與北曲的相反特質，其論北曲陰陽指陰平、陽平；論南曲陰陽則是指聲母之清濁。北曲例中，「青」字是陰平清聲，不宜揭起，故改爲陽平「纏」字才便於揚起。南曲例中，「冷」「眼」「語」字皆濁上，合於抑下之音，而「淚」字爲濁去，所謂「去往而不返」，故「啓口便氣盡，不可宛轉」；「清清」「睜睜」「惺惺」皆陰平清聲，宜於揭起，而「盈盈」爲陽平濁聲，唱則抑下，故不叶矣。[10]由於陰、陽調關乎演唱的聽覺效果，因此作曲者必須善用陰陽字法，如「陰字宜搭上聲，陽字宜搭去聲」。[11]倘若「宜揭也而或用陰字，則聲必欺字；宜抑也而或用陽字，則字必欺聲。陰陽一欺，則調必不和。欲詘調以就字，則聲非其聲；欲易字以就調，則字非其字矣。」[12]然則作者如何知一調之中何字宜陰？何字宜陽？〈雜論四〇〉云：

南曲之有陰陽也，其竅今日始闢。然此義微之又微，所不易辨，不能字字研其至當。當亦如前取務頭法，將舊曲子令優人唱過，但有其字是而唱來卻非其字本音者，即是宜陰用陽、宜陽用陰之故，較可尋繹而得之也。

陰字、陽字與音調之揭起、抑下息息相關，難以字字至當，惟有令優人歌之，方得以尋繹曲中陰陽字法，如此才不會「陰陽錯用」，所作之曲才不會令「聽者迕耳，歌者棘喉」。王驥德表明借用所謂「陰陽」二字，即是要使「曲之篇章句字，既播出聲音，必高下抑揚，參差相錯，引如貫珠，而後可入律呂，可和管絃。」

王氏論南曲陰陽是發揮孫鑛、孫如法叔姪的學說。[13]周德清〈作詞十法〉第六法有「用陰字法」及「用陽字法」，然止於平聲；在南曲則有不足，故王氏擴其說，以爲上去聲亦須講陰陽，並且具體說明陰字陽字與上去聲之搭配，進而提出令優人尋繹陰陽之法，眞如馮夢龍〈曲律序〉所言：「法尤密，論尤苛」。

其三是用韻問題。王氏主張南曲必用南韻，強調要嚴守押韻[14]，而且「押韻處要妥貼天成」(〈論字法〉)。〈雜論四二〉中提出十九韻類聲情說：

> 凡曲之調，聲各不同，已備載前十七宮調下。至各韻爲聲，亦各不同。如東鍾之洪，江陽、皆來、蕭豪之響，歌戈、家麻之和，韻之最美聽者。寒山、桓歡、先天之雅，庚青之清，尤侯之幽，次之。齊微之弱，魚模之混，眞文之緩，車遮之用雜入聲，又次之。支思之萎而不振，聽之令人不爽。至侵尋、監咸、廉纖，開之則非其字，閉之則不宜口吻，勿多用也。

王氏將十九韻的聲情加以分類，並就其聲情分高下品第。作曲者如用韻混雜不分，將造成「韻雜宮亂，入耳不諧」的現象，而不能使各韻聲情呈現純粹統一。因此用韻和美聽與否關係密切。從芝庵十七宮調聲情到魏良輔唱出曲名理趣到王驥德的十九韻類之聲情，可以得知演唱理論的發展中，要求歌者配合宮調、曲牌、韻類而唱出曲情是愈趨豐富細膩。

其四是閉口字。王氏認爲「字之有開、閉口也，猶陽之有陰，男之有女」，從徐展其音於鼻中的角度來看，則閉口鼻音自也有其美聽之處（詳第四章）。

其五是務頭論。王氏於〈論務頭〉指出自周德清提出務頭之說後，南曲則絕無人語及之者，可知王氏是第一位將務頭理論運用於南曲的人。[15]王氏解釋：

> 務頭之說……，南北一法，係是調中最緊要句字。凡曲遇揭起其音而宛轉其調，如俗之所謂「做腔」處。每調或一句或二三句，每句或一字或二三字，即是務頭。……古人凡遇務頭，輒施俊語或古人成語一句其上，否則詆爲不分務頭，非曲所貴，周氏所謂「如眾星中顯一月之孤明也」。

王氏從做腔和造語解釋務頭，可說是得周氏之眞義，但未論及某調是務頭，則稍有不周全。其後李漁〈音律·別解務頭〉亦說：

> 曲中有務頭猶棋中有眼，有此則活，無此則死……。看不動情，唱不發調者，無務頭之曲，死曲也。一曲有一曲之務頭，一句有一句之務頭。字不聱牙，音不泛調，一曲中得此一句，即使全曲皆靈；一句中得此一二字，即使全曲皆健者，務頭也。

李漁之論大抵同於王氏。然王氏進一步指示作者取務頭之法：「大略令善歌者，取人間合律腔好曲，反覆歌唱，諦其曲折，以詳定其句字。」換言之，透過善唱者反覆歌之，尋其曲折之處，則可知務頭之所在。既然務頭是作者最匠心獨運之處，唱者當該用心品味，才能將曲之務頭發揮得淋漓盡致。

以上所述四聲不得乖法、活用陰陽字法、恪守韻類不得出入、保留閉口字音的唱法、詳定務頭字句等等，皆爲使曲之聲律無「沾唇」、「拗嗓」之病，沾唇者「不脫口」，拗嗓者「平仄不順」（見〈論曲禁〉）。曲無沾唇拗嗓之病，才使音律美聽。〈論聲調〉說：

> 欲其清不欲其濁，欲其圓不欲其滯，欲其響不欲其沈，欲其俊不欲其癡，欲其雅不欲其粗，欲其和不欲其殺，欲其流利輕滑而易歌，不欲其乖剌艱澀而難吐。

可知曲的聲調，一要「諷詠之久，有金石宮商之聲」；二要可入律呂，可被管絃。三要便於歌者流利輕滑，引如貫珠。雖然「調其清濁，叶其高下，使律呂相宣，金石錯應」是存乎握管之人（〈論平仄〉），但唱曲者亦須識音明韻，才能將語言音韻的旋律表現出來。

唱曲者除須識音義，尙須明腔調、習板眼。王氏〈論腔調〉云：「世之腔調，每三十年一變」，故「古今之腔調既變，板亦不同，於是有古板、新板之說。」王氏主張唱南曲者當知以崑山腔爲正聲；於板眼則贊同沈璟「不敢苟且趨時以失古意」的態度，並引其話語：

> 詞隱於板眼，一以反古爲事。其言謂：「清唱則板之長短任意按之；試以鼓板夾定，則錙銖可辨。」又言：「古腔古板必不可增損，歌之善否，正不在增損腔板間。」又言：「板必依清唱，而後爲可守；至於搬演，或稍損益之，不可爲法。」——〈論板眼〉

演員登場扮演時，因當下時空之表現，板之長短緊慢略有出入則無妨，但不可爲清唱之法。清唱時板之長短如任意按之，或板先於曲(促板)，或板後於曲(滯板)，即是魏良輔所說：「有專於磨擬腔調而不顧板眼，又有專主板眼而不審腔調。」因此評量歌者是否善唱，在觀其清唱時能否精確掌握腔板，古腔古板不可增損之理即在此。至於唱者當如何明腔習板？王氏提出「傳腔遞板」之法：

> 以數人暗中圜坐，將舊曲每人歌一字，即以板輪流遞按，令數人歌之如一聲，按之如一板；稍有緊緩（腔）、先後（板）之誤，輒記字以罰。如此庶不致腔調參差，即古所謂「纍纍如貫珠」者。——〈論板眼〉

依照曲辭單字與工尺位置配合關係，有實板、掣板、底板之不同（見第三章）。可見掌握每個字的腔板是很重要的。此「傳腔遞板」之法，是讓歌者數人暗中圓坐而全神貫注，每人歌畢一字，即將板拍傳遞給下一位。每位歌者在傳腔遞板之間不僅要精確無誤，而且要讓一支曲子「歌之如一聲，按之如一板」，如此反覆揣摩練習，才能免於促板或滯板之病。[16]

唱曲者把握識音義、明腔調、習板眼的原理原則，要唱到「欲其無字」(〈雜論三八〉)的境界，也就是「唱得接貼融化，令不見痕跡」(〈論過搭〉)的高妙境界。王驥德從曲具有暢快人情、感物動人之本質[17]，以及詩歌韻文學發展的角度，肯定「金元之南北曲而極之長套，斂之小令，能令聽者色飛，觸者腸靡，洋洋纚纚。」(〈雜論五三〉)。但並不如朱權直接說：「一聲唱到融神處，毛骨蕭然六月寒」，將人聲與心靈及萬物三者之間回復交流、相互交感的意義呈現出來。就論演唱的形上境界而言，王氏是有所不及的。

王驥德以相當份量的篇章論述製曲與演唱的關係，同時也關注戲曲的賓白問題。關於「賓白」的意義，先前其師徐渭《南詞敘錄》的解釋是：「唱爲主，白爲賓，故曰賓白，言其明白易曉也。」[18]凌濛初《譚曲雜劄》引李栩《戒庵漫筆》曰：「兩人對說曰賓，一人自說曰白。」[19]徐渭和李栩皆視說白在戲曲中是爲賓客的地位。王氏則視賓白爲獨立的地位，並且加以分類說明，其〈論賓白〉說：

> 賓白亦曰說白。有定場白，初出場時，以四六飾句者是也；有對口白，各人散語是也。定場白稍露才華，然不可深晦……。對口白須明白簡質，用不得太文字；凡用之、乎、者、也，俱非當家。

定場白亦稱爲「坐場白」，是劇中主要人物第一次上場念完引子和定場詩以後所念的一段獨白，內容大多是自我介紹姓名、籍貫、身世及當時的情境，多以四六句出之，故可以稍露才華而不可深晦。對口白則是劇情進行中，人物之間的對白，故須明白簡質而用不得太文字。其後凌濛初《譚曲雜劄》進一步解釋賓白的特性：

> 古戲之白，皆直截道意而已；惟《琵琶》始作四六偶句，然皆淺淺易曉。蓋傳奇初時本自教坊供應，此外止有上臺构欄，故曲白皆不爲深奧。其間用詼諧曰俏語；其妙出奇拗曰俊語；自成一家言，謂之本色，使上而御前，下而愚民，取其一聽而無不了然快意。今之曲既鬥靡，而白亦兢富；甚至尋常問答，亦不虛發閒語，必求排對工切。是必廣記類書之山人，精熟策段之舉子，然後可以覯優戲，豈其然哉？

可知賓白以直截道意爲其本質。不論是俏語、俊語或本色語，都必須淺淺易曉，不可雕鏤詞句，崇尚麗辭；如此才能使上而御前，下而愚民皆能觀戲。而儘管賓白求其明白簡質，然其「句字長短平仄，須調停得好，令情意宛轉，音調鏗鏘。」故「雖不是曲，卻要美聽」，可知賓白之難實不下於曲。

正是從賓白、曲白之間的緊密關係及其在戲曲中的重要地位，王氏確定中國「至元而始有劇戲」。[20]這個觀念的提出，不止在由戲劇應具備的要素確定其成立的時代；更重要的意義在於王氏指出由戲劇文學到舞臺搬演所牽涉的關鍵人物是劇作家和演員；再結合上文討論的曲白論要求「美聽」的理念來看，顯然觀衆也是劇場中決定性的人物。換言之，劇作家、演員、觀衆，三者與戲劇之流傳與否息息相關。王氏〈論曲亨屯〉云：「夫曲曷嘗不藉所遇以爲幸、不幸哉？遇則亨，不遇則屯也。」是那些因素使曲亨屯而有幸與不幸？王氏「戲次其事，各得四十則」，細研其理，略可歸納影響曲之亨屯有六大因素：因劇本、因優伶、因觀聽者、因時景、因事地、因物與[21]，其中前三者正是指劇作家、演員和觀衆：

	曲之亨	曲之屯
因劇本	精刻本　新翻豔詞出	訛字　弋陽腔　演惡劇　唱猥詞
因優伶	美人歌　變童唱　名優　姣旦 豔衣裝　嬌喉　佳拍 伶人解文義	老醜伶人　窮行頭　沙喉 錯拍刪落
因觀聽者	名士集　座有麗人　佳公子 知音客　鑒賞家　詩人賦贈篇 座客能走筆度新聲 閨人繡幕中聽 主婦不惜纏頭　廝僕勤給事	傖父與席　下妓侑尊　惡客鬧座 客至犬嚎　酗酒人罵座 席上行酒政　將軍作調笑人 三腳貓人妄譏彈　村人喝釆 鄰家哭聲　僧道觀場　村婦列座 小兒啼　場下人廝打

劇本當然是首要條件，它應是無訛字或未爲俗子改竄的刻本(〈論訛字〉)，不可是一齣惡劇，曲詞不可猥褻，腔調應以「極婉媚之致」的崑山腔爲正聲，不可唱淫哇靡曼的弋陽諸腔[22]，更要時創豔詞新戲。佳劇自然要有名優姣旦，這些優伶應扮飾豔美，且具有曲喉及識板拍和理解曲辭文義的能力；反之，佳劇則無從表現。優人唱戲，當然要有觀聽者，凡曲遇名士佳人、知音鑒賞客等，猶如千里馬爲伯樂所識，而傖父村婦及席座上之嬉笑怒罵皆足以敗興，是曲之不遇也。觀聽者一欄列舉最多，可知王氏認爲主宰曲之幸或不幸，與觀聽者密切相關。

由胡祗遹到王驥德，曲白理論的發展可說是跨越了一大步。王驥德在唱論方面，充份發揮魏良輔的「字清、腔純、板正」三絕之說，運用音韻學及務頭論，並提出具體實踐的方法，緊密地結合曲詞與音樂的關係，也聯繫了作曲者與唱曲者不可分離的關係。尤其是辨陰陽、取務頭之法，皆須令優人反覆歌之，尋繹得之。在賓白方面，強調其難「不下於曲」，「雖不是曲，卻要美聽」。魏良輔從「聽曲不可喧嘩」及如何辨別唱曲者之工拙的角度要求觀聽者；王氏則從曲白之情意宛轉、音調鏗鏘，原是要讓觀者覺得美聽的角度立論。整體論之，王氏不止繼承元代胡祗遹對曲白的美學理念，而把唱曲和賓白相提並論；並且擴充曲白論的內容；更將此論題的觸角延伸至劇作家、演員、觀眾的層面，及其共同主宰曲之幸與不幸。

第二節　習唱與學白

清初的李漁一方面繼承前人的唱論；一方面深入發展王驥德

重視賓白的觀念。其《閒情偶寄》的「詞曲部」有〈音律第三〉、〈賓白第四〉、〈科諢第五〉；「演習部」有〈授曲第三〉、〈教白第四〉、〈脫套第五〉等專章論述唱曲和賓白的問題，每章之下又立若干款項敘述。詞曲部是提供「文士」塡詞作曲編之法，演習部則是提供「優師」選劇授教白之道，以及「優人」演劇習唱學白之方。[23]前者是戲劇文學藝術理論的建立，後者是劇場藝術理論的實踐，二者並觀，即是李漁完整的曲白論。

李漁的音律論，主要是以〈恪守詞韻〉爲總綱領，延伸出〈魚模當分〉、〈廉纖宜避〉、〈少塡入韻〉、〈合韻易重〉等用韻問題。在強調「一出用一韻到底，半字不容出入」的原則下，要求《中原音韻》中的「魚模韻」當分爲二韻。此說王驥德《曲律·論韻》已有提及：

周之爲韻，其功不在於合而在於分，而分之中猶有未盡然者。如江陽之於邦王；齊微之於歸回；魚居之於模吳；眞親之於文門；先天之於鵑元。試細呼之，殊自逕庭，皆所宜更析。

這幾組字例之別在其開合洪細[24]，所以王氏分「姜、光」、「堅、涓」諸韻[25]，又新定「居蘧」韻、「機奇」韻[26]，顯然都主張開口、合口韻不當相混。李漁說：「無論一曲數音，聽到歇腳處覺其散漫無歸；即我輩置之案頭，自作文字讀，亦覺字句聱牙，聲韻逆耳」。監咸、廉纖屬閉口韻，「以作急板小曲則可，若塡悠揚大套之詞，則宜避之。」因爲此二韻每至收音處，不及侵尋閉口之音猶帶清亮；且韻中多險僻艱生之字，不宜多用。王驥德《曲律·論險韻》說：「須韻險而語則極俊，又極穩妥，方妙。」但又恐唱時費力，仍主張閉口字少用。此外，運用入聲韻腳當宜謹愼，「塡詞老手，用慣此等字樣，始能點鐵成金；淺乎此者，運用不來，鎔鑄不出，非失之太生，則失之太鄙。」至於一字二、三押的「重韻」問題，王驥德已列爲曲禁之一，但同時指出這是對散曲小令而言，長套及戲曲不拘(見〈論曲禁〉)。李漁進一層說明，凡作「前腔之曲而有合前之句者，必將末後數句之韻腳，緊記在心，不可復用。」所謂「前腔」，指南曲聯套中有同一牌名而爲數曲者，止于首列出曲牌名，其後數曲則曰「前腔」(北曲則曰「么篇」)。曲文之「末後數語，有前後各別者；有前後同相，不復另作」者，名爲「合前」；而合前之韻腳最易犯重。其所以強調「合韻易重」的現象是：

> 韻腳犯重，猶是小病；更有大於此者，則在詞意與人不相合。何也？合前之曲，既使同唱，則此數句之詞意，必有同情。如生、旦、淨、丑四人在場，生、旦之意如是，淨、丑之意亦如是，即可謂之同情，即可使之同唱。若生、旦如是，淨、丑未盡如是，則兩情不一，已無同唱之理；況有生、旦如是，淨、丑必不如是，則豈有相反之曲而同唱者乎？

因爲「合前之曲必通場合唱」，故「合前」部份的詞意必與腳色行當及其所扮飾的劇中人物是「同一種戲劇情境」，才能使之「同唱」。這個問題牽涉到傳奇的演唱形式。元雜劇是由正旦或正末一種腳色獨唱全劇，傳奇則各種腳色皆可任唱，其演唱方法有五種：其一獨唱 ，一人唱畢一曲 。其二接唱，二人分唱一曲，後唱者接前唱者未竟之曲。其三同唱，二人或二人以上同聲唱一曲。其四合唱，一曲之上幾句甲唱，下幾句則甲乙合唱；復由乙唱同腔異詞之上幾句，又由甲乙合唱其下幾句，三人以上合唱法亦如之。其五半合唱，一人先唱前幾句，後數句爲合唱，即「合前」。[27]李漁將這種「同情而使之同唱」的理論延伸到傳奇的演唱形式，〈授曲・曲嚴分合〉說：

> 同場之曲，定宜同場；獨唱之曲，還須獨唱，詞意分明，不可犯也。常有數人登場，每人一隻之曲，而眾口同聲以出之者。在授曲之人，原有淺深二意：淺者慮其冷靜，故以發越見長；深者示不參差，欲以翕如見好。

「同場之曲」指臺上衆人同唱、齊唱之曲，其文詞應具有可以同唱之意義；而「獨唱之曲」，只需就劇中人物個人的情境而設詞，故詞意分明，不可相犯。可是舞臺演唱，卻常將獨唱之曲改成同唱之曲。李漁認爲這是授曲者兩種不同的態度，一種是顧及場面太清冷安靜，故以合唱而使其昂揚清越；一種是考慮同場的獨唱者演唱技巧參差不齊，故以合唱使其音調翕合。二者所慮雖有淺深之別，但李漁仍主張「曲既分唱，身段即可分做，是清淡之內，原有波瀾；若混作同場，則無所見其情，亦無可施其態矣。」[28]演員正是在獨唱的形式下，可以邊唱邊做，充分地表現演唱之情及身段之態。於是，合前同唱及獨唱等種種演唱形式，不止是傳奇文學的體製之一，也是南曲聯套中特有的音樂結構，更是劇中腳色人物唱曲之詞情與劇情是否相合的論題。

舞臺演唱嚴分獨唱、合唱、同唱等不同的表現形式，是以曲意爲主導的。換言之，要讓演唱者能見其情施其態，是根基於對曲意的掌握，而唱出黯然魂消或歡者怡然的曲情（詳第六章身段論）。

演員除了要唱出曲情，也要能工於說白。李漁在〈結構・密針線〉說：「傳奇一事也，其中義理，分爲三項：曲也，白也，穿插聯絡之關目也。元人所長者，止居其一，曲是也。白與關目，皆其所短，吾於元人，但守其詞中繩墨而已矣。」可知其視賓白與曲文、關目是爲平行而獨立的地位，然而元明以來的雜劇傳奇作家卻多輕之。李漁解釋其原因說：

> 北曲之介白者，每折不過數言；即抹去賓白而止閱填詞，亦皆一氣呵成，無有斷續，似併此數言亦可略而不備者。由是觀之，則初時止有填詞，其介白之文，未必不係後來添設。在元人，則以當時所重不在於此，是以輕之。後來之人又謂：元人尚在不重，我輩工此何爲！遂不覺日輕一日，而竟置此道於不講也。——〈賓白第四〉

這段話很有商榷的餘地。北雜劇固然只有四折，然若無賓白而止閱曲套，則幾乎不能知其關目，關漢卿的《詐妮子調風月》即是如此。而由此推論北雜劇初時止有塡詞，其介白之文，可能是後來添設，頗有疑議。王驥德則認爲是說白先撰而曲詞後塡，〈雜論一二〉云：

> 元人諸劇，爲曲皆佳；而白則猥鄙俚褻，不似文人口吻。蓋由當時皆教坊樂工先撰成間架說白，卻命供奉詞臣作曲，謂之塡詞。凡樂工所撰，士流恥爲更改，故事款多悖理，辭句多不通。不似今作南戲者盡出一手，要不得爲君子疵也。

顯然王氏認爲南戲的曲辭和賓白皆是文士一手完成；而北雜則劇由教坊樂工先撰間架說白，再由文士塡詞作曲。因爲是由樂工撰寫關目、賓白，所以故事情節多無理，賓白辭句多不通。可知王李二人都主張雜劇曲白的作者不同。吉川幸次郎《元雜劇研究》認爲這種見解難以成立，其理有三。第一，賈仲明《增補錄鬼簿》的挽辭，對作者的技巧已極爲關心，若所謂「關目」的主要依據——賓白，是出自優人之手，則對作者「關目」的好壞就無法批評了。第二，從作品本身內在條件來看，現存雜劇的歌曲與賓白，雖有些聯繫不好之處，然大體上都穿插得相當巧妙，若是出於兩人之手，則無法產生「曲白相生」的妙處。第三，觀察元雜劇作品，其歌辭的巧拙大致與結構的好壞並行，不似出自二人之手。吉川氏進一步考求實際在舞臺排演時，應有文人與優伶的合作；並且眞正上演時，優伶還經常自由加以更改，故現存各種雜劇本子，科白或略有差異。這種差異之所以產生，一則由於刊行者整理法之不同，二則由於優伶更改之故。[29]鄭騫先生〈吉川著元雜劇研究中譯本序〉則提出現存元雜劇賓白之口語有時和明代中葉以後的通行本很相近，故懷疑其賓白是經過明代文人以及伶工大量增改過的。筆者以為從劇本創作原理來看，元雜劇關目、曲辭和賓白或許都曾出自作者之手；刊印之初，只印曲文，以其為唱，無文字則不易曉；後則原始賓白失落，依現場演出補入，遂有伶人改易之跡；明臧懋循〈元曲選序〉所謂：「其賓白則演劇時，伶人自為之」可以為證。優伶在舞臺上，對形式格律固定的曲辭不易隨機更改，而對賓白則可能因當時表演情況或觀衆的反應而隨口變化語言對白，這其間自有可能產生猥鄙俚褻、辭句不通的賓白。

雖然王李二人對元雜劇賓白的作者論點不同，但都意識到賓白的重要性。王氏強調南戲之賓白出自劇作家之手，故要不得為君子疵也；李漁則感慨「自來作傳奇者，止重填詞，視賓白為末著」。可見二人都主張賓白應當是傳奇創作的一部份；而李漁比王驥德更具體地提出創作賓白的方法。首先，賓白的平仄音韻要如同曲文般鏗鏘悅耳，〈聲務鏗鏘〉云：

> 賓白之學，首務鏗鏘。一句聱牙，俾聽者耳中生棘；數言清亮，使觀者倦處生神。世人但以「音韻」二字，用之曲中，不知賓白之文，更宜調聲協律。

如何使賓白聲律清亮聳聽？李漁提出兩種方法：其一，「四六之句，平間仄、仄間平非可混施疊用」，故可「以作四六平仄之法， 用於賓白之中 ，則字字鏗鏘，人人樂聽，有金聲擲地之評。」其二，「有時連用數平，或連用數仄，明知聲欠鏗鏘，而限於情事，欲改平爲仄、改仄爲平而決無平聲、仄聲之字可代」時，則可用上聲字代之 。因爲上聲雖與去 、入同爲仄聲，但其「較之於平則略高，比之去、入則又略低」，別有一種聲音，故實可介於平、仄之間。〈音律第三〉特別提出〈愼用上聲〉一款，強調上聲一音：「用之詞曲，較他音獨低；用之賓白，又較他音獨高。」正因爲念來高者唱出反低，易形成利於案頭而不利於場上之通病，故「塡詞者每用此聲，最宜斟酌」。

其次，賓白當「語求肖似」。所謂：「言者，心之聲也，欲代此一人立言，先宜代此一人立心。」故作者當「夢往神遊」，「設身處地」；劇中人物「立心端正者，我當設身處地，代生端正之想；即遇立心邪辟者，我亦當舍經從權，暫爲邪辟之思。務使心曲隱微，隨口唾出，說一人肖一人，勿使雷同，弗使浮泛。」由於賓白是劇中各腳色人物之說白，故必合乎該人物的身份立場及其所處的戲劇情境。

其三，賓白除求肖似，還要求「尖新」，〈意取尖新〉云「：傳奇之爲道也，愈纖愈密，愈巧愈精。……其實尖新即是纖巧。……白有尖新之文，文有尖新之句，句有尖新之字，則列之案頭，不觀則已，觀則欲罷不能；奏之場上，不聽則已，聽則求歸不得，尤物足以移人。尖新二字，即文中之尤物也。」故賓白不止是口語文學，還應顧及文字之纖密精巧，使其能列之案頭，亦能奏之場上。因爲要列之案頭，則「凡作傳奇，不宜頻用方言，令人不解。」如此才能成爲「天下之書」，此所以傳奇作者「不可不存桑弧蓬矢之志」（〈賓白·少用方言〉）。奏之場上才能使聽者求歸不得。

其四，賓白當繁減有度。李漁指出舊劇之搬演，如《琵琶》、《西廂》、《荊》、《劉》、《拜》、《殺》等曲，「家絃戶誦已久，童叟男婦，皆能備悉情由。即使一句賓白不通，止唱曲文，觀者亦能默會。是其賓白繁減，可不問也。」可是新演之劇「其間情事，觀者茫然，詞曲一道，止能傳聲，不能傳情。欲觀者悉其顛末，洞其幽微，單靠賓白一著。」所以新劇的賓白則不厭其多（〈賓白·詞別繁減〉）。然而並非一味求其繁多，〈文貴潔淨〉說：「多而不覺其多者，多即是潔；少而尙病其多者，少亦近蕪。予所謂多，謂不可刪逸之多，非唱沙作米、強鳧變鶴之多也。」故賓白以潔淨簡省爲原則，此與王驥德〈論賓白〉說：「大要多則取厭，少則不達。蘇長公有言：行乎其所當行，止乎其所不得不止。則作白之法也。」所論相同。由於一部傳奇篇幅多在三十至五十齣之間，其賓白「自始至終，奚啻千言萬語」，故應避免「前是後非，有呼不應，自相矛盾之病。」(〈時防漏孔〉)，此與關目布置息息相關，故李漁有〈結構第一〉專章論述。

賓白求其聲音鏗鏘、語言肖似、文句尖新、繁減有度等等，都是要求作者設身處地，要「以口代優人，復以耳當聽者，心口相維，詢其好說不好說，中聽不中聽」爲創作的基本態度；換言之，要「手則握筆，口卻登場，全以身代梨園，復以神魂四繞，考其關目，試其聲音，好則直書，否則擱筆」（〈詞別繁減〉），如此才能寫出宜觀、宜聽的賓白。

作者以口代優人、以耳當聽者，是在劇本搬演之前對賓白的一種模擬，演員才是舞臺上眞正的說唱者。因此「賓白雖係編就之言」，演員仍當習練，才能說之得法而中肯綮。首先，要掌握賓白的高低抑揚，〈教白·高低抑揚〉以唱曲之法互證：

> 白有高低抑揚……若唱曲然。曲文之中，有正字、有襯字。每遇正字，必聲高而氣長；若遇襯字，則聲低氣短而疾忙帶過，此分別主客之法也。說白之中，亦有正字，亦有襯字。其理同，則其法亦同。一段有一段之主客，一句有一句之主客。主高而揚，客低而抑，此至當不易之理，即最簡極便之法也。

分別主客之句字而決定其高低抑揚，此爲場上所說之話。「至於上場詩、定場白以及長篇大幅敘事之文，定宜高低相錯，緩急得宜，切勿作一片高聲，或一派細語。」[30]此外，還得把握緩急頓挫之法，李漁解釋「場上說白，儘有當斷處不斷，反至不當斷處而忽斷；當聯處不聯，忽至不當聯處而反聯者：此之謂緩、急、頓、挫。」說白何時當聯？何時當斷？「大約兩句三句而止言一事者，當一氣趕下；中間斷句處，勿太遲緩。或一句止一言一事，而下句又言別事，或同一事而另分一意者，則當稍斷，不可竟連下句。」（〈教白·緩急頓挫〉）。戲曲演員能別高低抑揚、辨緩急頓挫之法，才能將作者用心經營的那些聲音鏗鏘、語言肖似、文句尖新、繁簡有度的賓白，恰如其分地表現出來。演員與作者、案頭與場上乃能相得益彰。

除了分述唱曲和賓白兩方面的論題，還扣緊曲白之間的關係。

〈賓白第四〉說：

> 曲之有白，就文字論之，則猶經、文之於傳、註……。故知賓白一道，當與曲文等視。有最得意之曲文，即當有最得意之賓白。但使筆酣、墨飽，其勢自能相生。常有因得一句好白而引起無限曲情，又有因塡一首好詞而生出無窮話柄者，是文與文自相觸發……。此係作文恆情，不得幽渺其說而作化境觀也。（原註：王安節曰：「先生之恆情，即他人之化境。」）

正因爲在戲劇文學中，曲白是相輔相成的關係；因此對於作者而言，寫一句好白和塡一首好曲都是功力之所在。故作者要以曲文和賓白等視的創作態度，編寫出相生相觸的曲白；不應認爲其說幽深微渺，而以羚羊掛角、無跡可求的化境觀之[31]，此方爲作曲寫劇之「恆情」。對於演員而言，則不可持有「唱曲難，說白易」的態度。李漁〈教白第四〉指出「梨園之中，善唱曲者，十中必有二三；工說白者，百中僅可一二。」，可見說白之難。而一般時論皆認爲：「賓白念熟即是；曲文念熟而後唱，唱必數十遍而始熟，是唱曲與說白之工，難易判如霄壤。」李漁對此說有不同的見解：

> 唱曲難而易，說白易而難。知其難者始易，視爲易者必難。蓋詞曲中之高低、抑揚、緩急、頓挫，皆有一定不移之格，譜載分明，師傳嚴切，習之既慣，自然不出範圍。至賓白中之高低、抑揚、緩急、頓挫，則無腔板可按、譜籍可查，止靠曲師口授。而曲師入門之初，亦係暗中摸索。彼既無傳於人，何從轉授於我？訛以傳訛，此說白之理，日晦一日而人不知；人既不知，無怪乎念熟即以爲是，而且以爲

易也。

曲有曲譜爲範本，歌者習唱時，有曲譜爲依據，有曲師之教導，故唱曲難而易。說白則無腔板無譜籍，其高低抑揚、緩急頓挫全憑曲師口授；而大匠能授人以規矩，不能度人以巧妙，故說白易而難。唱者不可以表象的「知」而重曲輕白。李漁的曲白論，不論是創作或說唱，都是從作者與演員之間密切不可分的關係建立起來的。而爲了能使作者的曲白和演員的說唱，在舞臺上融合無間地表現出來，鑼鼓的配合是不容忽視的。〈授曲・鑼鼓忌雜〉云：

戲場鑼鼓，筋節所關。當敲不敲、不當敲而敲，與宜重而輕、宜輕反重者，均足令戲文減價……。如說白未了之際，曲調初起之時，橫敲亂打，蓋卻聲音，使聽白者少聽數句，以致前後情事不連；審音者未聞起調，不知以後所唱何曲。打斷曲文，罪猶可恕；抹殺賓白，情理難容。

戲場鑼鼓要配合演員的演唱和說白，即鑼鼓之起始或結束，皆要在「曲」「白」相承之際，而不蓋卻賓白、打斷曲文。應當疾徐輕重有致，而且不可宣賓奪主，必須「以肉爲主而絲竹副之，使不出自然者亦漸近自然，始有主行客隨之妙。」否則，場上之曲，如「反以絲竹爲主，而曲聲和之，是座客非爲聽歌而來，乃聽鼓樂而至矣。」（〈授曲・吹合宜低〉）。李漁將曲白論延伸到戲場上鑼鼓絲竹的配合，更可以見出其「塡詞之設，專爲登場」的理念。

從王驥德到清初李漁，曲白論的發展終於建立了理論規模。可以說，是胡祇遹立下基址間架，而由王李二人建棟築樑、設廳開戶成此屋宅。其間王驥德正是居於承上啓下的重要地位。在唱論方面，李漁討論的開合口韻、閉口韻、入聲韻、重韻等押韻問題，大致承襲王氏所論，但提出「合韻易重」的現象，將合韻易重的問題與傳奇文學的體製結構、南曲聯套音樂結構、舞臺表演中唱念身段等方面結合起來，可說是突破前人唱論環繞的咬字吐音、腔純、板正諸論題，而延伸「唱出曲情」方是登峰造極的理念。在賓白方面，李漁具體的提出編寫之法以及戲曲演員如何掌握賓白的高低抑揚、緩急頓挫，則是王氏未論及的。至於論述曲白之間及其與樂器伴奏的關係，更是李漁新開展的觀點。就整體而言，王驥德的曲白論在繫聯作者、演員、聽者的關係；而李漁則偏重在建立演員、作者與劇場的關係。故李漁曲白理論不止是戲劇文學的藝術，而且是可以實踐的劇場藝術理論。

第三節　曲白六要

王驥德和李漁都是劇作家兼理論家，故其曲白論皆將創作與唱念藝術結合，《梨園原》則專從表演藝術的角度論述，可說是繼承李漁《閒情偶寄》演習部的脈絡而來。此書原曰《明心鑑》，是清代乾隆、嘉慶年間一位藝名黃旛綽[32]的戲曲藝人「彙其平生所得，筆之於書」而成。後由莊肇奎（胥園居士）「助其考古證今，凡有關於梨園一業，雖片紙隻字，皆續載於是書」，更名曰《梨園原》。道光九年(一八二九)，黃旛綽弟子俞維琛、龔瑞豐出其殘稿，求請葉元清（秋泉居士）就其殘缺處加以修補，舛誤處加以考證，龔、俞之心得處代爲撰述。[33]故今所見之《梨園原》，至少中經三易其稿，歷時乾、嘉、道三代，是一部綜合了黃旛綽及其弟子們的表演心得，以及莊肇奎、葉元清的修補考證的著作。可視爲是清代中葉崑曲藝人舞臺實踐的經驗，也可說是古典戲曲理論著作之中，唯一關於戲曲表演學的專著。周貽白解釋：「『明心』就是要內心有戲，不能只求形式上的肖似；『鑑』就是鏡子，也就是把演戲時應該注意的一些問題或者較易發生的毛病，分別指出，作爲一種借鑑。」[34]全書以〈藝病十種〉、〈曲白六要〉、〈身段八要〉、〈寶山集八則〉等篇章爲主要內容。[35]〈身段八要〉專述演員的形狀分類及身段動作（詳第六章身段論），其餘三章都涉及曲白問題，可見戲劇中的曲白已被視爲表演藝術理論之一。

〈曲白六要〉包括：音韻、句讀（音逗）、文義、典故、五聲、尖團等六要。第一要「音韻」云：

> 每發一字，先審其唇、齒、喉、舌、鼻，或半唇、半喉，或半舌、半齒，或半齒、半鼻，均須辨明。各有一定部分，不可強使歸於他部。特製出一表列下。按表類推，則不致有誤矣。
>
> 唇——————————————————非夫奉微
> 齒——————————————————至恥是射
> 喉——————————————————號奥靠歐
> 舌——————————————————黎樓亮列
> 鼻　無純乎鼻音，皆係與他音相輔者。如——西一令進
>
> 按上表所列類推之，則發出之音，自然字正音圓，不致有唱者爲「天」聽者爲「焉」；唱者爲「地」聽者爲「息」；唱者爲「元」聽者爲「言」；唱者爲「黄」聽者爲「旁」之弊也。

這裡所說的「音韻」不是指塡詞作曲之平仄押韻，而是指發

音部位。《梨園原》提出的發音部位有五個，各有所謂「半音」，共有十聲。《梨園原》的傳授者黃旛綽爲江南人，此書又是專論崑曲表演藝術，故可從吳語方言及其字例，嘗試分析其音類和音值。其一，吳語「幫滂並」用雙唇音，「非敷奉微」用唇齒；唇音所列之字是唇齒音，則其半唇可能指雙唇音。其二，齒音所列之字，「恥」字屬知系，「是、至、射」三字屬照系，是正齒音；〈曲白六要〉論「尖團」謂「尖字係半齒音」，則其半齒音指齒頭音，即中古精系字接細音韻母者，後來演變爲吳語的尖音字（詳下文第六要「尖團」）。其三，字例中「號、奧、靠、歐」字皆屬喉音字；由於表中並無牙音，半喉可能是指俗稱的牙音字。中古牙音見系字，今開口呼、合口呼在吳語仍讀舌根音，今齊齒呼、撮口呼則變成舌面音，即團音。[36]其四，舌音所列字例皆是「來」母，則其半舌可能指舌尖音，今吳語的「端透定」也大都是舌尖音。其五，中古的「明泥孃」是鼻音，吳語也全用鼻音。而《梨園原》所指的並不是純粹鼻音之字，而是「與他音相輔者」，也就是收鼻音韻尾之字。[37]這點可以用江蘇吳江人徐大椿《樂府傳聲》的話語作輔證，其〈鼻音閉口音〉說：「喉舌齒牙唇之外，又有鼻音、閉口音者……。如庚青二韻，乃正鼻音也；東鍾、江陽，乃半鼻音也。尋侵、監咸、廉纖，則閉口音也。正鼻音則全入鼻中，半鼻音則半入鼻中，即閉口之漸也。閉口之音，自侵尋至廉纖而盡矣。故中原音韻以東鍾起，以廉纖終。」徐氏此段文字在論北曲《中原音韻》，庚青、東鍾、江陽韻尾皆收[-ŋ]，徐氏又區分爲正鼻音和半鼻音，可能與韻尾前的主要元音有關。庚青爲[əŋ]，東鍾爲[uŋ]，江陽爲[aŋ]。[38][ə]爲央元音，共鳴腔小，鼻音明顯，故庚青爲正鼻音；[u]、[a]後元音，共鳴腔大，鼻音不明顯，故東鍾、江陽爲半鼻音。今吳語的鼻音韻尾主要有[-n]和[-ŋ]兩種，庚青主要元音及韻母是[en]或[in]，東鍾是[oŋ]，江陽是[aŋ][39]，[e]、[i]爲前元音，共鳴腔小，[o]、[a]爲後元音，共鳴腔大。字例中，「令、進」二字屬庚青韻；「西、一」二字原爲陰聲韻，也許由於是齊齒音，共鳴腔小，演唱時不易達於遠處，故在口腔有限的共鳴之下，影響至鼻腔而帶出鼻音，使氣流迴盪起來；故「西、一、令、進」皆列在鼻音之下。如同就鼻音性質之多寡和共鳴腔之小大而分正鼻音、半鼻音，則可以借用徐氏之論北曲來解釋〈曲白六要〉的鼻音是指韻尾收[-n]者；而半鼻音可能指韻尾收[-ŋ]者。

這一段「音韻」的論述，是強調說唱者每發一字，其聲母發音部位「均須辨明，各有一定部分，不可強使歸於他部」，以免聽者因發音部位不清晰而誤爲他字。此與沈寵綏提出的〈字頭辨解〉及徐大椿的〈出聲口訣〉等觀念相同。辨明每一字的發音部位，才能清楚地咬字吐音，〈藝病十種〉說：「唱曲、說白，凡必須口齒用力，一字重千斤，方能達到聽者之耳；不然，廣園曠地，人數衆多，未必能人人聽清。」如果唱念時口齒無力，即是犯「口齒浮」之病。所以必須同時掌握字的發音部位、善於運用口齒力度，才能字字清晰地遠傳於聽者之耳。

曲白第二要是「句讀」：

> 句者，一整句也；讀(音逗)者，半句也。唱曲時不分句、讀，尚有腔調以繩之；惟說白必須句、讀分明，方能達出本意。如「豈不知聖人云」，「豈不知」三字爲讀，至「聖人云」始爲一句。說白至讀時，略爲一頓，不可過久；至一句，則稍久亦無妨也。

以一整句和半句區分句、讀，是與句式關係密切。句式就是一個調子本格所具有的句子，其每句之字數和音節形式。音節形式就是句中音步停頓的方式，停頓的方式有久暫之別，必須掌握分明。音節形式有單雙二式，如七言作四、三爲單式；作三、四爲雙式。還有一種是意義形式，指句中意象語和情趣語的組合方式，意象語爲名詞及其修飾語，此外爲情趣語。意義形式和音節形式，有時是兩相疊合，有時則有分歧。[40]這兩種形式可說是區分句、讀的原理。

句讀對唱曲和說白的作用稍有不同。所謂「唱曲時不分句讀，尙有腔調以繩之」，是說唱曲有腔調板眼的規律，自然形成音樂上的句讀；但仍然要掌握曲文本身的句讀，也就是要將曲辭的意義形式和音節形式表現出來，以能配合韻文學中的意境美和音樂美。故〈寶山集八則〉論「曲」說：

> 曲者，勿直，按情行腔。陰陽緩急，板眼快慢，當時情理如何，身段如何，與曲合之爲一，斯得之矣。

曲要宛轉曲折，不能平鋪直唱，所以說「曲者，勿直」，其主要原則是要「按情行腔」。所指的「情」指曲中當時的情理，曲中情理即是透過區分句、讀而將曲辭的意義形式和音節形式傳唱出來；然後配合曲調之陰陽緩急、板眼快慢以行腔轉調，再融合身段動作。這裡所說的「身段」，簡單地說，就是〈藝病十種〉提出的：「凡唱念之時，總須頭頸微搖，方能傳出神理」；如果「永久不動，則成傀儡」，即是犯「強頸」（項頸不動）之病。複雜地說，就是結合唱念與做舞（詳第六章身段論）。曲情、曲調、身段三者合一，才得唱曲之神理。可見句、讀的掌握成爲表現曲情的要素，對唱曲有莫大的作用。

唱曲有腔調板眼形成音樂上的句讀；至於說白的句子，如果是上場詩、下場詩，也應依韻文學的句式區分句、讀；如果是場上說白則無固定的音節形式，必須依其敘述句的語言長度，以意義形式分句、讀。因此每一句之中，至讀時可以略爲一頓，而至一句末尾正是其音節形式的完成，故稍久無妨。可知說白全憑意義形式的掌握而使句、讀的音節形式分明。所以〈寶山集八則〉中有一則論「白」：

白病數字。數字者，即按字直念也。昔人有詞曰：「說白病數字，佳者四聲全（原註：四聲乃歡、恨、悲、竭）。長短高低語，官私緊慢言，有如家常語，還同事樣般。聽者有興趣，能泣亦能歡。」

正因爲以音節形式區分說白之句讀，故可避免按字直念之病；又因爲掌握了意義形式，故可以在長短高低、官私緊慢之間盡歡恨悲竭之情。〈寶山集八則〉中有一則論「聲」：

聲歡：降氣　白寬　心中笑

聲恨：提氣　白急　心中躁

聲悲：噎氣　白硬　心中悼

聲竭：吸氣　白緩　心中惱

各聲雖皆從口出，若無心中意，萬不能切也。

這裡舉出四種不同情緒的表達方式。心中高興喜悅時，說白要從容不迫，呼吸要輕鬆、自如、飽滿，以表歡愉之聲。心中焦躁不安時[41]，說白要緊急迫切，從丹田提氣，在胸中作小幅度的迴旋，控制不放，以表怒恨之聲。心中哀傷悼念時，說白要哽咽，用上胸呼吸，且呼吸短促，如梗在胸口，眼淚欲落時，可用貼氣（運氣往下眼眶前面貼），以表悲痛之聲。心中煩惱憂悶時，說白要緩慢，用口鼻深吸氣，吸氣要慢，控制氣於胸底，以表竭盡之聲。可知唱念時，呼吸用氣也是重要的技巧之一，尤其表現某種情感時，呼吸形態也要和情感表現相同，則聲音與面貌神態自然協調一致，此即以情感來調動呼吸。[42]因此演員要以心中情意爲主導，結合不同的用氣方式與說白的速度，而發出歡恨悲竭等不同感情的聲音，才能將劇中人物當時的情境淋漓盡致地表現出來，也才能引起觀衆聽戲看戲的興味，得到觀衆內必情感的共鳴，因而隨演員及其扮飾劇中人物之歡泣而歡泣。然而，說白表現情感時必需恰到好處，不能太過，〈藝病十種〉舉出「白火」之病：

> 說白固須字字清楚，不可含混，然而要分出陰陽、輕重、急徐，按其文之緩急，查當時之情形，應念急則急，應緩念則緩，方爲上乘。若一意急念，用力過猛，必致不合乎戲文；日久習慣，則成過火之病也。

不分句讀而一意急念，用力過猛，就是犯了「說白過火」之病。李漁提出一句中分主客之法及數句之中當斷當聯之法，是以句子意義份量之輕重而達到高低抑揚、緩急頓挫之致。此則論一句中的句讀之法，強調句式之意義及音節形式以傳情達意；並以內心的情意及當下的戲劇情境表現不同感情的聲音，二者可以相輔相成。

曲白第三要是「文義」：

> 曲白須先知其講解。又有字同義不同、字同音不同之別。
> 字同義不同：容易　從容　容貌
> 字同音不同：華山（音畫）　華夏（音划）　華萼（音花）
> 以此類推，虛心研習，可免訛字、訛音之疵。

所謂「文義」是指識文字、知音義，這個問題王驥德《曲律·論須識字》皆已有闡述。〈藝病十種〉特別列舉「錯字」（認字不眞）和「訛音」（將字音念訛）之病，強調演員「每讀劇本之時，必須字字斟酌。如有不認識者，或領教於人，或查閱字彙，必使其字音字義全然了了，然後出口。」唯有準確認得字音字義，才不會唱錯字、念訛音，否則「其音不對，聽者無從解釋，而其義亦無法講解也。」第一要「音韻」所說的是發音清楚，此則著重字音正確，二者角度不同。

曲白第四要是「典故」：「詞曲說白之內，往往引用古人典故，務須查明出處，心中了了，則可以傳神。」用典故包括引用古代故事和前人的創作，雜劇、傳奇文學多屬文士之作，運用典故乃創作中習見之事。從作者的角度而言，王驥德《曲律·論用事》主張：

> 曲之佳處，不在用事，亦不在不用事。好用事，失之堆積；無事可用，失之枯寂。要在多讀書，多識故實，引得的確，用得恰好，明事暗使，隱事顯使。……用在句中，令人不覺，如禪家所謂撮鹽水中，飲水乃知鹹味，方是妙手。

作品的典故要用得恰好，而且不堆積不蹈襲，其終旨在「務使唱去人人都曉，不須解說」。而對唱者而言，則是要懂得典故作爲引譬的意義何在[43]，才能在唱白和身段上傳出其神態。

曲白第五要是「五聲」：

> 五聲係陰平、陽平、上、去、入是也。唱曲不知發聲、收聲之理，則其字音出口即變。……凡工尺短者，可以脫口而出；工尺長者，須將一字分爲數音，如「人」字，若工尺長，則可分爲「任」、「惡」、「恩」，徐徐吐之。惟

陰平字不宜分音。神而明之，得其三昧矣。

聲調是音高變化[44]，據趙元任《現代吳語的研究·吳語聲調》，吳語的聲調大致有兩派。一派平上去入，依聲母清濁各有陰陽兩類，共八聲；一派把陽上歸入陽去，只有七聲（頁七八）。《梨園原》只列五聲，大約是就南方聲調的大類而言。爲使唱曲者知五聲之別，《梨園原》特別列出「五聲表」，每一聲調下各舉一字例[45]；並就各聲調的特性作了說明，正可以與沈寵綏論南曲平上去入的唱法做一比較：

《梨園原·曲白六要》

陰平——由高而低。發音高，收音低。

陽平——由低而高。發音低，收音高。

上　——其音向上。

去　——其音向前。

入　——其音短而急。

《度曲須知·四聲批窾》

陰平——直唱。

陽平——由低轉高。

上　——低唱。

陰去——高唱。

陽去——由平轉高。

入　——毋長吟，毋連腔，出口即須唱斷。

既然題爲〈曲白六要〉，則《梨園原》提出這五聲，即是要戲曲演員在唱曲和念白時要掌握每一個字正確的聲調；如果唱者不知發聲、收聲之理，就會造成「字音出口即變」的現象。因此要分別就說白的語調和演唱時的曲調以解釋五聲的意義。陰平是高平調，唱念時，必以高音發聲；發聲之後，則要在高音的狀態下直唱，以保持陰平的調值，到了收聲之時，高音自然漸漸微弱而以低音收束。陽平是高升調，唱念時，皆由低音發聲而以高音收聲，也就是字端低出而轉聲唱高。上聲「其音向上」，就語調而言，所謂「高呼猛烈強」[46]，是指上聲具有高呼而且清亮的特性。就曲調而言，則如徐大椿《樂府傳聲·上聲唱法》所說的，字頭半吐即向上一挑，挑後不復落下，而口氣總皆向上，不落平腔，雖數轉而聽者仍知爲上聲（詳第四章）。至於沈寵綏論上聲宜低唱，是指一出口便往下落一音，爲低沈短促之音。上聲之字入曲低而入白反高的現象，李漁《閒情偶寄·音律第三·愼用上聲》說：「平、上、去、入四聲，惟上聲一音最別：用之詞曲，較他音獨低；用之賓白，又較他音獨高。」[47]因四聲之中只有上聲低倡，故較他音獨低；說白時如果上聲低唸，則不易送達遠聽，因此較他音獨高；所以後來《與衆曲譜》凡遇上聲字皆注明△號，以示歌者。李漁進一步解釋：「上聲之字，出口最亮，因其高而且清，清而且亮，自然得意疾書。孰知唱曲之道與此相反，念來高者唱出反低，此文人妙曲利於案頭而不利於場上之通病也。」故塡曲時，上聲字宜偶用、間用，切忌一句之中連用二、三、四字；因如重複上聲數字，則唱時數字皆低，不特無音而且無曲了。此所以作曲者宜「愼用上聲」，而歌者唱上聲字最難把握之故。去聲「其音向前」，言其語調清而遠；唱陰去時高唱，再往下降，陽去則由平轉高，即音出口之後再拔高一音。入聲語調短急，故唱時毋長吟，毋連腔，一出字即停聲，一出口即唱斷。以上分析，是爲說明《梨園原》對「五聲」的敘述，是兼指說白和唱曲時，聲調的高低變化，如此才符合所謂「曲白六要」之一。

曲白第六要是「尖團」：

> 尖字、團字之分，近日罕有知其據者，往往團字變爲尖字，實爲曲白之大病。夫尖字係半齒音，如酒、箭、線，乃半齒音，故應用尖；久、劍、現則不然，非隨意可以念成尖字也。近時多不察之。

根據楊振淇《京劇音韻知識》第三章〈尖團字〉的考述，戲曲中所謂尖、團，就是指普通話中聲母爲tɕ、tɕ'、ɕ的那些字；在戲曲唱念中，聲母分別讀舌面前音tɕ、tɕ'、ɕ與舌尖前音ts、ts'、s的現象。凡聲母仍讀爲tɕ、tɕ'、ɕ者稱爲「團音字」，簡稱「團字」，如引文中舉例「久、劍、現」三字，此外如見、界、京、基、金、今、江、家、九、寄、謙、巧、腔、啓、傾、去、勸、曲、驅、希、欣、喜、向、孝、香、血等字皆是。凡聲母改讀爲ts、ts'、s者稱爲「尖音字」，簡稱「尖字」，《梨園原》稱爲半齒音，如引文中舉例「酒、箭、線」三字，此外如精、際、俊、賤、借、親、妻、千、七、齊、前、情、箱、心、詳、徐、夕、敘、象等字皆是。尖、團字的共同特點是：韻母爲齊齒呼或撮口呼的字。[48]

楊振淇說明尖團字音的由來。在《中原音韻》以前，由於全濁聲母清化的規律，中古「見、溪、群、曉、匣」五母，成了《中原音韻》k、k'、x三母；中古「精、清、從、心、邪」五母，成了《中原音韻》ts、ts'、s三母。《中原音韻》以後才從聲母k、k'、x分化出團音聲母tɕ、tɕ'、ɕ來。分化的條件爲韻母是齊齒呼或撮口呼。換言之，齊、撮兩呼韻母前面的聲母k、k'、x，變爲舌面聲母tɕ、tɕ、ɕ（語音學上稱之爲聲母的顎化）；而開、合兩呼韻母前面的聲母k、k'、x不變。這分化出來的「團音」（當時稱爲「圓音」）與ts、ts'、s三母的齊、撮呼的字音（稱「尖音」）對稱爲「尖團音」。後來約十四、五世紀，尖音受後面韻母齊齒、撮口的影響，又顎化爲tɕ、tɕ'、ɕ，也成爲「團音」。這樣前後兩次聲母的顎化，就成了普通話中聲母爲tɕ、tɕ'、ɕ的全部所屬字。楊氏並將尖、團字音的分合過程列表如下：[49]

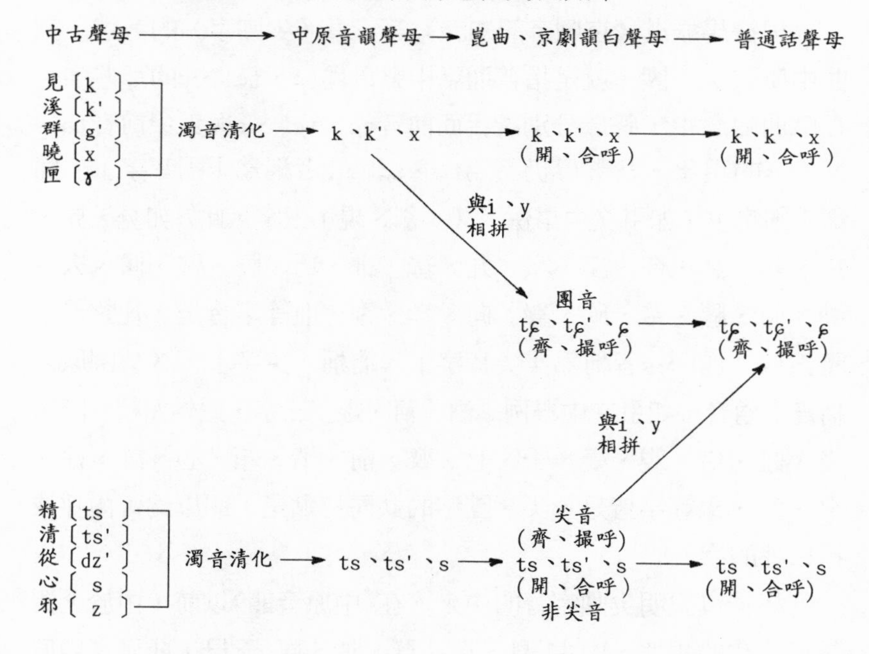

從這段尖、團音的演變過程可知，《中原音韻》的音系中雖然有ts、ts'、s這組聲母，但因沒有tɕ、tɕ'、ɕ這組團音字聲母與之對應，所以也不會有「尖音」名詞。由此可以斷定，北曲中無所謂區分尖、團的問題，只有到崑曲才出現分尖、團的問題。因爲吳語方言尖團分明，則源自吳語區的崑曲唱念亦應區分尖團。[50]

在此之前的唱論著作中，未見有人論及尖團問題，則〈曲白六要〉強調區分尖團，就實際演唱崑曲而言，是有重要意義的。

以上從《梨園原·曲白六要〉爲基本架構，再參照相關論述，大致可以得知《梨園原》的曲白藝術理論。由於《梨園原》的理論完全是從表演的角度著眼，因而聽衆自然更是理論內涵中被關注的對象。[51]〈曲白六要〉中的音韻、五聲、尖團、文義都是要使觀衆聽得正確；典故、句讀則要能傳神達意，讓觀衆聽得分明；而唱曲、說白皆必須口齒用力，才能在廣園曠地的劇場上，令觀衆聽得清楚。而唱念表演的過程中，則以「聽者有興趣，能泣亦能歡」爲旨趣。觀衆學的論題可說是由魏良輔、王驥德一脈相承下來的。因此，就其曲白理論架構而言，可說從結合演員與觀衆而立論的。

關於唱曲和賓白理論，王驥德和李漁基本上是分而論之。對於曲白間的關係，王驥德只略略提到賓白「雖不是曲，卻要美聽」，「其難不下於曲」；李漁則深一層討論曲白猶如經傳，二者當該等視，以及唱曲難而易、說白易而難的關係。《梨園原》則直接論述曲白之要，也就是從曲和白的交集部份而分項討論。因此，所提出的六要是兼論唱曲與說白，眞正進入唱念合一的藝術理論。

《梨園原·曲白六要〉以「句讀」和「尖團」最能見其創發之處。尖團就咬字正音方面提出一個前代曲家不曾述及的論題，較爲簡單；而句讀則延伸出曲情、曲調、身段等複雜問題。孫崇濤說：「元明以來，不少涉及演唱的理論著作，也常說到調與情的關係，但通常只是從調的本身著眼，闡明調的本身所具備的情感屬性。」[52]除了孫氏舉芝菴《唱論》所謂十七宮調聲情，還可以補充魏良輔的「唱出各樣曲名理趣」；以及王驥德十九韻聲情之說。至於關注曲情本身，甚至由曲情延伸出身段的內涵，當推潘之恆、李漁。不論是悲喜之情已具曲中而得一顰一笑的「曲餘論」，或是舉目回頭之際而唱出悲歡哀喜的「曲情說」，都與身段做工產生關聯，故李漁直指「曲既分唱，身段即可分做」的觀念。到了《梨園原》則將三者合一，而其融合的基礎正在句讀，因爲從句讀上把握音節形式和意義形式，唱曲時才可以「按情行腔」；說白時方能「以情傳聲」（即以心中笑、躁、悼、惱之情意，傳歡、恨、悲、竭之聲口）。要使唱念藝術達到此等境界，顯然與身段藝術有不可分離的關係。在曲白理論的發展上，《梨園原》實具有融會貫通的意義；更重要的是，唱念與身段的緊密關係，開展了古典表演藝術中身段論的課題。

【註釋】

[1]構成戲曲搬演的要素之中，尚有「科汎」，指舞臺上的動作而言，詳見第六章「身段論」。

[2]西漢角觝戲、唐戲弄及宋金雜劇院等皆屬「小戲」系統；加上「講唱文學」的滋養，即進入「大戲」系統，南戲、北劇屬之。小戲是戲劇的雛型，大戲是戲劇藝術完成的形式。參曾師永義〈中國古典戲劇的形成〉、〈中國地方戲曲形成與發展的徑路〉。

[3]「夾白」是夾於曲中的賓白，有三種類型：一種與普通賓白不殊，一看即知，不致於教人和曲文相混。另兩種則皆附著於曲文，其一往往帶有語氣辭，容易與曲文分辨，謂之「帶白」；其一雖作用有如帶白而缺少語氣辭，每每使人誤以爲是襯字。「滾白」或「滾唱」原是弋陽腔的專有名詞，二者不易分別，都是屬於「數唱」或「帶唱」的性質，介於賓

白與歌唱之間，如果將其偏於賓白來說就是滾白，如果將其偏於歌唱來說就是滾唱。曾師永義認爲不協韻之句比較接近口白，用以對話或表白；協韻之句比較接近唱詞，用以敘事或作爲淨丑數唱，故將二者區分，以利說明。其例證並參〈北曲格式變化的因素〉。

[4]這三種形式正和講唱文學韻散結構的方式一樣。關於曲辭和賓白相生、重疊、相輔的觀念，參曾師永義〈元人雜劇的搬演〉。

[5]參葉濤〈表演藝術九美說新解〉。

[6]陸林〈元人戲曲表演論初探〉，認爲胡祗遹的九美之四「字真句明」和芝菴的「字真句篤」都是指一種聲樂原則。「字真」指發音準確，吐字清楚；「句明」、「句篤」則指一句中每個字都要內涵飽滿，送遠達聽。個人贊同葉濤的意見，此句是指舞臺語言，形容念白之美。如此才能彰顯胡氏提出三種不同的美。

[7]葉長海先生《王驥德曲律研究》是第一本探討王驥德戲曲理論的重要專著，極富參考價值，係一九八一年上海戲劇學院之碩士論文，一九八三年北京中國戲劇出版社出版。又王氏生卒年爲約一五六〇至一六二三年，筆者有〈王驥德年表初編〉略加考證，收入拙著《王驥德曲論研究》附錄壹。

[8]其中引涵虛子論唱二則實亦出自《唱論》，惟文字稍有差異。

[9]王驥德的語音系統屬吳方言，而吳語聲調有一派主張平上去入依聲母之清濁各有陰有陽兩類，共四聲八調（參趙元任《現代吳語的研究》頁七八）。又〈論陰陽〉云：「平之陽字欲揭起甚難，而用一入聲反圓美好聽，何也？以入之有陰也。」王氏是從演唱南曲特點說明入作平亦有陰。

[10]另有揭起特以陽字爲妙者，如《連環記》第三十齣有「繁華庭院」句，「繁」字揭來甚妙。此天地自然之妙，呼吸抑揚，宛轉在幾微間，故不可盡謂揭處決不可用陽。參〈論陰陽〉。

[11]例如《琵琶記》第三齣〈牛氏規奴〉中〔祝英臺·換頭〕有「春晝」、「知否」、「今後」三詞，上三字皆陰，而獨「知否」好聽。「春」字則似「唇」，「今」字則似「禽」，正因下字分別爲去聲、上聲。若「春」、「今」二字爲陽字，或易「晝」、「後」字爲上聲，則無不協耳，此爲下字之活法，見〈論陰陽〉。

[12]此指北曲而言，南曲則相反，見〈論陰陽〉。

[13]〈雜論九一〉云：「詞曲一道，詞隱專釐平仄，而陰陽之辨，則先生諸父大司馬月峰公始抉其竅，已授先生，益加精覈。」又呂天成《曲品》卷上云：「八聲陰陽之學……，此韻學之鉅典，曲部之秘傳，柳城啓其端，方諸闡其教。」案：大司馬月峰公即孫鑛，先生指孫如法，柳城乃孫如法隱居之別墅，方諸指王驥德。詳《明史列傳》卷八十五及《明史》卷二二四。

[14]〈論曲禁〉中提及用韻當禁止重韻、借韻、趁韻、換韻、韻腳多以入代平等幾條。

[15]朱權〈太和正音譜序〉云：「余因清讌之餘，採摭當代群英詞章及元之老儒所作，依聲定調，按名分譜，集爲二卷，目之曰《太和正音譜》；審音定律，輯爲一卷，目之曰《瓊林雅韻》；蒐獵群語，輯爲四卷，目之曰《務頭集韻》。」王驥德〈論務頭〉云：「涵虛子有《務頭集韻》三卷，全摘古人好語輯以成之者。」可見其書當時猶存，惜今不傳。

[16]以上討論王驥德的演唱理論，參筆者碩士論文《王驥德曲論研究》第四章〈曲之語言藝術論〉頁一九四至二〇〇，第五章〈唱論、作者論與批評論〉頁二二一至二二四。筆者重新閱讀資料，發現音韻問題可以融入唱論中，以詮釋王氏論曲詞與演唱（文學與音樂）的關係。

[17]〈雜論六〇〉云：「快人情者，要毋過於曲也。」〈雜論一〉：「明皇製〔春光好〕曲而桃杏皆開，世歌〔虞美人〕曲而草能按節以舞。聲之

所感，豈其微哉？」

[18]《南詞敘錄》收入《中國古典戲曲論著集成》冊四。語見頁二四六。

[19]語見《譚曲雜劄》頁二五九，收入《中國古典戲曲論著集成》冊四。又《戒庵漫筆》八卷，記朝野典故及詩文瑣語等事，參《中國歷代劇論選注》頁二二一。

[20]語見〈雜論二四〉，引文見本書〈緒論〉。

[21]筆者嘗試將王氏論曲之亨屯各四十則，歸納爲此六項主、客觀因素，並以圖表示之。參拙著《王驥德曲論研究·曲之總論》頁一一〇。

[22]王驥德認爲弋陽諸腔「不分調名，亦無板眼」，又「其聲淫哇」流而爲「兩頭蠻」（指各地腔調錯出駁雜之現象），故視爲「鄭聲之最」，參〈論腔調〉。

[23]李漁稱作者爲「塡詞家」或「文士」(見〈詞釆第二〉頁二四、二八)；稱授曲教白之人爲「優師」或「曲師」（見〈教白第四〉頁一〇四、一〇六）；稱歌演者爲「優人」（見〈授曲第三〉頁九八）。以下引「詞曲部」和「演習部」原文，皆據《中國古典戲曲論著集成》冊七。

[24]江陽之於邦王，眞親之於文門，是依據介音 [i] 有無而分，是爲細音與洪音之別。齊微之於歸回，魚居之於模吳，先天之於鵑元，是依據介音[u]、[y]之有無而分，是爲開口與合口之別。參劉德智《音注中原音韻》。關於開、合、洪、細之解釋，詳第四章。

[25]〈雜論一一六〉云：「吾之分『姜、光』、『堅、涓』諸韻，自有聲韻以來，未之敢倡也。吾又嘗作《聲韻分合圖》，蓋以泄天地元聲之秘。」

[26]馮夢龍編纂《太霞新奏》卷五收錄王驥德〈得書〉套曲，批曰：「用新定居蘧韻」；卷十收錄〈贈燕市胡姬〉套曲，批曰：「新定機奇韻」。福建海峽文藝出版社，一九八六年。又《洪武正韻》先已將齊微、魚模、蕭豪離爲二韻，詳見王守泰《崑曲格律》第一章〈字音〉頁二九。

[27]參汪志勇先生《明傳奇聯套研究》第二章〈明傳奇之定名與結構〉頁一五。

[28]例如《琵琶記》第二十六齣〈中秋賞月〉，李漁認爲「此折之妙，全在共對月光，各談心事」，故實不宜俱作合唱之曲。見〈授曲·曲嚴分合〉。

[29]《元雜劇研究》由鄭清茂先生譯，引述之語見該書下篇第一章〈元雜劇的構成〉頁二〇〇至二〇五。

[30]〈教白·高低抑揚〉解釋：「上場詩四句之中，三句皆高而緩，一句宜低而快。低而快者，大卒宜在第三句。至第四句之高而緩，較首二句更宜倍之。」

[31]陳多先生《李笠翁曲話注釋》：「不得幽渺其說而作化境觀也，意指所以能得一句好白而引起無限曲情，塡一首好詞而生出無窮話柄，寫出曲文相生、並臻佳境的作品，是由于在創作時把賓白和曲文等視，給以同樣的注意。而不應故弄玄虛，把這種作品說成是只能出于偶然的天工，非人力所能有意識地去追求的。」（頁八一）。

[32]黃旛綽，一作黃幡綽。唐朝開元年間曾有弄參軍的名優黃幡綽，善詼諧打諢，被稱爲「侍官奴」。《因話錄》、《樂府雜錄》、《次柳氏舊聞》皆有記載其人其事(參曹惆生《中國音樂舞蹈戲曲人名詞典》頁二〇八)。又蔣星煜先生主編《十大名伶》中有黃幡綽，可見其人之盛名。

[33]關於《梨園原》成書的過程，可參鄭錫瀛（惕菴居士）〈梨園原序〉，作於嘉慶二十四年己卯，時爲一八一九年（案：原作己丑，則爲道光九年）；莊肇奎〈胥園居士贈黃旛綽先生梨園原序〉；以及葉元清〈修正增補梨園原序〉。《梨園原》收入《中國古典戲曲論著集成》冊九。三篇序並收錄《梨園原》。

[34]周貽白據手抄本撰《明心鑑注釋》，收入《戲曲演唱論著輯釋》。對「明心鑑」三字的解釋見頁一七七。

[35]周氏注釋本作〈寶山集六則〉是：聲、曲、白、勢、觀相、難易。六則之後還有「寶山集」與「宜勉力」兩段話，都作「《寶山集》云」，內容實與八則相同。周氏云：「命名『寶山』，似以『山』比戲曲，而以唱做方法比作「珍寶」，亦即今之所謂『竅門』。」見頁二〇四。

[36]根據楊師秀芳面授，吳語方言見系字接細音韻母者，文讀時才變成舌面塞擦音的tc、tc'、c，即團音；而在白話讀音中仍讀舌根擦音k、k'、x。崑劇應是繼承文讀現象。謹向楊師致謝。

[37]周氏注：「『無純乎鼻音，皆係與他音相輔』，意思是每字有每字的念法，出聲雖或張口，如不歸閉口,則不能成爲鼻音收聲。」(頁一八七)。依周氏之意，《梨園原》所謂「鼻音」是指以鼻音收聲之字。

[38]參董同龢先生《漢語音韻學》第四章〈早期官話〉對中原音韻的擬音。

[39]參趙元任《現代吳語的研究》第二章〈吳語韻母〉之擬測。此處是就現代吳語方言的鼻音韻尾推測清代中期吳語鼻音韻尾。

[40]例如馬致遠：〔天淨沙〕：「枯藤老樹昏鴉，小橋流水人家，古道西風瘦馬。夕陽西下，斷腸人在天涯。」全首都是兩字一頓，五句皆作二二二，此即音節形式和意義形式相合。但就意義形式而言，末句可析爲二四和三三句式，則與音節形式不合。關於句式的論述和例証，詳曾師永義〈中國詩歌中的語言旋律〉。

[41]《中國古典戲曲論著集成》作「燥」，周貽白《明心鑑注釋》本作「躁」，表情緒之詞應作「躁急」之「躁」，故從周本。

[42]傅雪漪《戲曲傳統聲樂藝術》第二篇第四章〈氣的運用〉，就前人舞臺實際經驗，歸納喜、怒、悲、歡、憂、思、驚、恐、酒、醉、顛、狂、莽、佻、病等十五種表達不同情感的用氣方法（頁七三），筆者解釋此段的用氣多得其啓發。

[43]周氏注：「《林沖夜奔》一劇，唱詞中有『救國難誰誅正卯，掌刑法難

得皋陶』兩句，便是兩個古人的故事。前者爲孔子事，出《家語》；後者爲虞舜時大臣皋陶事，出《尙書》。」（頁一九二）。案：相傳孔子擔任魯國司寇時，大夫少正卯擾亂國政，孔子殺之；此借少正卯比喻朝廷中的奸黨高俅等人。皋陶是上古傳說中東夷族的領袖，因公正無私，故被舜帝任爲掌管刑法的大官；此借皋陶喻朝中，公正不阿之士已難求得。

[44]聲調可以用五線譜的方法標記，將音高（頻率）分成高(5)、半高(4)、中(3)、半低(2)、低(1)五個音階，表示聲調變化的形狀，就是「調型」；也可以用 55、35、315、51 表示各調的實際音高，就是調値。例如國語四聲，一聲調爲高平調，二聲調爲高升調，三聲調爲降升調，四聲調爲高降調。參何師大安《聲韻學中的觀念和方法》第二章〈語音〉頁三九。

[45]「五聲表」就陰平、陽平、上、去、入舉了四組字例：「風縫諷奉父」，「煙言眼宴易」,「聲繩省盛是」,「書贖屬樹朔」。周氏注文指出「父」字只唸上聲或去聲,「是」字只唸去聲,此二字皆非入聲字；又將「贖」字作陽平、「屬」字作上聲，皆非，此二字當作入聲（頁一九四）。

[46]周貽白認爲《梨園原》所說的五聲高低音，大抵由明釋眞空的〈鑰匙歌訣〉而來，所謂「平聲平道莫低昂，上聲高呼猛烈強，去聲分明哀遠道，入聲短促急收藏」。見頁一九五。

[47]李漁在〈賓白第四·聲務鏗鏘〉說明上聲獨特之原因：「字有四聲，平、上、去、入是也。平居其一,仄居其三，是上、去、入三聲,皆麗於仄。而不知上之爲聲，雖與去、入無異，而實可介於平、仄之間，以其別有一種聲音：較之於平則略高，比之去、入則又略低。」案：依據上下文義，似乎是說，去入最高，上聲次之，平聲最低；如此則不符合四聲音高的變化。而陳多先生《李笠翁曲話注譯》則說：「以上聲來和平聲相較，則平聲略高於上聲；以上聲和去、入聲相比，則去、入聲又略低於

上聲。」（頁八四）。如依陳氏之注，則是平聲最高，上聲次高，去入最低；符合四聲音高的變化。

[48]楊氏書中所用擬音，舌面前音爲 j、q、x，即國語注音符號的ㄐ、ㄑ、ㄒ；舌尖前音 z、c、s，即ㄗ、ㄘ、ㄙ。以下爲便於閱讀，一律改成國際音標。楊氏並指出對尖團字的誤解主要有四種：其一以爲所有字音非「尖」即「團」；其二以爲字分尖團本係聲母問題，與韻母無關；其三以爲尖團音的區別在舌尖前音聲母ts、ts'、s與舌尖後音(卷舌音)tʂ、tʂ'、ʂ，聲母(即ㄓ、ㄔ、ㄕ)。其四將尖團字音稱爲「中州韻」。以下討論尖團問題，多融合楊氏論述，詳見該書頁七四至八七。

[49]此表見《京劇音韻知識》頁七八。楊氏注文：「現代漢語裏的ts、ts'、s還有小部分的字來自中古莊、初、崇、山四母（見王力《漢語史稿》一二一頁），因多是變爲開、合呼字，與尖團音關係不大，故表中未予列入。」

[50]根據袁家驊等《漢語方言概要》，北方話尖團不分，吳語則嚴格分別（見頁三一、六一）。楊振淇指出京劇傳統戲曲唱念，也非常強調字分尖、團；並認爲京劇分尖團是來自崑曲。楊氏引述《京劇字韻》的例子，比如《文昭關》伍員的唱詞：「好似狼牙箭穿胸」，如果不把句中的「箭」字咬準 tsian，就唱成了「狼牙劍」。故不分尖團，唱詞的意義將會產生誤解。見頁八二至八三。

[51]孫崇濤〈梨園原表演理論述評〉第三小節將《梨園原》曲白唱念的要點歸納爲四方面：一曰知其講解，二曰達出本意，三曰按情行腔，四曰人人聽清，頗具見地。筆者論述的角度與孫氏有別。

[52]同上註。

第六章　身段論

「身段」是指表演者運用肢體語言將曲詞中的意境「做」出來。唱、念是以演員的發聲器官作爲媒介，是訴諸觀衆的聽覺；做、舞是以演員的形體爲媒介，是訴諸觀衆的視覺。如果只有唱念沒有做舞，則只是靜態的清唱而已；必需加上身段動作，才能成爲眞正的戲曲表演藝術。所謂「有聲必歌，無動不舞」，正是從戲曲所具有視聽的美感藝術而說的。

戲曲表演是以「唱、念、做、打」或「唱、念、做、舞」四功爲基礎的藝術形式。「做工」是指戲曲演員的表情和動作，約可歸納爲四類：其一，生活動作的程式，如開關門、上下馬、上下樓、上下轎、進出窯、穿針引線、看書寫信、喝酒睡覺等。其二，表達情感、情緒變化的程式，如三笑、哭頭、氣椅、醉酒、瘋癲等。[1]其三，美化的舞蹈程式，如山膀、雲手、走邊、起霸、趟馬及各種臺步和手勢等[2]；其四，運用道具和服飾的程式，如扇子、雨傘、手帕、劍穗、噴火、甩髮、翎子、帽翅、髯口、水袖、大帶等。「武功」包括武打中「把子功」和「毯子功」的程式，用古代刀槍劍戟等兵器對打或獨舞者，稱把子功；在毯子上翻躍撲滾的技藝，稱毯子功。「舞蹈」則指插入劇中表演的舞蹈以及且歌且舞的舞蹈。如云「唱念做打」，則舞蹈屬於做工；如云「唱念做舞」，則舞蹈獨立爲身段之一。一般習稱「唱念做打」，然「打」不能包括戲曲表演形式中的全部舞蹈形式；而「舞」有

「文舞」和「武舞」之分，故戲曲中的「武打」，也就屬武舞性質。[3]本書採「唱、念、做、舞」之稱。

就表演藝術的各個層面而言，有唱、念、做、舞，前二者由「口」表現；後二者則是以形體表演，由「手、眼、身、髮、步」來表現。口法，除專指唱功、念功之法，還可包括哭、笑等情緒表演。手，包括指、手、臂、膀各個部位以及水袖、扇子、手帕、笏板、馬鞭、令旗、船槳、各種兵器等的表演動作和功法。眼，專指眼神的運用，如旦腳一行，就有看、視、瞅、瞥、瞪……等等。身，包括以腰部爲主的肩、背、胸、肋、腰、腹、臀、胯八個部位之多。髮，包括頭、面、頸各個部位，以及髯口、髮辮、帽翅、雉尾等的表演動作和功法。步，包括腿、踝、腳各個部位，以及厚底靴、蹺、腰帶、裙子、衣擺等的表演動作和功法。這四功六法可說是戲曲表演的基本功。[4]本章「身段」二字取其廣義，凡涉及「手、眼、身、髮、步」五法之論述者，皆涵括在內；而場上表演的那一段時間和空間，唱念口法往往是與五法融合爲一的，因此前人討論唱曲和說白，亦涉及說唱時的形相神情，本章將這些論述一併納入；並由此觀察身段理論由唱念到做工到建立唱做合一的發展。

第一節　唱念的身段

元代討論唱念藝術者有胡祗遹、芝菴、周德清等人，其中只有芝菴《唱論》提及說唱時的形相問題。在「唱聲病」一則中，提出「搖頭、歪口、合眼、張口、撮唇、撇口、昂頭、咳嗽」等病狀。咳嗽是因氣管的黏膜受痰或氣體的刺激而發出的聲音，有時在樂句停頓之間潤喉清嗓時也會發出咳嗽聲音，此爲聲病。其他聲病實與聲音不相關，而是指頭部及口形、雙唇、眼睛等表情動作，應屬於形相之病。雖然指出的是形相之病，卻意味芝菴要求唱曲者除了具備歌唱技巧和音色圓潤，還應避免以上諸病，以求兼顧形相之美。其說雖然簡要，但對演唱形相的問題有相當的開創性，意義頗爲深遠。

明朱權《太和正音譜·知音善歌者》承繼芝菴之說，提出：「凡唱最要穩當，不可做作。如咂唇、搖頭、彈指、頓足之態；高低、輕重、添減太過之音，皆是市井狂悖之徒，輕薄淫蕩之聲，聞者能亂人之耳目，切忌不可。」首先，論及唇、頭、手、足之病，顯然已經注意到五官四肢的神情姿態，強調宜自然不宜做作，否則便如市井狂悖之徒。其二，所謂高低、輕重、添減，原指行腔轉調時各種變化，此處可延伸爲「聲音表情」的意義[5]，主張要恰到好處而不宜過火，否則便是輕薄淫蕩之聲。其三，形相優美和聲音穩當，才能聳觀聳聽而不會亂人耳目。朱權關注臉部表情、肢體動作、聲音表情，以及觀聽者的耳目之娛，較之於芝菴更進一層。

魏良輔則融合芝菴、朱權二家，由面部、喉部至手足之態，《曲律》說：「至如面上發紅，喉間筋露，搖頭擺足，起立不常，此自關人器品，雖無與于曲之工拙，然能成此（案：應作『然能去此』），方爲盡善。」對演唱形相，芝菴只客觀提出面部表情之病；朱權則苛責其病爲市井狂悖之徒；魏良則更具體指出「發紅、筋露」的情狀，並包容此形相之病乃是「關人器品」。魏氏認爲唱曲技巧可由後天工夫積累；而形相之病則與後天的器宇儀表及先天的人品容貌相關，不可力強而致。但儘管形相之病與曲之工拙無關，唱者若能去此之病，而能腔板兩工並且兼具形相之美，才是達到盡善盡美之境。

以上三家論歌唱形相，都未明言與演劇的關係，可以止於清唱；到了潘之恆則明確地將二者繫聯起來。《鸞嘯小品·曲餘》說：

> 未得曲之餘，不可以言劇。夫所謂「餘」者，非長而羨之之謂。蓋滿而後溢，乃可以謂「餘」也。大悲大喜，必多溢於形，爲舞蹈，爲叫號；小喜小嗔，亦少溢於色，爲嬉靡，爲顰蹙。何所溢之？溢於音也。故爲劇必自調音始。

潘之恆度曲理論的層次是由「調音」，而後「溢於音」，而後得「曲之餘」，然後才可以「爲劇」。調音即審音，包括知聲、知音、知樂的完整過程（詳第三章），唱曲者必須由此過程，才能體會聲情與詞情。這種情感的體會充盈於心中，於是「滿而後溢」，強烈的表露於形體動作，細微的表露於面部神色。[6]換言之，歌者必須唱出曲中所反映的喜、怒、哀、樂各種情感的變化，大悲大喜則爲舞蹈，爲叫號；小喜小嗔則爲嬉靡，爲顰蹙。這種「悲喜之情已具曲中，一顰一笑，自有餘韻」境界，才能給人一種飄逸、雋永、餘音裊裊的感覺。這種「曲雖盡而情無窮」的表現即是得「曲之餘」，所謂「餘」並非加長加多，〈敘曲〉中說：「不欲有餘，有餘則煩」才是指多餘的「餘」；此處所說的「餘」，則是指情感能量的積蓄和充盈，以至不可遏而發溢、而噴湧。[7]如是方可以言劇致曲，故云「演劇必自調音始」。賈志剛〈潘之恆文藝觀及表演理論探索〉解釋曲餘的「餘」，就是演員要掌握人物的獨特細微的情感特徵；這種細微情感的獲得，自然是在深刻地體驗人物豐富的情感基礎之上才能夠把握，「蓋滿而後溢，乃可以爲餘也」。人物的「大悲大喜」這樣強烈情感的表現，可以用舞蹈、叫號等形式；「小喜小嗔」這樣細微的情感主要是靠演員的演唱來體現。[8]這是從對詞情聲情的體會延伸至對劇中角色人物的掌握，因而能形諸神色，將潘氏「曲餘」的理念詮釋的更深入。

潘氏評崑山腔演員王渭臺演唱「《思親》之〔雁魚〕、『悼亡之南北』，才吐一字，而形色無不之焉。」[9]王渭臺演劇時，曲中一字一句悲喜之情，皆能形諸於眼神表情，堪稱是一位不可多得「能致曲而得曲餘」的演員。〈曲餘〉有一段極富形象的比擬：

> 山無餘則雲不生，海無餘則蜃不結，詩無餘則詞不豔，詞無餘則曲不調。雲也，蜃也，山、海之劇也；豔也，調也，詩、詞之劇也。知渭臺之曲餘，而後可以語致曲也。爲曲者技能進於此乎？即有之，余見亦罕矣！

唱者傳達於形色的悲喜之情，猶如山巒間之風起雲湧，大海上之海市蜃樓，可以令人爲之動容爲之驚嘆；若非溢於音而得曲之餘者，不能臻於此境。故唱曲者技能進於此，是仙致也。這個觀念的提出開展了清代「曲情」的美學，而且與身段有更密切的關係。李漁《閒情偶寄·授曲·解明曲意》說：

> 唱曲宜有曲情。曲情者，曲中之情節也。解明情節，知其意之所在，則唱出口時，儼然此種神情。問者是問，答者是答；悲者黯然魂消而不致反有喜色，歡者怡然自得而不見稍有瘁容；且其聲音齒頰之間，各種俱有分別，此所謂曲情是也。

細讀此段論述，所謂「曲情」包含很豐富的意義。首先，曲情指「曲義」而言。由於許多學曲者是「始則誦讀，繼則歌詠，歌詠既成而事畢」，以致「有終日唱此曲，終年唱此曲，甚至一生唱此曲而不知此曲所言何事，所指何人。」故「欲唱好曲者，必先求名師講明曲義。」其次，曲情指「曲中之情節」。除了解明曲詞本身的意義，還要理解曲詞和劇中情節的關係，所以要知所言何事，所指何人；換言之，當知其「語言行動」是什麼？「交流」的對象是誰？如此才能知「問者是問，答者是答」。其三，曲情指「唱曲之神情」，即在聲音齒頰之間能恰當地表現悲歡哀喜等不同神情。所謂「聲音齒頰」，指的是運聲轉腔及咬字吐音等原理技巧。換言之，唱曲神情的掌握，仍須以調平仄、別陰陽、熟字音爲基礎[10]，所以「開口學曲之初，先能淨其齒頰，使出口之際，字字分明。」（〈授曲·字忌模糊〉）。但如果只是「腔板極正，喉舌齒牙極清，終是第二、第三等詞曲，非登峰造極之技也。」必需是：

> 得其義而後唱，唱時以精神貫串其中，務求酷肖。若是，則同一唱也，同一曲也，其轉腔、換字之間，別有一種聲口；舉目回頭之際，另是一副神情。

正因爲歌者能在同一段唱詞、同一曲譜板式的情形下，更能在轉腔換字之間，配合身段動作而別有一種聲情神態，才會形成不同的唱腔風格和流派。反之，如不能兼得曲義、曲中情節及曲之神情，則是「口唱而心不唱，口中有曲而面上、身上無曲」的「無情之曲」了。故「演員在舞臺表演中的唱曲不僅是唱聲（聲樂藝術的要求）、唱字（合乎正音咬字的技術），而必須達到唱情——唱出曲情來。曲情已經不是止於曲詞的字面含義，還包括劇中情節的情境，和在此情此境中人物的心理狀態等。」[11]透過面容表情及形體動作將曲情唱出來，才是「有情之曲」。

同唱一曲，不同歌者可能別具一種聲口，另有一副神情；而不同曲文，則由於場上不同腳色任唱及劇中人物身份之不同，而有不同的身段，〈授曲·曲嚴分合〉舉例：

> 嘗見《琵琶·賞月》一折，自「長空萬里」以至「幾處寒衣織未成」，俱作合唱之曲。諦聽其聲，如出一口，無高低、斷續之痕者。雖曰良工心苦，然作者深心，於茲埋沒。此折之妙，全在共對月光，各談心事。曲既分唱，身段即可分做，是清淡之內，原有波瀾；若混作同場，則無所見其情，亦無可施其態矣。

〈中秋賞月〉出自通行本《琵琶記》第二十八齣[12]，演蔡邕中狀元後入贅牛丞相府，於中秋夜，由老姥姥和惜春服侍，與牛小姐同賞秋月。[13]曲文中自「長空萬里」以至「幾處寒衣織未成」有〔念奴嬌序〕四支、〔古輪臺〕兩支及〔餘文〕共七支曲牌。唱者有貼（牛小姐）、生（蔡伯喈）、淨（老姥姥）、丑（惜春）。前四支分別由貼腳、生腳輪流獨唱，唯末兩句是「合唱」；〔古輪臺〕兩支先由淨唱，再由丑接唱，皆無「合頭」；〔餘文〕則由場上腳色分唱。李漁指出嘗見戲場上搬演而將這幾支獨唱曲和接唱曲改作合唱曲，如出一口，實違背作者之苦心。合唱之曲即「同場之曲」，指臺上衆人同唱、齊唱之曲，其文詞應具有可以同唱之意義；而「獨唱之曲」，則需就劇中人物個人的情境而設詞，詞意分明，不可相犯。其次，獨唱曲各唱心事，則身段即可分做。各舉一首牛小姐和蔡邕的唱詞：

〔念奴嬌序〕

長空萬里，見嬋娟可愛，全無一點纖凝。十二欄杆光滿處，涼浸珠箔銀屏。偏稱，身在瑤臺，笑斟玉斝，人生幾見此佳景？（合）惟願取，年年此夜，人月雙清。

〔前腔換頭〕

孤影，南枝乍冷，見烏鵲縹緲驚飛，栖止不定。萬點蒼山，何處是修竹吾廬三徑？追省，丹桂曾攀，嫦娥相愛，故人千里謾同情。（合前）。

蔡邕的心思在陳留家鄉的父母和妻子，所以唱出的是「孤影」、「故人千里謾同情」；而牛小姐是新婚燕爾、少婦情懷，所以唱出的是「嬋娟可愛」、「人生幾見此佳景」。故云此折是「共對月光，各談心事」，李漁說：「《琵琶·賞月》四曲，同一月也，牛氏有牛氏之月，伯喈有伯喈之月。所言者月，所寓者心。牛氏所說之月，可移一句於伯喈？伯喈所說之月，可挪一字於牛氏乎？夫妻二人之語猶不可挪移混用，況他人乎？」[14]曾師永義認爲李漁的批評「對於蔡伯喈、牛小姐的『生旦之曲』固然不差，因爲其清麗雅致正合人物的身分口吻；至若淨、丑扮老姥姥和惜春所合唱、分唱的〔古輪臺〕二曲，其清麗雅致實不減生旦所對唱的〔念奴嬌序〕四曲，雖然此情此景適合『清麗雅致』，不宜於『詼諧調笑』，但無論如何，腳色有其『聲口』，是輕易遷就不得的。」[15]所論甚是。由此可知，李漁強調的是曲中情境因人而異，不宜改獨唱曲爲同唱曲。詞情既異，則聲情亦有分別，牛氏歡愉，伯喈憂戚，二人皆必須以虛擬的身段動作，將所見之景、所感之情「做」出來，使觀衆可以從唱者的神態動作，感同身受劇中人物的悲喜之情。故身段分做，演唱者方能施其態，觀聽者才能見其情。

徐大椿《樂府傳聲》建立傳情理論，具體提出斷連、頓挫、高低、輕重、聲響、疾徐等變化（詳第四章），可說是就芝菴的「抑揚頓挫」、朱權「高低、輕重、添減」等觀念，對李漁的「解明曲情」之說，做更深入的詮釋。而在徐大椿的理論架構中，必先能傳聲而後能傳情，因此〈歸韻〉說：「字眞則義理切實，所談何事，所說何人，悲歡喜怒，神情畢出；若字不清，則音調雖和，而動人不易，譬如禽獸之悲鳴喜舞，雖情有可相通，終與人類不能親切相感也。」可知徐氏講求五音四呼口法以求咬字收音眞確，是爲能將劇中人物之間的對話、發生的事件，及人物當下悲歡喜怒的情緒，形之於神色。演唱者才能與觀衆聽者之間形成一種親切相應而動人的情感共鳴。將吐字歸韻的形式技巧延伸至「悲歡喜怒，神情畢出」的內在意涵，正是徐大椿的創發之處。

傳情理論是以〈曲情〉爲主旨：

> 唱曲之法，不但聲之宜講，而得曲之情爲尤重。蓋聲者眾曲之所盡同，而情者一曲之所獨異。不但生旦丑淨，口氣各殊，凡忠義奸邪，風流鄙俗，悲歡思慕，事各不同。使詞雖工妙，而唱者不得其情，則邪正不分、悲喜無別；即聲音絕妙，而與曲詞相背，不但不能動人，反令聽者索然無味矣。然此不僅於口訣中求之也。

李漁說的是同一唱、同一曲中，其轉腔、換字之間，別有一種聲口，舉目回頭之際，另是一副神情。徐大椿是說唱各首曲子的口法係萬變不離其中；而各曲之情則是千變萬化，故唱者必得曲詞之情。得其情之法，不止於口法中求之，〈曲情〉進一步說：「必唱者先設身處地，摹倣其人之性情氣像，宛若其人之自述其語，然後其形容逼眞，使聽者心會神怡，若親對其人，而忘其爲度曲矣。」這已經更進一層要求演唱者在得其曲情之中，還要能設身處地體驗劇中人物的情境，摹倣其性格舉止，然後經由演唱者維妙維肖地表現在形色之中，使聽者如親見劇中人物，如身臨其境，而渾然忘記演唱者的身份。要達到此境，曲之頓挫是一個很重要的技巧：

> 唱曲之妙，全在頓挫，必一唱而形神畢出，隔垣聽之，其人之裝束形容，顏色氣象，及舉止瞻顧，宛然如見，方是曲之盡境。此其訣全在頓挫，頓挫得款，則其中之神理自出。如喜悅之處，一頓挫而和樂出；傷感之處，一頓挫而悲恨出；風月之場，一頓挫而豔情出；威武之人，一頓挫而英氣出；此曲情之所最重也。──〈頓挫〉

歌者將曲文中喜悅和樂、傷感悲恨、風月豔情、威武英氣等不同情感唱出來，此之謂唱出曲情、唱出神理。因此即使隔垣聽之，演唱者的服裝衣飾、形象容貌、神情氣概、舉手投足及一顰一顧，皆可以「宛然如見」。此話雖有些夸飾，但徐氏要強調的是唱到動人之處，即使隔垣聽之，則不止令人迴腸盪氣，亦彷彿如見歌者的形貌神情。「凡人物之神態、身份、感情、氣質，無不借聲音的頓挫而產生形象；而且在唱段之中，頓挫又是演員偷氣、歇氣、提氣、收氣的關鍵。因此行腔中的抑揚頓挫與呼吸上的呑吐收放，節奏上的快慢長短，字音詞意的潤飾、語調的含蓄和夸張，再加上唱腔與伴奏的相輔相成，使感情的表達和聲音的體現達到統一協調，就是曲的韻味之所在。」[16]這種韻味就是曲情，也是曲中神理。

李漁「解明曲情」的理論延伸出演唱者當有不同聲口、不同神情以及不同身段；徐大椿傳情理論則延伸出摹倣人物性情、形容逼眞、形神畢出的論題；黃旛綽《梨園原》則將曲情、身段與曲調三者合一，〈寶山集八則〉論「曲」說：

> 曲者，勿直，按情行腔。陰陽緩急，板眼快慢，當時情理如何，身段如何，與曲合之爲一，斯得之矣。

曲要宛轉曲折，不能平鋪直唱，所以說「曲者，勿直」，其主要原則是要「按情行腔」。所指的「情」指曲中當時的情理，曲中情理即是透過區分句、讀而將曲辭的意義形式和音節形式傳唱出來；然後配合曲調之陰陽緩急、板眼快慢以行腔轉調，再融合身段動作。這裡所說的「身段」，簡單地說，就是〈藝病十種〉提出的：「凡唱念之時，總須頭頸微搖，方能傳出神理」；如果「永久不動，則成傀儡」，即是犯「強頸」（項頸不動）之病。複雜地說，就是結合唱念與做工（即《梨園原》專述的〈身段八要〉）。可見李漁、徐大椿、黃旛綽等人都已體察到，唱曲者能字清、腔純、板正只是第二、三等人；如徐大椿〈曲情〉所說：「止能尋腔依調者，雖極工亦不過樂工之末技，而不足語以感人動神之微義」，必曲情、曲調、身段三者合一，才是登峰造極之境。

從芝菴、朱權、魏良輔提出演唱形相觀念，其後潘之恆以「曲餘」理論補充神色悲喜之情，而由李漁、徐大椿、黃旛綽等人發展身段美學，由此看出元明清以來，唱念藝術與身段逐漸形成緊密關係的發展脈絡。

第二節　做工的身段

從上節討論得知，唱念與身段關係之緊密是逐漸形成的，至於做工的身段如何逐步形成發展，則是本節的論題。

首先是胡祗遹〈黃氏詩卷序〉提出九美說，其中三美談色藝；三美談唱念（分別詳於第一、五章）；二美談體驗角色（詳第八章形神論）；另外一美是「分付顧盼，使人解悟」，即與身段有關。「分付」又作「吩咐」；宋吳自牧《夢粱錄》卷二十「妓樂」條有所謂「引戲色分付」，是說引戲者職司導演吩咐命令性質之工作。則「分付」一詞含有交代行動之意，用於表演則可延伸爲「動作」之意，係由手勢、形體、臺步來表現。「顧盼」是觀看，所謂左顧右盼、顧盼生輝，是由眼神來傳達。「使人解悟」是指使觀衆了解領悟其動作顧盼的意義。演員分付顧盼時，其左右前後定有相應的對象，眼神會有注意的焦點，臉部和身體也有個指向。換言之，其舉手投足和眼神流動即相當於「唱念做舞」中的「做工」原則。胡祗遹這一句字的內涵，已將手、眼、身、步納入「分付顧盼」之中；視「做工」爲表演美學之一，給予獨立地位；並且論及演員與觀衆之間的交流，對身段論主題的開展有頗深遠之影響。

通常是在戲劇搬演之中，演員才能充分發揮「分付顧盼」的藝術。夏庭芝《青樓集》品評的伶人，有許多善於雜劇者（參第一章）。例如小春宴：「天性聰慧，記性最高。勾欄中作場，常寫其名目，貼於四周遭梁上，任看官選揀需索。近世廣記者，少有其比。」小春宴在勾欄張貼劇目單，任觀衆自由選擇，然後在勾欄中作場讓觀衆欣賞。元無名氏《漢鍾離度脫藍采和》雜劇第一折正末云：「俺在這梁園棚勾欄裏做場」；元南戲《宦門子弟錯立身》第二出：「前日有東平散樂王金榜來這裏做場。」可知「作場」即「做場」，指「作戲於劇場上」，即搬演戲劇之意。[17]既然戲是「做」出來的，因此：

顧山山：至今老於松江，而花旦雜劇，猶少年時體態。

順時秀：雜劇爲閨怨最高，駕頭、諸旦本亦得體。

元張光弼〈輦下曲〉:「教坊女樂順時秀，豈獨歌傳天下名，意態由來看不足，揭簾半面已傾城。」[18]

大都秀：善雜劇，其外腳供過亦妙。

顧山山演花旦雜劇，至年老時，身段意態依然優美。順時秀的演技不止在「歌傳天下名」的唱工，其做工的意表神態亦令人觀之不盡，具有傾城傾國之美。大都秀在雜劇演出中，以妝扮旦、末之外的腳色供觀[19]，雖非主唱，卻運用念白做表，亦得其精妙。可知這些評述的詞語，與做工有密切關係。而夏氏對賽簾秀的品評，更彰顯做工的意涵：

賽簾秀：朱簾秀之高弟，侯耍俏之妻也。中年雙目皆無所睹，然其出門入户，步線行針，不差毫髮，有目莫之及焉。聲遏行雲，乃古今絕唱。

賽簾秀「聲遏行雲，乃古今絕唱」，可見演唱藝術之造詣；而其做工更是卓絕，尤其雙目失明以後，仍能對舞臺程式動作掌握得準確自如，表演時竟達到「不差毫髮」，甚至「有目莫之及」的精微境界，堪稱是一位唱做俱佳的演員。所謂「出門入戶，步線行針」原指舞臺上出入門戶之虛擬動作，此處可指所有模擬生活動作，皆提煉爲程式化的舞臺做工。[20]在雜劇戲文作品中，也出現類似的詞語，如《藍采和》雜劇第一折〔混江龍〕：「試看我行針步線，在這梁園城一交，卻又早二十年。常則是與人方便，會客週全，做一段有憎愛勸賢孝新院本。」又如南戲《宦門子弟錯立身》第十二出〔金蕉葉〕有：「我學那劉耍和行蹤步跡」之語；都可以作爲「出門入戶，步線行針」深層意義的佐証。從這些詞語可看出元代對表演動作的規範性和程式性。

舞臺上的做工，必需與搬演戲劇題材及角色人物相應。如夏庭芝評天錫秀：「善綠林雜劇，足甚小，而武步甚壯。」綠林雜劇專演聚集山林之間而行俠仗義的英雄豪傑故事，如高文秀《雙獻功》、康進之《李逵負荊》等。扮演綠林好漢的角色，應具有魁梧奇偉的身材；天錫秀雖然足小，但表現威武豪邁的臺步甚爲雄壯，表示其做工頗能與扮飾角色相得益彰。而同樣善於花旦雜劇的張奔兒和李嬌兒，其做工則有不同，一爲「溫柔旦」，一爲「風流旦」，都以旖旎裊娜的優美風格爲特色。因此在表演某一類戲劇題材及角色人物中，必有其做工風格及表演程式。

元代戲曲表演理論中的做工，只能就胡祗遹九美之一的「分付顧盼，使人解悟」，從夏庭芝《青樓集》對伶人的評述中，以及芝菴提出演唱形相之病，找到鱗爪片羽的觀念。陸林〈元人戲曲表演論初探〉認爲元代論述做表雖無唱論來得充分和系統，但也有值得注意之處。首先，曲論家對做工在表演體系中的獨立地位已有明確認識。其次，以表情表意爲做表的原則，尤其把眼神看作戲曲做工重要的部位。其三，充分肯定戲曲做工的程式化及準確性。其四，注意到做工的美學風格與演員行當的一致性。[21]可以補充的是，元代已提出後人所說的「口、手、身、眼、步」五法；並且論及演員與觀衆之間的交流。可知這些零星片斷的觀念已爲身段論奠定佈局間架。

運用以上的觀念來看明代李開先《詞謔·詞樂》中「顏容演戲」的故事[22]，可以印證身段論的實踐：

> 顏容，字可觀，鎮江丹徒人，全之同時也，乃良家子。性好爲戲，每登場，務備極情態；喉音響喨，又足以助之。

嘗與眾扮《趙氏孤兒》戲文，容爲公孫杵臼，見聽者無戚容。歸即左手捋鬚，右手打其兩頰盡赤，取一穿衣鏡，抱一木雕孤兒說一番，唱一番，哭一番。其孤苦感愴，眞有可憐之色，難已之情。異日復爲此戲，千百人哭皆失聲。歸，又至鏡前，含笑深揖曰：「顏容眞可觀矣。」

《趙氏孤兒》戲文演述晉靈公時，武將屠岸賈謀害文臣趙盾一族，更求其孤兒以殺絕。公孫杵臼與程嬰用計藏孤，護之成人，終報仇雪冤的故事。[23]顏容扮演公孫杵臼，其重要情節在與程嬰商議救孤之計。程嬰欲以親子換孤兒，與子受死。公孫杵臼自稱年已七十，早晚將死，乃命程嬰自首告於岸賈，言公孫杵臼藏孤，而由程嬰將孤兒抬舉成人，與他父母報仇。岸賈獲程嬰自首，拷打公孫杵臼，又令程嬰行杖，以察其是否同謀；公孫杵臼見程嬰之子被殺，乃撞階基而死。這段情節的內心戲，包括公孫杵臼與程嬰的推讓、受嚴刑拷打、不忍卒睹幼兒受害而程嬰掩淚之情狀。顏容演這場戲，必須在說唱時，形悲苦之情於神色，並有鞭打時疼痛翻滾之動作，才能將公孫杵臼的痛苦掙扎演出來。顏容在家中演練時，打其兩頰盡赤是爲親身體會皮肉之痛；取穿衣鏡是爲能觀其眉目眼神孤苦可憐之色、手抱孤兒之樣態、乃至說唱表演時之臺步等。經過如此揣摩，再演此劇時，終能令觀眾感動不已。故李開先言其「每登場，務備極情態」[24]，指其登場演出時經由肢體語言詮釋出來的情感和神態，其實就是身段，即「說一番，唱一番，哭一番」的身段，也就是唱工、念工和做工合一的身段；再加上先天喉音響喨之助，故能相得益彰，而使「千百人哭皆失聲」。

〈詞樂〉這一段文字，不止記錄顏容登場之前如何備極情態的過程；也披露了戲曲表演要結合唱、念、做（哭即是「做」出來的）身段的理念；同時描述了一個可以備極情態的演員，不僅於「分付顧盼，使人解悟」，更要能讓觀衆爲之動容而潸然淚下。借用高明《琵琶記》第一出〔水調歌頭〕所說的：「論傳奇，樂人易，動人難」，李開先所以特別評述，正是因爲顏容已具有「動人」表演藝術。

唱、念、做觀念的突顯，使「科介」一詞的出現更有重要的意義。徐渭在《南詞敘錄》中特別就此術語加以解釋：[25]

> 科　相見、作揖、進拜、舞蹈、坐跪之類，身之所行，皆謂之科，今人不知，以諢爲科，非也。
>
> 介　今戲文於科處皆作「介」，蓋書坊省文，以「科」字作「介」字，非科、介有異也。

徐渭明確指出「身之所行，皆謂之科」，顯然科就是身段；舉凡相見、作揖、進拜、舞蹈、坐跪之類，必有固定的動作，故科是指有規範可資依循的身段動作。至於「介」則義同於「科」，則「科介」爲複義詞。元雜劇劇本中，如元刊本《古今雜劇》、《元曲選》、顧曲齋本，都作「科」或「科汎」。[26]現存宋元南戲，如《永樂大典戲文三種》中，《張協狀元》和《錯立身》都作「介」[27]；明傳奇亦多作「介」。可見北曲用科，南曲用介；故有「北劇曰科，南戲曰介」之說[28]，其實都指表情動作，此所以徐氏要釐清「非科、介有異也」。

如上所述，自宋元南戲、元雜劇、明傳奇作品中，已存在科介的文字提示。以元雜劇作品而言，其所謂的科介，大致包括五個類型：其一，做工，元代稱爲「做手兒」，著重在表情動作，如《竇娥冤》有「做悲科」。這方面的注明頗詳細，種類亦複雜。

在不同情境中，各個人物就有喜怒哀樂不同的感情，也就有各樣的動作以表現其感情。其二，武功，有毯子功和把子功。前者如觔斗、搶背、撲旗之類[29]；後者即刀槍箭戟之類的功夫。這類武功大都用在武戲裏，借以表現「做戰科」。其三，劇中穿插歌舞。一種是融入科泛表演之中，並成爲舞臺形體動作的一種程式，一般只寫作「舞科」或「拜舞科」。另一種是穿插在劇情表演之中，多有音樂配合，成爲整個舞臺藝術的一部分。[30]其四，演出效果，如「雁叫科」、「內做風科」。其五，檢場性質的動作，如「做掇桌兒科」、「卒子做托砌末上科」。前三種就是屬於身段動作，所以後人將元雜劇中的「唱」、「云」、「科」分爲唱、念、做（做工）、打（武功），或唱、念、做、舞。[31]

徐氏另解釋：「諢，於唱白之際，出一可笑之語以誘坐客，如水之渾渾也。」出可笑之語，謂之「打諢」，則「諢」爲詼諧取笑之意。徐氏認爲「打諢」屬於說話對白而不屬於身段動作，故說明「以諢爲科，非也」。不過在科介中，也有滑稽的動作，稱之爲「插科」。以元雜劇作品爲例，其滑稽動作大約有怪相奇態、反常動作、難堪動作、自我否定動作、張冠李戴動作等類。[32]所以王驥德將劇中凡有逗哏惹笑的語言或滑稽詼諧的動作，統稱之爲「插科打諢」。《曲律・論插科》說：「插科打諢，須作得極巧，又下得恰好。如善說笑話者，不動聲色而令人絕倒，方妙。大略曲冷不鬧場處，得淨、丑間插一科，可博人哄堂，亦是戲劇眼目。」其後李漁承繼此說，在「詞曲部」中亦有〈科諢〉一章，仍取插科打諢之意。主張打諢要「善戲謔兮，不爲虐兮」，故宜戒淫邪之事，忌俗惡之語。插科則要避無稽之動作，例如「兩人相毆，一勝一敗，有人來勸，必使被毆者走脫而誤打勸解之人」

（〈演習部·脫套第五·科諢惡習〉）；此類科諢乃無稽動作，不足爲法。不止強調插科打諢可以博觀衆一笑，可以養精益神，使人不倦，堪爲戲劇之眼目；但更重要是隱含了所謂「科介」不止是表演者優美動作的呈現，還包含了故作醜態而有意趣的動作，一種所謂「不美之美」的動作。

雖然元雜劇劇本中早已存在科介和科諢的提示，而後人亦可以由其中抽繹出其與身段的關係，但是直到徐渭才將劇本中的「科介」一詞提出而加以解釋；進而王驥德更有「插科打諢」的理論。凡此，皆意味科介、科諢不止是案頭上的文字記錄，而且是劇場上形體表演的身段動作。將李開先描述的「說一番，唱一番，哭一番」和徐渭定義的「科介」一詞結合；再加上此時期崑劇興起繁盛的推波助瀾，身段理論遂有了進一步的發展。其後潘之恆提出專文〈與楊超超評劇五則〉擴充身段理論，極具深意。

潘之恆〈與楊超超評劇五則〉一文是從「度、思、步、呼、嘆」五方面評價楊超超（楊仙度、楊美）演劇，相當於是一篇表演藝術理論。茲引錄全文，以便於討論。

> 余前有曲宴之評，蔣六、王節才長而少慧；宇四、顧筠具慧而乏致；顧三、陳七工於致而短於才。兼之者流波君、楊美，而未盡其度。吾願仙度之盡之也。盡之者度人，未盡者自度。余於仙度滿志而觀止矣，是烏能盡之！　一之度
>
> 西施之捧心也，思也，非病也。仙度得之，字字皆出於思。雖有善病者，亦莫能彷彿其捧心之妍。嗟乎！西施之顰於里也，里人顰乎哉！　二之思
>
> 步之有關於劇也，尚矣！邯鄲之學步，不盡其長，而反失之。孫壽之妖豔也，亦以折腰步稱。而吳中名旦，其舉步

輕揚，宜於男而慊於女，以纏束爲矜持，斯神窘矣！

若仙度之利趾而便捷也！其進若翔鴻，其轉若翻燕，其止若立鵠，無不合規矩應節奏。其豔場尤稱獨擅，令巧者見之，無所施其技矣！　　三之步

曲引之有呼韻，呼發於思，自趙五娘之呼蔡伯喈始也。而無雙之呼王家哥哥，西施之呼范大夫，皆有淒然之韻，仙度能得其微矣！　　四之呼

白語之寓嘆聲，法自吳始傳。緩辭勁節，其韻悠然，若怨若訴。申班之小管，鄒班之小潘，雖工一唱三嘆，不及仙度之近自然也。呼、嘆之能警場也，深矣哉！　　五之嘆

朱子青與仙度競爽者：音其音，白其白，音其音，步其步，嘆其嘆，所不及者思與度耳，然已近顧筠當年，接傳壽芳塵矣，可易得哉？西來有極音，而不能奏技；周蓮生有雅度，而音不振，劇之難言若此耶！

第一章色藝論中，已分別舉例解釋王節、顧筠等人，其才、慧、致不能兼具的情況，楊超超則是兼備美才、慧性和仙致的演員。潘之恆描述三見仙度登場的情景：

余始見仙度於庭除之間，光耀已及於遠。既覯於壇坫之上，佳氣遂充於符。三遇於廣莫之野，縱橫若有持，曼衍若有節也。西施淡粧，而矜豔者喪色。仙乎！仙乎！美無度矣！而淺之乎！余以「度」字也。仙、仙乎？其未央哉！——〈仙度〉

潘之恆以庭除之間、壇坫之上、廣莫之野三個由小而大的表演場所，比喻仙度登場時，三種感情運用而漸入佳境的表現。首次是光耀四射，言其感情表達完全外露奔放而毫無內斂；其次則

內充於心而符應於外；再次則縱橫有持、內外自如，猶「和之以天倪，因之以曼衍」般，變化無窮而不落形跡。其表演藝術如神如仙之境，可謂「美無度矣」，此「度」字爲度量之意，言其表演藝術之美實無法度量、無法形容。潘之恆雖以「度」字，稱其爲「仙度」，卻於文末嘆曰：「仙、仙乎？其未央哉！」未央者，未盡也，即引文中的「未盡其度」，此「度」字爲名詞，指法度規範，引伸爲表演藝術的程式規律，楊超超就是尚未使這些程式規律的表現達到「盡致」的境界；而能否盡致的關鍵在能否度人。故「盡之者度人，未盡者自度」，此「度」字爲動詞，指「授與」。則「自度」爲自己授與，延伸爲自我完成。「度人」則爲授與他人，可以解釋爲演員將表演藝術的程式規律傳授與別人，也可以指演員經由表演藝術所呈現出來的情感傳與觀衆，進而感動觀衆。就當場表演的時空而言，演員是以能感動觀衆爲極致，故取後者之義解釋「度人」。[33]楊超超能自度，故「美無度矣」；然其未能度人，故「未盡其度」。因此潘之恆勉其能達「盡之者度人」的境界，若是「滿志而觀止」則只能自度矣。

「思」的涵義，可就潘之恆舉例加以具體說明。梁辰魚《浣紗記》第九齣〈捧心〉，一開始就是「旦扮西施捧心」上場，全齣皆由西施獨唱、獨白、獨做。[34]西施之捧心，是因自浣紗溪邊遇范蠡後，感其眷顧，贈彼溪紗。今經一月，卻無信音，故終朝懸念。可知西施捧心，原是相思之情，以致「髻兒矬，病在心窩」，因而「香消玉減，蹙損雙蛾」，故是「思」而非「病」。如果演員詮釋西施捧心是生病神態，就是沒有眞正體會劇中人物的情思，則即使是一個很善於模擬病容的演員，亦不能得其捧心之思、之美；仙度得之，因此能「字字皆出於思」。可知「思」

指演員深入體驗劇中人物的內在情意而後表現於外的神思情態。

「步」指戲曲舞臺上的臺步和身段，既是表演性質，故必模擬生活中的原型動作再加以舞蹈化，成爲一種既具模擬性又具表現性、更具自然神韻的表演。邯鄲之學步、孫壽之折腰步[35]都止於模擬；而吳中男扮女裝的名旦，雖舉步輕揚，仍因纏束致使其神態、行步皆窘迫矜持，是雖能表現而乏神韻。楊仙度之步不僅符合表演程式、富於節奏感；而且具有一種美感神韻，「進若翔鴻、轉若翻燕、止若立鵠」乃言其婀娜婉轉、輕盈灑脫，進退、回旋、動靜之靈巧自如，可謂出神入化，猶如仙子登場。

爲掌握「呼」涵義，須將引文舉例加以解釋。「西施之呼范大夫」已於「二之思」討論過。高明《琵琶記》中，蔡伯喈娶妻趙五娘才兩個月，即奉父命應試。後家鄉遭逢饑饉，五娘常隱別處吃細米皮糠。第二十一齣〈糟糠自厭〉即演述此情節，五娘一上場即唱〔山坡羊〕：「亂荒荒，不豐稔的年歲；遠迢迢，不回來的夫婿。」此即趙五娘之呼蔡伯喈。陸釆《明珠記》，劉無雙和王仙客二人原訂婚約，後劉被收入宮中爲宮女。第二十一齣〈煎茶〉演述王擔任富平縣尹兼理長樂驛時，新帝命內官率領宮女三十名，打掃先帝皇陵，途中路宿長樂驛。王氏忖度其中必有劉氏，因遣書僮塞鴻扮做煎茶童子入驛內後堂，歸還無雙前贈之明珠。無雙見明珠，心中悽然，唱〔囀林鶯〕：「雙珠依舊成對好，我兩人還是蓬飄。眼前欲見何由到，驛亭咫尺，翻做楚天遙。楚天猶小，著不得一腔煩惱。枉心焦，芳情自解，怎說與伊曹。」[36]此折可作爲「無雙之呼王家哥哥」例子。這三個劇中人物，西施僅憑贈彼溪紗之因緣，卻不知能否再有音信；趙五娘則未卜夫婿歸期；無雙則盼見仙客，卻咫尺天涯。其事不同，其情則同，皆寓有呼喚之情、悽然之韻，故「呼」指唱曲中的呼喚，也就是曲中情韻的傳達。[37]演員亦必須深入體驗劇中人物的內在情意而後將曲情「呼唱」出來，所以「呼」與「思」有密切關係。[38]仙度能得曲詞之情意，故能表現呼唱的幽微之妙。

「呼」指唱而言，則「嘆」指說白而言，所謂「白語之寓嘆聲」，意指說白中的詠嘆。如〈捧心〉一齣，西施上場唱〔祝英臺慢〕引曲後，有一大段說白，主要是回述與范蠡之結識，兼敘及吳越交戰、干戈擾攘的情況；接著作「長嘆科」之後，又有一段說白：「只因霎時面許，弄出滿腹離愁，害得徹夜心疼，做出一腔春病，只是織成縷縷千條恨，蹙損纖纖兩道眉。切切淒淒，啾啾唧唧，這場事，好生苦楚人也。」幾乎全用四六句法，刻畫西施的心病愁容；顯然兩段說白之間的情味頗有差異。演員應對這類說白要「緩辭勁節，其韻悠然，若怨若訴」，而且要將其中的情韻「自然」地吟詠出來。仙度即是能得自然之詠嘆者。

經由以上的分析討論可知，所謂「一之度、二之思、三之步、四之呼、五之嘆」，其先後次序是有難易之分的。五者之中，最易爲詠嘆，最難爲度人。因此，可與仙度爭勝的朱子青[39]能夠「音其音、白其白，步其步、嘆其嘆」，唯「思與度」不能及也。因爲後三者是表演的基本功夫，屬於技藝的層次；而由體驗劇中角色、進而詮釋角色，乃至達到自度、度人之境，則須才、慧、致相配合，這是藝道的層次。然而才、慧、致三者每不能兼，度、思、步、呼、嘆五者亦難以全備，故潘氏有「劇之難言若此」的感慨。

潘之恆經由評劇的觀點，對臺步提出明確的論點，使「行針步線」、「科介」之詞有更具體的內容；對身段論之建立有重要意義。其肯定「步」與「劇」的關係，正是徐渭解釋「科介」的進一步補充；其將唱念與臺步結合，正是李開先描述的「唱一番、念一番、哭一番」的進一層闡釋；而夏庭芝「使人解悟」的理念，李開先強調顏容使「千百人哭皆失聲」的例証，則由潘之恆提出「度人」，賦予表演的最高境界。潘之恆以「度思步呼嘆」作爲評論演劇的方法原則，實可成爲戲曲表演理論的內涵。

第三節　唱做合一的身段

元代至明中葉時期，討論做工的身段，可說是零星片斷。從「分付顧盼」、「步線行針」、「備極情態」、「科介」、「科諢」等詞語，嘗試探索其關涉身段的意義；而經由潘之恆的〈與楊超超評劇五則〉，將唱念、台步融一，使唱念與做舞的關係更爲緊密；到了清代，唱做合一的身段論則大放異彩，潘文可說是一篇承上啓下的表演藝術理論。

首先是李漁《閒情偶寄》中出現「身段」二字，原是指獨唱曲不宜改爲合唱曲，因爲場上任唱腳色不同、劇中人物身份不同以及曲中詞境之差異，則有不同的身段，〈授曲·曲嚴分合〉說：「曲既分唱，身段即可分做，是清淡之內，原有波瀾；若混作同場，則無所見其情，亦無可施其態矣。」可見身段是依存於唱曲之中，是演唱者運用肢體語言將曲詞中的意境「做」出來，因此「做」之中有情意傳達、有容態展現，情態之中亦自有波瀾。而在同一唱、同一曲中，「其轉腔、換字之間，別有一種聲口；舉目回頭之際，另是一副神情。」就在邊唱邊做之中，展現演員轉腔、換字的聲色口法及其聲情神態，也是身段。可見李漁提出的即是「唱做合一」的身段論。

舞台上唱做合一、舉目回頭的身段即是「場上之態」，所以李漁在〈聲容部·習技第四·歌舞〉中特別要求演員要「習態」，所謂「場上之態，不得不由勉強，雖由勉強，卻又類乎自然，此演習之功之不可少也。」足見身段就是一種演習的功夫，需要後天的學習鍛鍊；而且要從勉強生硬的不自然達到熟能生巧、隨心所欲不踰矩的自然，也就是戲曲行話所說的「練死了，演活了」，才能入乎其內而出乎其外。

從李漁到黃旛綽《梨園原》，可說是眞正建立了身段理論的規模。〈身段八要〉歸納戲曲表演的程式，可視爲表演藝術理論史上的經典。身段八要是：辨八形、分四狀、眼先引、頭微晃、步宜穩、手爲勢、鏡中影、無虛日。以下逐一討論，首先是「辨八形」：

辨八形——身段中有八形，須細心分清。

貴者：威容　正視　聲沈　步重

富者：歡容　笑眼　彈指　聲緩

貧者：病容　直眼　抱肩　鼻涕

賤者：冶容　邪視　聳肩　行快

痴者：呆容　吊眼　口張　搖頭

瘋者：怒容　定眼　啼笑　亂行

病者：倦容　淚眼　口喘　身顫

醉者：困容　糢眼　身軟　腳硬

所謂「八形」就是八種類型人物。貧賤富貴代表人物的身份地位，癡瘋病醉代表人物的精神狀態，都屬於抽象的類型。演員必需以各種方式「做」出某一種類型人物的模樣。戚容、歡容等八種都是指面容；正視、笑眼等八種都指眼神；聲沈、聲緩指聲調；其餘則是指身體各部位動作，包括手、口、身、步、頭等。演員要同時配合面容、眼神、聲調及身體各部位四方面[40]，互相協調，才能「裝窮像窮，裝富像富」，將該人物類型恰如其分地表現出來。

其二是「分四狀」，四狀爲喜、怒、哀、驚；另將〈寶山集八則〉論「聲」同列，以觀照其說：

「分四狀」

喜者：搖頭爲要　俊眼　笑容　聲歡

怒者：怒目爲要　皺鼻　挺胸　聲恨

哀者：淚眼爲要　頓足　呆容　聲悲

驚者：開口爲要　顏赤　身戰　聲竭

但看兒童有事物觸心，則面發其狀，口發其聲；喜、怒、哀、驚現於面，歡、恨、悲、竭發於聲。

「聲」

聲歡：降氣　白寬　心中笑

聲恨：提氣　白急　心中躁

聲悲：噎氣　白硬　心中悼

聲竭：吸氣　白緩　心中惱

各聲雖皆從口出，若無心中意，萬不能切也。

所謂「狀」指狀態，就是劇中人物因劇情的發展或變化而引起的表情和聲情。猶如「兒童有事物觸心，則面發其狀，口發其聲」，故喜、怒、哀、驚屬於面部表情，歡、恨、悲、竭屬於口部聲情。面狀的情緒表達，不止在於口部聲情，也同時包括眼、身、步、頭等身體部位；再加上呼吸氣口的運用、說白的寬硬緩急以及心中情緒意念的配合（詳本章第一節），可知分四狀在身段表現中何其不易。「八形」是人物形象具有其持續性，爲貫穿全劇的一種形像；「狀態」則有其時間性，是人物根據劇情的需要而產生的狀態。[41]此二者是緊密連續的關係，即演員要在其所扮演的類型人物之上，充份掌握面狀的變化。正因爲是隨劇情變化而變化，故要運用各種形體語言，使面狀情緒的轉換，極具複雜；而要掌握得恰到好處，則甚爲不易。因此〈藝病十種〉之一，特別拈出「面目板」：「凡演戲之時，面目上須分出喜、怒、哀、樂等狀，面目一板，則一切情狀俱難發揮，不足以感動人心，則觀者非但不啼不笑，反生厭惡也。」演戲時如不分喜怒、面無表情、呆若木雞，則其辨八形就不能產生意義，當然不能感動人心。此即潘之恆所說的不能「思」，不能「自度」而「度人」。

其三「眼先引」：「凡作各種狀態，必須用眼先引。故昔人有曰：『眼靈睛用力，面狀心中生』。」這是說在各種表情動作中，將眼睛置於首位，即以眼神引導各種形體動作，以突出其內心的活動。此處雖只就「狀態」而言，實則包含「八形」。如上所述，此二要之中，眼神就有正視、笑眼、直眼、邪視、吊眼、定眼、淚眼、糢眼、俊眼、怒目等多種。由於眼睛可左可右、可仰可垂、可遠可近，故其視線的範圍、角度的轉動，以及用目的快慢急徐、方向距離、時間久暫之別，都可以產生不同變化。例如《遊園驚夢》，杜麗娘深閨懷春，有「剪不斷、理還亂、悶無端」之愁，當春香取鏡臺衣服過來時，杜麗娘動也不動，只能用眼睛交代，看一眼春香，望一下妝檯，慢慢地說：「放下」。就這一眼之中，傳達了杜麗娘「懶起畫娥眉，弄妝梳洗遲」的憂悶情思。其後唱〔醉扶歸〕：「翠生生出落的裙衫兒茜，豔晶晶花簪八寶瑱」，唱至「花簪」兩字時，右手從胸前向頭右旁上指，眼睛隨著右指往上看；唱「八寶瑱」三字時，站住不動，右手輕輕撫鬢，讓春香在背後爲她整理鬢髮。唱完這兩句時，眉目間要微現喜色，以點出下句「可知我一生兒愛好是天然」的正題，此處就要用手眼引起觀衆的注意。這些雖是平常身段，但眼睛隨著右指往上看時，兩眼微眨；然後再往上看，這一瞬間，眼波流動，光豔照人。此即是運用眼光的閃動，將平凡的動作點染成一個令人神往的天然意境。[42]所謂「四體妍蚩，本無關於妙處，傳神寫照，正在阿堵中。」[43]可知「以眼傳神」是辨八形、分四狀的首要關鍵，也可以說是古典戲曲表演的美學。

其四「頭微晃」：「頭須微晃，方顯活潑；然只能微晃，不可大晃及亂晃也。」此言身段表演中，若有頭部動作，如癡者需作搖頭狀，則只能微搖；而且配合唱念時，也須頭頸微搖，才能傳出神理，以免因項頸不動之病而形如傀儡。但在頭頸微搖之間，則要注意不宜有「扛肩」（聳肩）之病，以免不美觀（見〈藝病十種〉）。可知戲曲表演不止要求曲白的聲音之美，更追求身段之美。

身段第五要是臺步，此外，〈藝病十種〉中的「大步」（行步太忙）、「曲踵」（腿彎）、「腰硬」（腰不活動）亦討論臺步身段問題：

> 步宜穩：臺步不可大，盡人皆知矣，然而亦不可過小。總之，須求其適中，以穩爲要；雖於極快、極忙時，亦要清楚。
>
> 大　步：臺步須大、小合宜，大則野，小則遲。行走過忙，

勢必全身搖動，冠帶散亂，殊不雅觀。

曲　踵：無論踢腿、抬腿、坐時、立時，必須將腿伸直，不可曲彎。而行走時更須腿直、身不動，方能合乎臺步。萬不可如平人隨便走路，曲直不定也。

腰　硬：腰硬則全身不靈活。文則如上馬、下馬，武則如舞弄刀、槍，皆仗腰間之靈活，方能出色。

這裡對步法提出幾個具體的要求。第一，臺步要大小合宜，既使是男子步伐大，女子步伐小，亦須求其適中，以免過於粗野不雅或遲步緩慢。第二，臺步要穩健準確而靈活，既使需要快步、急忙的步伐，亦不能含糊錯亂或全身搖動而冠帶散亂。例如《夜奔》，林沖一出來就是跑場，而從上場門到臺口實際距離極短，要跑的步數很多，而又不能凌亂，每一步邁出去還要收回來，故需要腳步非常矯健靈敏。第三，無論行、止、坐、立，或一踢一抬，腿部必伸直不曲。尤其走腳步時，膝蓋自然放鬆，不能繃緊，上身保持平衡，最忌身體上下顛動、曲直不定。第四，腰部之靈活與否，與一切身段都有關係。所謂「腰腿功夫」，即指明腰腿不能分開，故練腿必先練腰。[44]腰間靈活，舞臺上所有虛擬動作之表演才出色可觀。以上這些要求是臺步的大原則，如扮演特殊類型人物，如瘋者要「怒容、定眼、啼笑、亂行」，則必以亂行之步法表現，但行亂中仍有規矩，方合瘋者之臺步。

其六是「手爲勢」：「凡形容各種情狀，全賴以手指示。」意指用手作勢，借以表達各種情境、各種狀態。如以手指「人」時，則有遙指、近指、當面指、背後指、虛指、實指、自指、他指、概指、專指等，每一指法都寓有形容及所指的對象。[45]可見手的功用是「指示」，也是「做勢」，是演員和他周圍的人事物發生關聯的媒介。在身段表演中，手和眼的關係極爲密切，所謂「手到眼到」，其對形體動作往往有畫龍點睛的作用。例如《爛柯山》的《癡夢》，崔氏確知朱買臣得官，不禁悔恨交集；癡癡迷迷地睡去，夢中，朱買臣派差役、管家婆，捧著鳳冠霞帔迎接她前往任上。崔氏從夢中驚醒，念：「呀碎！原來是一場大夢！」夢中的榮華轉眼而逝，這時她百感交集，從後場椅走出站在臺心，唱：「……只有破壁，哎呀！殘燈、零碎月！」這時演員要向觀衆一一交代：先用手眼引領觀衆環視四周，看到頹垣、孤燈；唱「零碎月」時，則低頭用手指點從斷牆照射在地上零碎的月光，然後引領觀衆的視線抬頭望見茅舍外面的殘月。[46]場上人物懊悔淒苦的心境、情景交融的景象，就經由演員「手眼聯繫」的身段傳達出來。

此外，手眼和身步之配合更是關係緊密。例如《思凡》色空尼姑唱〔風吹荷葉煞〕：「奴把袈裟扯破，埋了藏經，棄了木魚，丟了鐃鈸……。」等句，唱「奴把」時自指，引起觀衆注視自己；在「袈裟扯破」四個字三板的節奏中，邁右步，一個轉身下蹲，把袈裟（一般穿「田水衣」）從身上脫下來。這一轉眼的動作，必須一絲一毫不差，不可多一步或錯一步；況且上妝後，裏外衣服都有水袖，梳大頭後面有線尾子，右手還拿著拂塵，如姿勢有些不準確，亂了一根頭髮，袈裟就脫不下來。下一句節拍快，事情多，「埋藏經、棄木魚，丟鐃鈸」只能用點到爲止的動作，但要有交代，有形象感。唱「丟了」時，要搶先把丟鐃鈸的動作做完；唱「鐃鈸」兩字時，出門、走向前左角，然後輕輕一個跳步在前左角站定，兩手舉拂塵亮相。可知做這兩句身段要乾淨利落，能亂中有定，動中有靜，就是手眼和身步配合的功夫，也是唱做合一的功夫。[47]身段八要中提出「眼先引、頭微晃、步宜穩、手爲勢」的原則，此例正可用以詮釋其彼此聯繫的關係。

其七是「鏡中影」：「學者宜對大鏡演習，自觀其得失，自然日有進益也。」演員以形體模擬詮釋各種類型人物和表情狀態的「樣勢」，在鏡中顯現出來，謂之「鏡中影」。故欲知其得失，則必於鏡前自觀表演之相。〈寶山集八則〉有「觀相」一則：

> 學者於私下粧作古人，對鏡自觀。其品行忠直者，正直爲之；奸逆者，邪曲爲之。有意有情，一臉神氣兩眼靈。喜則令人悅，怒則使人惱，哀則動人慘，驚則叫人怯，如同古人一樣，始謂之眞戲。視聽之學，寔私下工夫也。有等登場者，意亂心慌、膽怯神散，雖認眞演唱，觀者惡之矣。

此即是鏡中影的練習方法。不論扮演正面或反面人物，在鏡前，演員要看到自己內心有相對應的意態和感情，臉上有神韻，眼中有靈氣，喜怒哀驚之情緒栩栩如生，彷彿古人再現，此之謂「眞戲」——即假戲眞做的眞戲。演員先能在鏡前演習至此境界，登場時才不會意亂心慌、膽怯神散。故云「視聽之學，寔私下工夫」，這私下工夫就是對鏡顧手舞足蹈之影、觀身段動作之相。上文討論顏容學戲、演戲即是此証。

顧影觀相的工夫需要篤志學習，時時不倦。身段第八要就是「無虛日」：「日日用功，不可間斷；間斷一日，則三日不能復原。學者切記之。」表演是一種技術，一種工夫；更是一種藝道，一種境界。非日積月累，年復一年，不足以成其技，不足以至其道。因此不僅要日日對大鏡勤練用功，還要在「未登場之前愼思之，既歸場之後審問之」（〈寶山集八則·難易〉），愼思、審問的態度，更可見表演者之苦心孤詣。

身段八要中，前六要是提出身、眼、頭、步、手具體的表演動作，後二要則是演練身段的方法與學習的態度。對表演者而言，前者是「知」，後者是「行」，必需知行合一，才能成其工夫境界，故八要成爲身段論的內涵。[48]至於其涉及的層面，事實上已經結合了身段藝術和唱念藝術，如將〈曲白六要〉和〈藝病十種〉一併觀照，更可看出《梨園原》其理論層面的完整性。《梨園原》引錄〈寶山集〉中的一首詩，恰可作爲印証：「曲唱千回腔自轉，白將四聲練如眞，狀多鏡里形容也，勢向三光觀影身（原註：三光乃日、月、燈之光也。影中勤練，看勢好歹）。」唱曲、練白、容狀、觀勢[49]，四者並述，代表身段理論所涵括的內容。原來後人所謂「唱念做舞」、「手眼身髮步」之四功五法，在一百五十餘年前的《梨園原》已有理論規模。

唱做合一的身段理論建立之後，戲曲家遂運用於演出臺本選集中，以王繼善訂定的《審音鑒古錄》爲代表。[50]此書主要選錄南戲及明清傳奇名著中的折子戲。琴隱翁於道光十四年（一八三四年）作序云：「選劇六十六折，細言評注，曲則抑揚頓挫，白則緩急高低，容則周旋進退，莫不曲折傳神，展卷畢現。」指出該書對所選六十五折單出劇目（序文記述有誤），於歌唱、說白及舞臺動作等方面，皆加以細言評注，曲折傳神，可說是一本記錄身段的「身譜」。[51]例如《荊釵記》中的《上路》一折，演述王十朋從潮陽遷任江西後，不忘舊誼，派李成迎接岳父錢流行和岳母姚氏到任所贍養。錢流行在上路途中，雖感念女婿不念舊惡，但心底內疚，且無法預料女婿能否善始善終，故一路上惶惶不安。[52]以下將錢氏夫婦同唱〔仙呂·八聲甘州〕各句之曲詞及其相應的身段動作著錄如下：（外扮錢流行；副扮姚氏；末

扮李成）

春深離故家歎衰年倦體【末引從左轉至右下立，外隨至中，副跟外行至左上，一流邊勢，各對右下介。】

奔走天涯【外拐豎右足跟邊，左手一指，挾左臂指右下側看，又對副側點頭，副右手搭外左肩，衝身亦看右下，顧外點頭，末蹴身看，亦指右下科。】

一鞭行色【外轉身對右上踏出右足，拐側豎右胸，左手提左腰衣，衝身看右上地，末副在後傍作襯看介。】

遙指【外隨前勢，右肩高左肩低，紐身慢看至左上地，末、副借勢視科。】

剩水殘霞【外走中略對左，隨身立直，左手捏拳捶背後，右手捏杖隨意直指左上，看左介，副看左柳樹，走上折柳枝嗅，搖首擲地，末立外右肩後，借景看左上科。】

牆頭嫩柳【外乘式右拐平落右腰邊，左手一指直指左上，側首強身對末笑，末蹋衝身對外點首科，副左手指柳頭對外訴式。】

籬畔花【外轉身對正下場，左足踏出，左手抓臍下衣，用雙膝夾住，右手捏杖鞠身縮頸，扛拿肩，縐鼻眼，笑容堆，作拙幻看式，左一指靠鼻勾指樹科，末走左，在外後，雙手捧腹曲身衝看狀，副雙捏珠鞠恭指助科。】

只見古樹枯籐【外立硬身，右手直按拐落右腰邊，左手指直指右下，斜首對末。末就勢右手捋鬚各笑貌，副換雙手指右下科。】

棲暮鴉【各收勢，外走正下看右下角至左下，副副亦緩隨走看式。】

嗟呀【外對左下將拐尾向左下角去出，捏拐頭伏胸前，將身紐直，左手捏拳叉左腰，側頭看左遠式，副倍襯指科。】

遍長途觸目桑麻【外收拐看下場轉身，對右橫雙手豎起似伸腰。帶提拐杖，就勢在麻字腔內打哈嘶科。末隨走從右下看轉立介，副轉身走上場連唱介。】

這支曲子是借景抒情，詞中淒涼蕭瑟的景象，即是人物心情的寫照。這一小段唱詞，卻詳注劇中人物如此豐富細膩的身段動作。這個身段譜，「畫景」的動作很多，故必配合手、眼、身、步將人物對景物的特殊感受給予形象的表現，以顯示出文詞中的景物意境，也呈現錢流行悽苦、惆悵、不安的複雜心情。傳統無畫無景的戲曲舞臺上，狀物抒情、情景交融的表現手法，演員完全憑藉聲音情態和形體動作，「一方面賦予客觀景物具體的形象，同時又表現人物對客觀景物的感受和態度。把人物的主觀情思和客觀景物融爲一體，從人和景的交流中表現出人物的內心活動和精神面貌，寫景、抒情和刻畫人物在表演過程中同時完成。」[53]這種運用唱念做舞的技巧，而超越舞臺時空，即是一種虛擬的表現手法，也正是古典戲曲表演藝術精神之所在。

《上路》一折，篇末注明：「此乃孫九皋首劇，身段雖繁，雖係畫景。惟恐失傳，故載身段。」孫九皋乃乾隆間揚州著名藝人，李斗《揚州畫舫錄》記載：「老外孫九皋，年九十餘。演《琵琶·遺囑》，令人欲死。……。周維伯曲不入調，身段闌珊，惟能說白而已。」[54]可見孫九皋善於外腳之身段表演，何其出神入化。而由孫九皋藝人首演的《上路》，因其身段繁複細微，頗可爲法，《審音鑑古錄》編者惟恐其法失傳，故詳錄之。身段理論終而實際運用於舞臺選本之中，可說是《審音鑑古錄》一書最突出的成就。

從元代「分付顧盼、使人解悟」、「出門入戶、步線行針」等做工觀念的萌芽；到明代眞正提出科介、科諢的定義，以及「度、思、步、呼、嘆」表演美學五則，做工理論便有了較深層的發展；而到清代李漁提出「身段」一詞，再由黃旛綽等人歸納「身段八要」，建立唱做合一的身段論；再將之充分運用於舞臺選本，結合理論與實踐。元明清三代，身段理論之逐步形成、而終成規模的發展脈絡，並非一蹴可幾的。

【註釋】

[1]「三笑」用以表現人物志得意滿或驕橫縱姿的狀態，先後面向兩側作兩聲短笑，然後向正中一聲長笑，同時口念「啊哈，啊哈，啊啊哈哈哈哈」，在笑聲間隙中有鑼鼓伴奏。「哭頭」是配合唱腔中的哭腔，借以渲染悲劇氣氛。「氣椅」用以表現人物因氣憤過度或遭遇突變而致昏厥，及因病死亡時用之。動作爲演員向觀衆站立，向後仰倒於椅上。以上名詞解釋參張月中編《中國古代戲劇辭典》。

[2]「山膀」動作是兩臂左右平伸，鬆肩、藏肘、扣腕、左拳、右掌。在短打、長靠戲中用處頗多。「雲手」有正反雲手兩種。正雲手動作爲左手五指伸直，手心向下，臂肘彎曲，手掌齊眉，然後左手繞過右胸逐漸向左外方推去，變爲攥拳式，再由左方平肩自內向外畫半圓形，拳向左前方推直與肩平；右手自右方向左，扣左腕，往右方拉開，手心向右外方，與肩平。反雲手動作與正雲手相反。「走邊」是表現身懷武藝的人物輕裝潛行的表演程式，是一種成套的連續的舞蹈動作。男的走邊主要由正、反雲手，各種踢腿和飛腳、旋子、蹦子、掃堂腿、飛天十響以及快三步等動作組成。「起霸」是通過連續的舞蹈動作，表現古代武將整盔束甲，

準備上陣的情景，用以烘托舞臺上的戰鬥氣氛，起霸時只舞不唱，相傳起於明傳奇《千金記》中《起霸》一出。「趟馬」又稱「馬趟子」，是通過連續的舞蹈動作，表現策馬疾行；主要由圓場、轉身、勒馬、揮鞭、高低亮相和三打馬等動作組合而成。參《中國古代戲劇辭典》。

[3]關於「唱念做舞」的意見，參考郭亮〈早期南戲表演探源——張協狀元剖析〉註六。又以上對做功、打功之解釋，參張卉《戲曲表演知識三講》頁八。

[4]程硯秋〈戲曲表演藝術的基礎——四功五法〉提出「五法」是口、手、眼、身、步。陳古虞〈談手眼身法步〉認爲「身法」指的是除掉「手眼」，聯繫「手眼」和「步」的身體一切動作都包括在內，強調「手眼、身法、步」的關係是統一的整體。吳華聞〈究其身而正其法——析手眼身法步的法〉，主張「手、眼、步」任何一個部位的身段態式，「身」都將參與，都將以「法」待之，以助其力量，其意與陳氏相同。姜永泰《戲曲藝術節奏論》批評「口、手、眼、身、步」和「手、眼、身、法、步」都忽視頭部的表演動作，而且口法又專指唱、念的功法，不在形體表演之列，而贊成焦菊隱提出的「手、眼、身、髮、步」五法，增加了甩髮的功法（頁一四二～四三）。筆者採姜氏之說，然而表演時，四功多融合爲一，口法亦應含在其中，況且口部亦是身體一部分，如是六法各歸屬於四功之下：如圖

四功	唱念	做舞
六法	口	手、眼、身、髮、步

[5]「聲音表情」借用余上沅〈表情的工具和方法〉提出的觀念，余氏論述聲音表情有七步：讀法、輕重、高低、快慢、寬窄、神情、節奏。

[6]此參汪效倚〈潘之恆戲曲評論初探〉。

[7]參蔡鍾翔〈表演論〉。

[8]參賈志剛〈潘之恆文藝觀及表演理論探索〉。

[9]《思親》之〔雁魚〕，指《琵琶記》第二十四齣〈宦邸憂思〉〔雁魚錦〕曲。「悼亡之南北」指《荊釵記》第三十五齣〈時祀〉中王十朋和其母在清明時節悼念錢玉蓮所唱的南北合套曲。參汪效倚《潘之恆曲話輯注》頁一六。

[10]詳見〈授曲・調熟字音〉，此段字音問題已詳於第三章討論沈寵綏的文字中。

[11]參高宇先生〈古典戲曲導演的方法論——李漁的演習部及其他〉頁二八四。

[12]通行本《琵琶記》見明毛晉編《六十種曲》冊一，以下引文據此。又清陸貽典抄本《元本琵琶記》，〈賞月〉則在第二十七段，見錢南揚校注本。

[13]參曾師永義《中國古典戲劇選注》頁八三七。

[14]語自〈詞采・戒浮泛〉。案：徐文長已有此說，謂伯喈所唱無一句可移之牛小姐，牛小姐之詞亦無一句可移之伯喈，引自王季思主編《重訂增注中國十大古典悲劇集》上冊之眉批，見頁二一二。

[15]同註一三，頁八三九。

[16]參傅雪漪《戲曲傳統聲樂藝術》頁一〇六。

[17]《藍采和》雜劇見《元曲選》外編冊三；《錯立身》見錢南揚《永樂大典戲文三種校注》。又曾師永義〈說排場〉引《藍采和》雜劇中有所謂「做排場」、「做場處」之語，並解釋其所云「做排場」也就是「做場處」的「做場」，即指藝能的表演，可包括歌舞彈唱的多種演出。本文所引「做場」，將「做」字當動詞，解釋爲「做戲」或「演戲」（同錢

南揚校注本之解），取其狹義。

[18]見《張光弼詩集》卷三，引自《青樓集箋注》頁一〇三。

[19]元雜劇由正旦或正末主唱，其他腳色只做不唱，而是做戲以供觀、供襯，故謂之「外腳」；詳第七章腳色論。

[20]郭亮〈風塵珠玉，永駐光輝——讀青樓集小記〉認爲「步線行針」本是指日常女紅的針線活；而是當時戲曲界用來專指演員在舞臺上形體動作的貫串線的「行話」。陸林〈元人戲曲表演論初探〉認爲此解似過於拘泥，應與「出門入戶」聯繫考察爲是，認爲此句並非指某一具體的日常生活動作，而是代稱那些採自生活，又經過提煉，即程式化的舞臺做表。筆者贊同陸氏將「出門入戶，步線行針」二句聯繫解釋，但應從其本義再生出延伸義。

[21]陸氏討論元代戲曲表演理論中的做工，頗有見地，筆者得其啓發不少。

[22]李開先《詞謔》收入《中國古典戲曲論著集成》冊三。全書共有四部分：一詞謔，二詞套，三詞樂，四詞尾。其中詞樂記載周全教戲、顏容演戲及當時知名的紘索家和歌唱家等三段文字（頁三五三～五五）。在全書體系中，可見李開先評述顏容演戲有特殊意義。又引文中，有「顏容……全之同時」之語，全即指周全。

[23]本劇取材於《春秋左傳》和《史記》。戲文全名爲《趙氏孤兒報冤記》，《古本戲曲叢刊初集》本，據明金陵唐氏世德堂本影印，題作《趙氏孤兒記》。元紀君祥有《趙氏孤兒大報仇》雜劇，明徐元有《八義記》傳奇，今京劇有《八義圖》，皆本於此。

[24]葉長海先生《中國戲劇學史稿》解釋：顏容扮演公孫杵臼，始而仗著自己喉音響亮，演唱時備極情態，即有點拿腔作態、嘩衆取寵的味道，因而並不感人（頁九六）。筆者則覺得「備極情態」是肯定語。

[25]《南詞敘錄》是自南戲形成發展以來，宋元明清四代專論南戲的唯一著

作，全書可分「敘」和「錄」兩部份。敘的內容包括南戲的源流、早期發展情況、南戲的聲腔格律、風格特色、作家作品的評論，及南戲專門術語、腳色名稱、曲詞方言的考釋。「錄」的主要內容是徐渭當時所見到的宋元時期的南戲劇目和一部份由南戲演變而來的傳奇劇目（參李復波、熊澄宇《南詞敘錄注釋·前言》）。《南詞敘錄》收入《中國古典戲曲論著集成》冊三，「科、介」引語見頁二四六。

[26]惟《古今名劇合選》其中有一些劇本有科又有介，如《兩世姻緣》、《揚州夢》，但此為明代崇禎年間本子，應經過修改。本段敘述雜劇用科，傳奇用介的情形，參徐扶明先生《元代雜劇藝術》第十二章〈科介〉頁二一九～三六。

[27]只有《小孫屠》中有幾處作「科」或「科介」，如「淨殺梅，扮梅香作旦死屍科」，「末作聽科介」。

[28]引自《元代雜劇藝術》頁二二一；此外徐氏另舉出「介」字的四種說法。其一是徐渭之說。其二，原作「喬」，意即假扮劇中人物的種種動作，簡寫為「乔」，再省作「介」。其三，「介」字乃「界」字之省文，讀劇本時，於唱曲念白之間，表明其演時態度，以此為界線，喚起其注意也。其四，兩人動作曰科，一人動作曰介。徐氏對各說皆有批評，而主「北劇曰科，南戲曰介」之說。徐氏補記錢南揚的意見說：自北雜劇流傳南方，當時杭州書會，又編戲文，又編雜劇，遂有南北混合科介連用現象。王安祈先生《明代傳奇之劇場及其藝術》第六章〈科介與砌末〉則疑「介」為「開」省文「开」之訛變，開有表演開始之意，與動作關係密切；並認為徐渭所云「身之所行，皆謂之科」，未能涵蓋科介之意。如傳奇中常有「旦驚喜介」、「生恨介」，面部表情也屬科介（頁三一九）。

[29]觔斗亦作筋斗、斤斗。搶背，係觔斗的名稱之一，即是身體向前斜撲，

以左肩背著地,就地翻滾而起。撲旗,是跳躍旋風而舞旗。參徐扶明《元代雜劇藝術》頁二三二。

[30]融入科泛表演之中者，如馬致遠《青衫淚》第四折「(內侍云：)宣到裴興奴見駕。(正旦拜舞科)」。穿插在劇情中表演者，資料較多，如白樸《梧桐雨》第二折「(高力士云：)請娘娘登盤演一回霓裳之舞。（正末云：）依卿奏者。(正旦做舞)(衆樂攛掇科)。」參李春祥〈略談元雜劇中的舞蹈〉。

[31]這五個類型的科，係參考《元代雜劇藝術》第十二章〈科介〉頁二二〇至二二一。徐氏說明元雜劇劇本所標明的舞臺指示，主要是做工和武功兩方面，而後世戲曲稱做工爲「身段」。因本章「身段」二字取其廣義，故包含做工、武功、舞蹈。

[32]參許金榜〈元雜劇的科諢滑稽〉。

[33]葉長海先生《中國戲劇學史稿》解釋：度人是產生了角色的感覺；自度則依然是演員本身的自我感覺，前者才是眞正的、徹底的舞臺感覺（頁一六九）。賈志剛〈潘之恆文藝觀及表演理論探索〉解釋；度有兩層意思，一指演員在表演上的適度、分寸感；二指演員能表現人物的氣度。趙山林《安徽明清曲論選注》則說明：演出時才、慧、致發揮不足，叫做「未盡」，未盡者只能自度，只能自我欣賞，不能有效地影響觀衆，影響其他演員；反之，則是「盡」，盡之者能夠度人，達到「滿志而觀止」的最佳效果（頁七七）。筆者的詮釋與諸說不完全相同。

[34]梁辰魚《浣紗記》見《六十種曲》冊一。

[35]孫壽爲東漢大將軍梁冀之妻，作愁眉、啼妝、墮馬髻、折腰步、齲齒笑等，京師婦女爭相仿效，成爲風尙。參趙山林《安徽明清曲論選注》頁七六。

[36]陸釆《明珠記》見《六十種曲》冊三。

[37]賈志剛解釋「呼」即演唱之前的情緒醞釀，如叫板、哭頭、起唱之類，要安排妥貼，與演唱相互銜接，彼此和諧，同註八。

[38]潘之恆提出「呼發於思，自趙五娘之呼蔡伯喈始也」，所謂「始也」是指伯喈上京赴考後，趙五娘第一次出場，思怎呼喚夫婿的愁緒；就全本關目結構發展而言，則是第九齣〈臨妝感歎〉。

[39]傅靈修以北音擅名曲中，獨步於明代北京和南京，朱子青爲其親傳弟子，潘之恒評曰：「絲棼矣，而揚其緒；雲遏矣，而緣其光。」可見朱子青表演藝術之精湛。詳潘之恆〈朱子青〉。

[40]周貽白《明心鑑注釋》解釋辨八形的身段表現方法皆聯繫面容、眼神、聲調、步法四項而言(頁一九八)。筆者認爲「步法」一項似未能涵括。收入《戲曲演唱論著輯釋》。以下引用周氏注文，據此。

[41]此解參周貽白注，頁一九九，同上註。

[42]參陳古虞〈場上歌舞局外指點——淺談戲曲表演的藝術規律〉。

[43]語見《世說新語·巧藝》，余嘉錫《世說新語箋疏》本頁七二二。

[44]此解參周貽白注，頁一八四，同註四〇。

[45]參周貽白注，頁二〇二，同註四〇。

[46]解例參同註四二，又《癡夢》見《納書楹曲譜》，收入王秋桂先生主編《善本戲曲叢刊》第六輯。

[47]解例參同註四二。

[48]周貽白認爲所謂「身段八要」，實際上有關身段竅要者只有六項（頁一九七），即指後二要非關身段。筆者認爲《梨園原》的作者既立八要，應有其意義，故以知、行兩部分解之，而仍應統歸於身段。

[49]〈寶山集八則〉有「勢」一則說：「樣勢也。昔人有詞曰：『勢貴如眞，要在虛心。對鏡去病，日見增新』。」

[50]《審音鑒古錄》，道光十四年刊本，見王秋桂先生主編《善本戲曲叢刊》

第五輯。

[51]凡記錄曲詞文字格律的譜例稱爲「曲譜」；記錄工尺樂譜者稱爲「宮譜」（宮商音譜之義，現亦通稱曲譜）；記錄表演身段者稱爲「身譜」。

[52]《荊釵記》，相傳爲元柯丹丘撰，吳梅考証爲朱權撰，收入《六十種曲》冊一。以下引錄《上路》之身段譜，見《審音鑒古錄》上冊頁三二〇。

[53]參黃克保〈戲曲的舞臺時空藝術 ： 超脫的舞臺時空觀與虛擬手法相結合〉，收入《戲曲表演研究》。

[54]語見李斗《揚州畫舫錄》卷五頁三八三～四，收入任中敏編《新曲苑》冊二，題爲《艾塘曲錄》。

第七章　腳色論

戲曲演員習就唱念做舞的技藝後，還需要以一種「符號」去扮飾劇中人物，這符號就是「腳色」。這是中國戲曲異於歌劇、話劇、舞臺劇、默劇等其他戲劇形式之處。換言之，在這些戲劇形式中，表演者直接扮演劇中人物即可；而戲曲演員則必通過「腳色」符號而扮演劇中人物。由於腳色性質之特殊，使戲曲演員的表演藝術理論變得複雜許多。本章即嘗試探討腳色理論的發展。

專文討論腳色的發展，較具代表性者，先有王國維先生〈古劇腳色考〉，就唐宋以來戲劇腳色出處及其名義，考其淵源變化；並於篇末附有「餘說」作簡要結語：「隋唐以前，雖有戲劇之萌芽，尚無所謂腳色也。……。宋之腳色，亦表所搬之人之地位、職業者爲多。自是以後，其變化約分三級：一表其人在劇中之地位，二表其品性之善惡，三表其氣質之剛柔也。」大意略指元劇腳色，全以唱不唱定其地位；南曲諸色始俱唱，然一劇之主人翁，仍爲生旦，此皆表一人在劇中之地位。元雜劇之主人翁，以末旦爲之，明傳奇則以生旦爲之；而主人翁多美鮮惡，凡下流之婦，悉在淨丑；由是腳色之分，亦大有表善惡之意。清朝以後，如孔尚任之《桃花扇》，其定腳色不以品性之善惡，而以氣質之陰陽剛柔。故自元迄今，腳色之命意，不外此三者，而漸有自地位而品性、自品性而氣質之勢，此其變化之大略。[1]

其次則是曾師永義的〈前賢腳色論述評〉，係縱觀清代以前對於「腳色」的論述，主要從三個方向探討。第一，解釋腳色命名的由來，大致有五個類型：一是以禽獸名釋腳色；二是認爲腳色名義乃顛倒而無實；三是以爲腳色之名本市井口語，不必深求；四是從腳色名目之音義予以探求；五是從古籍探其根源。第二，腳色的源流，隨戲劇內容形式的由簡趨繁，戲劇腳色亦因之而分化孳乳；其間又因劇種不同而名目有別，又因時空流轉而稱謂有殊，於是有考求源流，明其變化之跡者。第三，腳色的扮相與技藝，因腳色不同，則扮相有別，技藝亦殊。此外，曾師另有〈中國古典戲劇腳色概說〉，略釋「腳色」一詞涵義，謂「腳」與「色」二字分稱，皆有戲劇腳色之義，故合爲一複詞。該文主要在探求生、旦、淨、末、丑、雜（衆）、俗稱等各門腳色命名之由及其淵源流派；進而以腳色之門類與劇種爲綱領，論腳色之分化及其與劇藝之結合。這兩個主要論題，即是就前文的第二和第三個問題，做更深一層的分析舉証，亦即對前人的腳色論再補充發揮，並建立觀念系統。[2]

上述三篇論文，對於腳色的名義及其分化孳乳，已論之甚詳，不再贅述；而曾師歸納前人腳色論，提出「腳色的扮相與技藝」，則是與表演藝術密切相關。此外，曾師在相關論述中，非常強調「腳色」、「演員」、「劇中人物」三者的分別。本章即是以這些觀念爲基礎，進一步釐清三者之間的關係；並以此探討戲曲家論及腳色與表演藝術之間的關係時，其蘊涵腳色理論的意義及其發展。

第一節　腳色、演員、人物的關係

「腳色」本是宋代「履歷」的名稱，指簡單的身家履歷或名銜之意；而借用腳色之名，作爲戲曲人物分類的總稱，可能始於宋代。[3]《永樂大典戲文三種》中的《張協狀元》，開場末色云：「似恁唱說諸宮調，何如把此話文敷演。後行腳色，力齊鼓兒，饒個攛掇，末泥色饒個踏場。」此所謂後行「腳色」，即指戲劇之「腳色」而言。[4]進一步觀察劇本中出現的腳色名稱及劇中重要人物有：

〔生〕扮張協；〔旦〕扮貧女；〔外〕扮張父、宰相夫人；〔末〕扮李大公、判官、堂後官、舉子等；〔淨〕扮李大婆、山神、店主婆、門子等；〔丑〕扮李小二、宰相等；〔貼〕宰相之女勝花、養娘野方等。

郭亮分析這本出自南宋中晚期的《張協狀元》，反映出早期南戲已開始形成綜合的、完整的腳色分工體制，也是戲曲史上第一次形成的腳色分工體制。[5]所謂「腳色分工體制」，意指由若干位「演員」，擔任不同的「腳色」，扮飾劇中「人物」，搬演一個長篇故事。於是演員、腳色、人物三者，彼此之間產生了關係。以下分別說明腳色與人物、腳色與演員、演員與人物、腳色與演員與人物等四種關係。

腳色對於劇中人物而言，是象徵其所具備的類型和性質。隨劇種之別，腳色門類亦有繁簡之不同，如宋金雜劇院本只有末、淨二類；元雜劇有末、旦、淨三類；南戲傳奇則有生、旦、淨、末、丑五類。腳色分類即是分行當，故稱「腳色行當」，通稱「

行當」，簡稱「行」。每個行當都有若干分支，分支以下尙有若干層次和細目，各有其固定的扮演人物。如傳奇中的「旦行」有旦、貼兩支，旦又分老旦、小旦；貼又分老貼、小貼。就其扮演人物而言，各行當之下的分支，約有幾種劃分標準：

第一：由腳色行當的性質而分，如元雜劇之末、旦爲正劇腳色，淨爲喜劇腳色；傳奇之生、旦爲正劇腳色，淨、丑爲喜劇腳色。

第二：由其扮飾人物之地位而分，以鑑別其在該行之輕重，如傳奇以生、旦所扮必爲主要人物（主角）；小生、小旦爲第二主角；淨爲次要人物；末、丑則爲更次要人物。

第三：由其扮飾人物之性別而分，如雜劇之末、旦，傳奇之生、旦，崑曲之老生、老旦，各扮男性、女性人物。

第四：由其扮飾人物之年齡而分，如傳奇中的「旦行」有老旦、旦、小旦，老貼、貼、小貼，同時也是年齡老少之分。

第五：由其扮飾人物之身份或性情而分，如元雜劇之「駕旦」取其帝王后妃之義，「搽旦」例扮品行不端之婦女，「色旦」扮美女，取其顏色姣好之義，「魂旦」戴魂帕扮離魂或鬼魂。[6]

第六：由其所扮飾之特徵而分，如崑曲小生之細目：扇子生手持摺扇，舉止活潑；巾生戴高方巾、文生巾，動作溫文靜穆；紗帽生係頭戴紗帽，動作較扇子生莊重；冠生，亦寫爲「官生」，扮演太子或小王者，頭戴有龍之冠，故不能叫紗帽生，而名冠生；雉尾生頭插雉尾，舉止靈活健捷，唱白堅脆爽利。[7]

第七：由其專精的技藝而分，約可分爲二種，一種是以唱功與做、念兩功而分，如旦行中，正旦重唱；小旦唱、做並重；花旦則重做、念。另一種是文、武分工，以武行爲例，生分長靠武生和短打武生兩種：前者動作須穩練大方，聲音更須響亮有力，有雍容華貴之氣象，又稱「長袍武生」；後者穿打衣、打褲等短衣服，動作必須矯健靈活。旦則分武旦和刀馬旦：前者只有打把子，沒有表情，沒有歌唱；後者反之，打把子之外，尙有做工或唱工。長靠武生和刀馬旦所扮演的多爲男女將帥等有官階身份的人物；短打武生和武旦所扮則多爲民間草莽英雄。[8]

以上腳色行當之劃分，前六項純是就扮飾的劇中人物而言；第七項涉及表演技藝，則與演員關係密切。腳色對於演員而言，主要說明其所應具備的藝術造詣。腳色行當也是戲曲演員的專業分工，使演員有可能和有必要就某個行當深入鑽研；因此，演員從事某一行當，則應具備該行當專精的表演藝術。例如主演文靜戲的生腳，以唱、念爲長，而武生則必以做、打爲長。演員專研的行當，大多依其色藝條件而定，如依照不同音色和發聲、演唱方法而分工：如男腳色中，寬嗓者宜於丑行中的小花臉，大嗓者宜於老生、鬚生、武生，半小嗓者宜於小生；女腳色中，大嗓宜於老旦、丑旦(彩旦)，小嗓者宜於正旦、花旦、小旦，等等。[9]演員擅長某個行當是一種常態，但亦可依個人的造詣而靈活的運用，因此可以專工一行，也可以兼演幾行，例如元雜劇著名演員珠簾秀即是「旦、末雙全」。此外，有些演員因特殊稟賦，專長的行當與其性別相反；換言之，演員的性別與所飾演人物不同，此即是女扮男妝、男扮女妝的問題。如民國以來，梅蘭芳、程艷秋、尚小雲、荀慧生號稱四大名旦，皆是男扮女妝演旦腳的演員，而這種現象則古已有之。[10]戲曲演員在性別上的「裝扮」，亦必改變其音色、語言、身段等，登場表演尤其不易，更可見其表演藝術之功力。從腳色行當的靈活變化中，看出戲曲演員表演藝術的多面性。

戲曲演員與劇中人物的關係，即是演員如何詮釋人物的問題。一般通稱劇中人物爲「角色」；而古典戲曲的概念，「角色」一詞則兩種涵義。其一，黃旛綽《梨園原》其中有〈王大詳論角色〉云：「角色者，言其本角之物色也。生者，主也，凡一劇由主而起，一軼之事在其主終始，故曰生……。」本角之物色意指本角之本色，也就是成其該角色行當之本色，故其下解釋：「生者，主也」云云。可知《梨園原》的「角色」義同「腳色行當」。其二，清末蕉畊道人〈西崑片語〉說：「戲劇一道，自傀儡之制，遞嬗而爲人演。其喬飾劇中人物，登場表演者，統名之曰角色。以崑曲論，角色名目繁多，然大別之，曰末、曰淨、曰生、曰旦、曰丑。」[11]所云「其喬飾劇中人物」之「其」字，代指上句的「人」字，就是演員；是謂演員喬裝扮飾劇中人物而登場表演者，統名之曰「角色」，則「角色」似乎兼指演員和劇中人物。然其下云「角色名目繁多」，則「角色」又指腳色行當。蕉畊道人顯然對「角色」之義頗爲混淆。不過，正可借用其以「角色」指稱劇中人物，而以「腳色」專稱行當，以便於通讀。[12]

角色是劇作家創造出來的，而誠如蕉畊道人所說「喬飾劇中人物，登場表演者」，故角色是經由戲曲演員在舞臺上，運用一套具有高度表現力的唱做念舞的表演程式而扮演出來。因此，角色既存在於文學劇本中，由劇作家用文字塑造出來的人物形象；也存在於舞臺上，由演員用形體創造出來的人物形象。演員在舞臺上所創造的角色，是憑借劇作家塑造的人物再進行新的解悟、想像、體驗、虛構。[13]則劇作家塑造角色是第一度創作，表演者扮飾角色是第二度創作。演員的表演藝術不止於其面對觀衆所表演的技藝，更是在其如何全詮釋、如何創造角色的技藝。對表演者而言，演員本身即是「第一自我」，角色則是演員的「第二自我」。演員要以自己的心靈去體驗角色的喜怒悲歡，同時又用自己的聲音和形體去表現角色的喜怒悲歡的外部形貌意態，於是演員的內心與外形、角色的內心與外形，這兩個自我之間形成一而二、二而一的關係；再加上演員受行當腳色及其扮飾的人物類型限制，另方面受色藝條件的局限，則如何突破這三方面主客觀的因素，而達到盡善盡美的表現，即是戲曲演員所以成其表演藝術之所在。

如上所述，演員必須透過行當腳色以詮釋劇中人物，而在戲曲傳統劇目中，某一人物應由某個行當的演員扮演，皆有相應的規定。在劃分行當的表演體制中，戲曲的分工也有一定的規制。規制之一是本工，即演員扮演本人所屬行當的角色，如扮演《空城計》中的諸葛亮是老生扮演的本工。這種情形在宋金元雜劇、明清傳奇體製中，由於劇團演員有限，所以某一個演員可能在本工的前提下，於同一劇目中扮演不同人物，如上文舉例《張協狀元》中末腳扮李大公、判官、堂後官、舉子等四個以上的劇中人物，即可能是同一演員所扮，只是在不同折次出場。元雜劇中的改扮或重扮人物更是如此，如關漢卿《單刀會》，第一折末扮喬玄，第二折末扮同馬徽，第三、四折末扮關羽。[14]規制之二是應工，即演員的扮演不屬本工範圍，但向例必由某行演員兼扮，如崑劇《鐵冠圖》中的太監王承恩由老旦演員兼扮；通常戲中的兒童和門子由貼旦演員兼扮等。此外在某行演員的本工戲中，因劇情之需，演員需要改扮其他行當，如《木蘭從軍》中的花木蘭是旦腳的本工戲，但木蘭女扮男妝時，則要依小生的行當規範表演。對於扮演木蘭的旦腳演員而言，亦是應工。規制之三是兩門抱，即同一劇目的同一個人物可由兩個不同行當扮演，如《石秀探莊》中的石秀和《八大錘》中的陸文龍可由小生或武生扮演。規制之四是反串，即演員扮演既非本工或應工，亦非兩門抱。如京戲中有旦腳演員反串淨腳中的架子花臉，扮演粗獷勇猛或奸險狡詐的人物[15]，此即是與本工完全不同的行當，這也是因爲演員要扮飾一個迥然不同的類型人物。所以扮演劇中人物的類型不同，演員充任的腳色行當則隨之而異，其表演藝術自有差異；可見其三者之間也是關係密切。

以上分別討論腳色、演員、人物（角色）其彼此之間的四種關係，是爲突顯每種關係中，其與表演藝術關涉的層面；而腳色行當可說是整個論題的核心。因爲行當即是一個具有雙重含義的觀念：從內容上說，行當是藝術化、規範化了的人物形象類型；從形式上說，行當是表演程式分類系統。簡言之，每個行當都是一個形象系統，同時也是一個相應的表演程式系統。[16]釐清這些關係，檢視前人相關的評論，才能知其立論的角度。

第二節　腳色象徵人物之性別

在元雜劇之前，宋金已有雜劇院本。宋雜劇有廣狹二義：廣義者，指當時各種技藝的總稱；狹義者，指滑稽戲。南宋吳自牧《夢粱錄》卷二十「妓樂」條說：「且謂雜劇中末泥爲長，每一場四人或五人……。末泥色主張，引戲色分付，副淨色發喬，副末色打諢，或添一人，名曰裝孤。……。大抵全以故事，務在滑稽，唱念應對通遍。」[17]末泥，一作「末尼」，簡稱「末」，即戲頭，相當於劇團團長，職在統籌全局；引戲是劇團導演，職在導引演出，此乃就其職務而命名的俗稱，若就腳色而論，則應當屬於正淨。末泥色和引戲色自身不演劇，屬戲外指揮編排之性質。裝孤即孤裝，裝扮官員，只是偶然加入；可知主演者實止副淨與副末。發喬，是「喬作愚謬之態，以供嘲諷」；而打諢「則益發揮之以成一笑柄」。[18]換言之，副淨常運用詼諧的語言和動作以表演滑稽之戲，並由副末加以嘲弄、戲謔以取樂觀衆，故一說一唱應答之間，要靈活辯捷。宋雜劇既以滑稽笑樂爲本質，因此副淨、副末兩個主角，其表演技藝乃以插科打諢爲長。宋雜劇在金代稱之爲「院本」，夏庭芝〈青樓集誌〉云：

> 宋之戲文，乃有唱念，有諢。金則院本、雜劇合而爲一。至我朝乃分院本、雜劇爲二。院本始作凡五人：一曰副淨，古謂參軍；一曰副末，古謂蒼鶻，以末可撲淨，如鶻能擊禽鳥也；一曰引戲；一曰末泥；一曰孤；又謂之「五花爨弄」。或曰，宋徽宗見爨國來朝，衣裝鞋履巾裹，傅粉墨，舉動如此，使優人效之以爲戲，因名曰「爨弄」。

> 國初教坊色長魏、武、劉三人，魏長於念誦，武長於筋斗，劉長於科泛，至今行之。[19]

就宋雜劇、金院本腳色之職分而言，此段說明與《夢粱錄》相同。但夏庭芝此序卻有新的意義。第一，先言副淨、副末，突顯二者在五種腳色中的重要地位。第二，說明副淨、副末是由參軍戲演變而來。參軍戲是唐代宮廷的戲弄，參軍與蒼鶻互相配合，作滑稽詼諧的表演。[20]雖然參軍戲與宋雜劇性質相似，而由參軍、蒼鶻之名轉變爲副淨、副末之名，除了代表腳色名義的確定，也意味副淨、副末在宋金雜劇院本中象徵的類型及其表演特色。第三，院本五人總稱爲「五花爨弄」，所謂「爨弄」是以「衣裝鞋履巾裹，傅粉墨」爲戲，可知其表演形式已有簡單的服飾妝扮。[21]第四，補充副淨的表演技術，這點要用陶宗儀《輟耕錄》的敘述加以印証：[22]

> 其間副淨有散說，有道念，有筋斗，有科汎，教坊色長魏、武、劉三人鼎新編輯。魏長於念誦，武長於筋斗，劉長於科汎，至今樂人皆宗之。

戲曲說白有韻白、散白之分：前者重道念，後者重散說。「筋斗」又作金斗、斤斗等，是表演藝術中的武技之一；「科泛」即科汎，亦作科範，指稱表演時一切表情動作（詳第六章）。可見，所謂「副淨色發喬」，原來包括散說、道念、筋斗、科汎等表演技藝；則副淨較副末需具備的技藝更多。第五，具體舉出金元時代，三位著名的色長，且各有擅長技藝的演員。魏氏長於念誦，即長於道念韻白；武即武光頭，以能打二百個筋斗而馳名；劉即劉耍和，善於「行蹤步跡」。[23]論及善於副淨的演員，正說明夏庭芝關注演員與副淨腳色，及其具有的表演藝術。

從宋金雜劇院本到元雜劇，戲曲搬演不再以滑稽笑樂爲本質，如胡祗遹〈贈宋氏序〉所說：[24]

> 近代教坊院本之外，再變而爲雜劇，既謂之雜，上則朝廷、君臣、政治之得失，下則閭里、市井、父子、兄弟、夫婦、朋友之厚薄，以至醫藥、卜筮、釋道、商賈之人情物理、殊方異域、風俗語言之不同，無一物不得其情，不窮其態。

雜劇以模擬人情、窮寫物態爲本質，故凡政治得失、人倫厚薄、人情物理、異域風俗皆成其故事內容。於是副淨、副末再不能成爲戲劇的主要腳色，而一變爲主唱的正旦和正末。夏庭芝〈青樓集誌〉說：

> 雜劇則有旦、末。旦本女人爲之，名粧旦色；末本男子爲之，名末泥。其餘供觀者，悉爲之外腳。有駕頭、閨怨、鴇兒、花旦、披秉、破衫兒、綠林、公吏、神仙道化、家長裏短之類。

這一段文字包含許多意義。從演員與腳色的關係而言，由女性演員充任旦腳者，稱之「粧旦色」；由男性演員充任末腳者，稱之「末泥」（末泥色）。從元雜劇一本四折皆由一種腳色主唱的性質而言，正末主唱者稱爲末本；正旦主唱者稱爲旦本。從主唱的地位而言，則元雜劇腳色分爲「正腳」和「外腳」兩大類：正旦、正末主唱，故謂之正腳；其他腳色只做不唱，亦即非唱曲以資聽，而是做戲以供觀、供襯，故謂之外腳。[25]就正腳和外腳所扮演的劇中人物而言，大約有以下十種：「駕頭」意爲帝王出行時儀仗隊中的寶座，此指扮帝王后妃者；「閨怨」意爲閨怨戀情之佳人；「花旦」指扮演年輕女子，特別是煙花女子之類人物爲多；「鴇兒」指扮演鴇母者[26]；「披秉」指扮演披袍秉笏之官員；「破衫兒」指扮演貧苦人物；「綠林」指扮演行俠仗義的草莽英雄；「公吏」指扮演公吏，諸如令史、孔目、外郎等人物；「神仙道化」指扮演神仙佛道人物；「家長裏短」指扮演僕役、丫環、門子，如張千、梅香、祇從之類。[27]扮演這十種人物的腳色皆可歸之於末、旦、淨三大行當之下。[28]

宋金雜劇院本中主演的副淨、副末，在元雜劇已成爲只做不唱的外腳，因此表演藝術的工夫主要就在獨唱全劇的正旦或正末腳色中。現存元雜劇中，末本約佔百分之六十一，旦本約佔百分之三十。[29]如夏氏所云：「旦本女人爲之，名粧旦色；末本男子爲之，名末泥」，則末本雜劇中，應當有不少工於末泥的男性演員，夏氏〈青樓集誌〉文末有「至若末泥，則又序諸別錄」之語，惜今未見其書。[30]而在《青樓集》中，則有工於旦色的女性演員，如：

> 順時秀：雜劇爲閨怨最高，駕頭、諸旦本亦得體。
>
> 魏道道：妝旦色，有不及焉。
>
> 李芝秀：賦性聰慧，記雜劇三百餘段；當時旦色，號爲廣記者，皆不及也。

順時秀諸旦本皆得體妙；魏道道之妝旦色，他人有不及；李芝秀能廣記雜劇三百餘段，自當亦能搬演，而且也是工於旦色。而同樣工於旦色之中，有善閨怨雜劇者，如順時秀、天然秀、孫秀秀；有善花旦雜劇者，如珠簾秀、天然秀、顧山山、荊堅堅、孔千金，李定奴等。《青樓集》於「李定奴」條解釋：「凡妓以墨點破其面者爲花旦。」宋元時代，勾欄女妓常飾以粉白黛黑的花靨，稱之「面花子」或「茶油花子」。元雜劇花旦腳色即因此化妝特徵而得名，由此可知花旦臉部化妝的形象。同工花旦雜劇，又各具風格，如：「張奔兒，李牛子之妻。姿容丰格，妙於一時。善花旦雜劇，時人目奔兒爲『溫柔旦』；李嬌兒爲『風流旦』。」可見元雜劇旦腳藝術，已出現不同的風格特色。

《青樓集》中另有「旦末雙全」者，如珠簾秀、順時秀、南春宴、趙偏惜、天然秀、朱錦繡、燕山秀等。在元雜劇一種腳色獨唱的體制下，必能兼工正旦和正末，才能稱許其「旦末雙全」。這說明元雜劇的演員可以不止專工一種行當，也可以女扮男妝而粉墨登場。故善駕頭雜劇的珠簾秀、順時秀、天然秀、南春宴；以及善綠林雜劇的國玉第、天錫秀、平陽奴，都是女扮男妝的演員。其中天錫秀：「善綠林雜劇，足甚小，而武步甚壯。」扮演綠林好漢的角色，應具有魁梧奇偉的身材；天錫秀雖然足小，但表現威武豪邁的臺步甚爲雄壯，表示其做工頗能與充任行當及其扮飾角色人物相得益彰。

元雜劇的主唱腳色固然必需唱做俱全，而只做不唱的外腳也有足以稱者述者，如大都秀：「善雜劇，其外腳供過亦妙。」大都秀在雜劇演出中，雖非主唱，卻運用念白做表，亦得其精妙。

爲解釋之便，以上先從夏庭芝〈青樓集誌〉及其著錄中，分析元雜劇的腳色分類，以及演員所擅長搬演的雜劇題材。現在回溯胡祗遹爲珠簾秀寫的一篇〈朱氏詩卷序〉：

> 學業專攻，積久而能，老於一藝，尚莫能精，以一女子，眾藝兼并。危冠而道，圓顱而僧，褒衣而儒，武弁而兵；短袂則駿奔走，魚笏則貴公卿；卜言禍福，醫決死生；爲母則慈賢，爲婦則孝貞；媒妁則雍容巧辯，閨門則旖旎娉婷；九夷百蠻，百神萬靈，五方之風俗，諸路之音聲，往古之事跡，歷代之典型；下吏污濁，官長公清。談百貨則

> 行商坐賈，勤四體則女織男耕；居家則父慈子孝，立朝則君臣聖明。離筵綺席，別院閒庭，鼓春風之瑟，弄明月之箏；寒素則釵布裙，富艷則金屋銀屏。九流百伎，眾美群英，外則曲盡其態，內則詳悉其情。心得三昧，天然老成，見一時之教養，樂百年之升平。

這一段序文詳言珠簾秀所扮演的人物，包括道、釋、儒、兵、官、僕、卜、醫、爲母、爲婦、爲媒妁、爲閨門女子等形形色色人物，可謂是「以一女子而兼萬人之所爲」。[31]朱氏能扮演名公貴卿至三教九流等各種人物，反映了元雜劇題材之包羅萬象。如上所述，雜劇的基本特質不再如院本之「謔浪調笑」，而是要「厚人倫，美風化」，故搬演君臣、母子、夫婦、兄弟、朋友的題材故事，比比皆是。[32]朱權《太和正音譜》所分「雜劇十二科」：

> 一曰「神仙道化、二曰「隱居樂道」(又曰「林泉丘壑)」、三曰「披袍秉笏」(即「君臣」雜劇)、四曰「忠臣烈士」、五曰「孝義廉節」、六曰「叱奸罵讒」、七曰「逐臣孤子」、八曰「鏺刀趕棒」(即「脱膊」雜劇)、九曰「風花雪月」、十曰「悲歡離合」、十一曰「煙花粉黛」（即「花旦」雜劇）、十一曰「神頭鬼面」（即「神佛」雜劇）。

分雜劇題材爲十二類，更可以涵括朱氏所扮演的人物。而更值得深思的問題在於胡氏是從珠簾秀（演員）與扮飾人物的角度評賞，不是從演員所專精的腳色行當評述的。用這個觀點看夏庭芝對幾位演員的品評：

> 珠簾秀：姓朱氏，行第四。雜劇爲當今獨步，駕頭、花旦、軟末泥等，悉造其妙。

順時秀：姿態閑雅。雜劇爲閨怨最高，駕頭、諸旦本亦得體。

天然秀：高丰神艷雅，殊有林下風致，才藝尤度越流輩。閨怨雜劇爲當時第一手，花旦、駕頭，亦臻其妙。

對這三位表演藝術卓絕的演員，夏庭芝基本上仍從其所擅長雜劇的題材類型評述，稱其「旦末雙全」，並不在強調其專工的行當；因爲演員所扮飾的不是某一種類型或典型人物，而是各式各樣的人物，如朱簾秀之「以一女子，衆藝兼並」，故無法以某一種腳色行當規範其表演藝術。上文述及演員所專精的閨怨、花旦、駕頭、綠林雜劇，亦是如此。其中善花旦雜劇的張奔兒爲「溫柔旦」，李嬌兒爲「風流旦」，區分其表演風格，亦非由腳色行當，而是從演員詮譯的人物而論。換言之，同是煙花粉黛雜劇，因劇中人物性格不同，演員的詮釋自有區別。如關漢卿《救風塵》中的趙盼兒和《謝天香》的謝天香，一爲俠妓，一爲才妓[33]；經由演員的詮釋，就是要以「風流旦」表現趙盼兒，而以「溫柔旦」表現謝天香。

元代戲曲家評論演員的表演藝術，所以不從其專工的腳色行當而論，與元雜劇一種腳色獨唱全本的表演體制有密切關係。換言之，「就元雜劇的正旦和正末來說，那麼它對於劇中人物只是象徵男女性別，而不具類型，所以元劇中的正末可以扮飾各色各樣的男性人物，而正旦可以扮飾各色各樣的女性人物。」[34]其次，雖是一種腳色主唱全本，但一種腳色可以扮飾劇中同一個人物或兩個或三個人物。例如關漢卿《竇娥冤》，四折都由正旦扮竇娥而獨唱全劇；《緋衣夢》由正旦扮王閏香，獨唱第一、二，四折，第三折則由正旦「改扮」茶三婆獨唱；《單刀會》第一折由正末扮喬玄獨唱，第二折由正末扮司馬徽獨唱，第三、四折由正末扮關羽獨唱。[35]凡一種腳色在同一劇中扮飾兩個人物以上，稱之爲「改扮人物」。現存元雜劇共二一三種，一種腳色扮飾劇中一個人物者有一三七種；改扮人物的劇作則有七三種，約佔百分之三十五，其中扮飾四個人物的有三種，扮飾三個人物的有二七種，扮飾二個人物的有四三種。[36]改扮人物必與原扮人物性別相同；而且改扮人物登場，則原扮人物不在同一折出現，所以仍然是正旦或正末獨唱全本。既然一種腳色可扮演劇中不同人物，而從金元戲劇搬演每場以五、六人爲尋常，加上司樂或雜務，一個劇團大約只有十餘人組織的情形來看，則元雜劇一般劇團應只有一個正末或正旦，因此一種腳色獨唱全本，即一個演員獨唱，亦即一人獨唱。[37]正因爲元雜劇是由一個演員獨唱，則充任正旦或正末的演員，必需能扮演各種戲劇題材中的角色人物，也必需能配合其劇中的改扮人物而有不同的表演藝術。元代之有旦末雙全的演員，而如朱簾秀能「以一女子而兼萬人之所爲」，皆是由演員能模擬、表現劇中人物的角度而論評。故所謂正旦、正末之腳色名稱，只是象徵性別的符號，則元代的腳色理論主在「演員詮釋人物」的表演藝術。

第三節　腳色象徵人物之類型

宋元時代，南曲戲文在溫州一帶的民間已頗爲流行，但由於元雜劇先流行於北方大都，後發展於南方臨安帶，至元朝中葉，成爲南北通行的劇種。因此早在《張協狀元》戲文中已開始形成綜合的、完整的腳色分工體制，則要等到北雜劇轉衰而南戲逐漸興起形成傳奇後，腳色分工體制才再度於劇本中出現。元末明初《荊》、《劉》、《拜》、《殺》及《琵琶記》五大傳奇皆屬於腳色分工體制的劇作。崑劇興起之後，戲劇腳色更隨之而孳乳分化。戲曲理論家對腳色名目、意義及其專擅之技藝多有討論。以下逐次觀察明清時代對於腳色符號運用的理論。

首先是朱權《太和正音譜·詞林須知》提出：「雜劇院本皆有正末、付末、狚、孤、靚、鴇、猱、捷譏、引戲九色之名。」朱權受院本「副末（付末），古謂之蒼鶻」的影響，故狚、靚、鴇、猱等皆以禽獸名釋之，不足採信。但其中發人深思是靚色：「付粉墨者謂之靚，獻笑供諂者也，古謂參軍。……。靚，粉白黛綠謂之靚粧，故曰粧靚色；呼爲淨，非也。」曾師永義謂：唐代「參軍」色變到宋代可能取與其切音相近的「靚」字，並且兼取其義，以見此腳色扮飾之特徵；後來又由「靚」而訛成同音的「淨」字。朱權卻說：「書語稱狐爲田參軍，故副末稱蒼鶻者，以能擊狐也。」由於以「狐」義釋靚，故把參軍、靚、淨三者原可繫聯的意義推翻。

朱權所舉九色仍揉雜院本、雜劇的腳色；徐渭《南詞敘錄》專論南戲，可說是第一位提出南戲腳色名義者：

生：即子之稱。史有董生、魯生，樂府有劉生之屬。

旦：宋伎上場，皆以樂器之類置籃中，擔之以出，號曰「花擔」。今陝西猶然。後省文爲旦。或曰：「小獸能殺虎，如伎以小物害人也。」未必然。

外：生之外又一生也，或謂之小生。外旦、小外，後人益之。

貼：旦之外貼一旦也。

丑：以墨粉塗面，其形甚醜。今省文作丑。

淨：此字不可解。或曰：「其面不淨，故反言之。」予意：即古「參軍」二字，合而訛之耳，優中最尊。其手皮帽，有兩手形，因明皇奉黃旛綽首而起。

末：優中之少者爲之，故居其末。手執搕瓜。起於後唐莊宗。古謂之蒼鶻，言能擊物也。

這七種腳色與《張協狀元》中的腳色名稱完全相合。南戲與宋金雜劇院本、北雜劇之腳色名目雖有異同，其含義則有不同。「生」爲男子，且爲劇中之男主腳，扮飾青年男子，但人品每有缺失。「旦」爲劇中之女主腳，年輩爲少女，性行未必端莊。據曾師永義考，旦是由稱呼妓女的「姐兒」省爲「且兒」，又訛爲「旦兒」，再省爲「旦」；或由「姐兒」訛作「妲兒」，省爲「旦兒」再省爲「旦」。徐氏以「花擔」之「擔」字省文爲「旦」，則無以解釋《武林舊事》官本雜劇中的「妲」。「外」、「貼」腳色在南戲原是輔佐生、旦，劇本中處配腳之地位；元刊本有「外末」，爲次於末的男腳色，《元曲選》往往省作「外」，故「外」逐漸爲「外末」的專稱；而南戲中，外扮老年人，或男或女並不一定。「丑」的名義應是扮演宋雜劇散段「雜扮」的「紐元子」[38]，由「紐」省文而來的。元刊本無丑腳，《元曲選》中的丑腳當係明人所羼入。「丑」作爲腳色專稱，始見於《張協狀元》，扮市井或滑稽之人，男女皆可。「淨」即古「參軍」二字，王國維《古劇腳色考》解釋：「參」與「淨」爲雙聲，「軍」與「淨」似疊韻，頗得徐氏之意。淨在南戲中是扮演各等閒雜人物，男女皆可。「末」是「副末」之省稱，除扮演次要男子，還擔任第一出「開場」，即由副末登場念一或二闋詞，介紹作劇宗旨和劇情梗概；徐氏所云「優中之少者爲之」，並非確實。

南戲腳色的性質和宋金元院本雜劇顯然有了改變。其一，劇中主腳由正末、正旦而爲生、旦。其二，徐渭以「墨粉塗面，其形甚醜」釋丑腳，正與朱權「付粉墨者謂之靚」相同，從其妝扮看來，則南戲增加的丑腳，其性質應與宋雜劇「副淨」不殊。其三，原來宋金雜劇院本中職司「發喬、打諢」的副淨、副末，在南戲改由淨、丑，成爲一對插科打諢的喜劇腳色。

上文提及《夢粱錄》、《青樓集》、《輟耕錄》、《太和正音譜》皆稱「色」。據曾師考述，「色」之起源蓋緣於宋教坊之十三部色[39]，稱部稱色原是表明教坊中各種伎樂之類別，但實則並無絕對分別之意義。而宋教坊十三部中，既然以「雜劇爲正色」，則宋雜劇中由具有各種不同技藝之演員所扮飾的類型人物，自然以「色」稱之。所謂「末泥色、引戲色、副淨色、副末色」亦用以指其類別。正因爲宋教坊的伎樂以「部色」分類，所以王驥德稱「部色」，其所謂「部色」即戲劇「腳色」之義。王驥德《曲律·論部色》云：

> 今之南戲，則有正生、貼生（或小生）、正旦、貼旦、老旦、小旦、外、末、淨、丑（即中淨）、小丑（即小淨），共十二人，或十一人，與古小異。

王驥德所謂「今之南戲」指明傳奇。「正生」爲男主腳，「小生」在傳奇中只是正生的副角，不表現確定的年齡或性格特徵，故徐渭把小生作爲「外」的同義語（即生外之生），王驥德則逕稱之爲「貼生」。[40]自《琵琶記》之蔡伯喈爲忠正儒雅秀士之典型後，明傳奇的生大抵以溫厚儒雅或秀俊風流爲類型，其年輩大抵爲青年。正旦大抵皆扮演與正生相配之女主角，自《琵琶記》

之趙五娘為嫻雅莊重之典型後，明傳奇的「正旦」乃以知書達禮、貞淑義烈為典型；傳奇中用「正旦」者絕少，蓋以「旦」為「正旦」之義。「小旦」為次於旦之主要女腳色，例扮年輕婦女而與扮演青年男子的小生相配。小旦就年輩而言，與「老旦」對稱。「貼旦」可省作「貼」或「占」，就劇中地位大抵為相對於「旦」而居於配腳，或扮年輕女子或扮老婦。傳奇中之「淨」，扮兩種類型人物，一種扮作反派人物之主腳，如《鳴鳳記》之嚴嵩，其嗓音腔調、舉止動作逐漸有其特色；一種如同南戲，扮閒雜人物者。所謂「大淨」、「中淨」、「小淨」皆同劇中另有淨腳；故大淨即正淨，中淨即副淨，又稱「二淨」、「二面」，為丑的一支，是介乎淨、丑之間的腳色，因此王驥德於丑、小丑之下括孤注明「中淨」、「小淨」。丑亦扮反面人物和閒雜人物，在劇中地位是次於淨；「小丑」為「丑腳」之副，如同大淨、中淨、小淨為「淨腳」之副。

從宋元南戲到明傳奇，各腳色行當又有分化。將徐渭與王驥德所列舉腳色對照即可知：

徐渭釋七色	王驥德論部色
生 — 生 　　 外	生 — 正生 　　 小生(貼生) 　　 外
旦 — 旦 　　 貼	旦 — 正旦 　　 貼旦 　　 老旦 　　 小旦
淨	淨 —— 淨
丑	丑 — 丑(中淨) 　　 小丑(小淨)
末	末 —— 末

值得注意的是，明傳奇中各腳色所扮演的劇中人物，大致已成典型。因此戲曲家對腳色的扮相或技藝有更深入的評論。王驥德論傳奇部色之外，還以各部色之特質比擬傳奇作品，其《曲律·雜論五七》云：

> 嘗戲以傳奇配部色，則：《西廂》如正旦，色聲俱絕，不可思議。《琵琶》如正生，或峨冠博帶，或敝巾敗衫，俱嘖嘖動人。《拜月》如小丑，時得一、二調笑語，令人絕倒。《還魂》、《二夢》如新出小旦，妖冶風流，令人魂銷腸斷，第未免有誤字錯步。《荊釵》、《破窯》等如淨，不繫物色，然不可廢。吳江諸傳如老教師登場，板眼場步略無破綻，然不能使人喝采。《浣紗》、《紅拂》等如老旦、貼生，看人原不苛責。其餘卑下諸戲，如雜腳備員，第可供把盞執旗而已。

正旦要「色聲俱絕」，色指演員之姿容，即胡祗遹所謂「姿質濃粹，光彩動人；舉止閑雅，無塵俗態」；聲指其嗓音及其唱工。正旦是全劇的靈魂，故其扮相要丰神靚雅、音色要婉轉圓潤、唱工要抑揚頓挫、傳達曲理神情。這裡所說的色聲，可與本論文第一章「色藝論」互証，也可涵括其他各章討論的唱念做舞等表演藝術。大抵而言，正旦的表演特色要嚴肅正氣、婉約賢慧、端莊嫻靜。正生扮演高官厚爵的官場人物，如風流蘊藉的皇帝或狂放不羈的才子或春風得意的年輕新貴，其動作造型都要在儒雅秀逸中透出氣宇軒昂的神態；扮演青年書生則要儒雅瀟灑，扮演窮酸困苦的落拓士子，則要表現寒酸迂腐而又傲骨嶙峋；不論何種人物，其扮相演技當嘖嘖動人。而「小旦」則扮年輕女子，又與正旦風格不同，所謂「妖冶風流」是指神態嫵媚可愛，動作輕盈活潑，有柔有剛。小生因其爲次要腳色，扮演人物與年輩無關；老旦則扮演老年婦人，劇中地位亦較不重要，故觀者原不苛責其扮相技藝。丑腳扮演逗哏惹笑的滑稽的小人物，和淨腳相同，皆不以形貌取勝；但如王驥德〈論插科〉所云：「大略曲冷不鬧場處，得淨、丑間插一科，可博人哄堂，亦是戲劇眼目。」故淨丑的表演藝術在不動聲色而能令人絕倒。而當淨腳扮演劇中反派人物的主腳時，更要表現出詭譎奸詐、凶殘暴戾的鮮明形象。至於雜腳(雜當)，或扮兼各門腳色或扮軍卒百姓等，故其在劇中「第可供把盞執旗而已」。

王驥德以傳奇配部色，雖以品評傳奇劇作爲主，但仍可以間接由其配部色的意義探求各腳色必需具備的技藝，其立論角度是在腳色與人物之間的關係。同時期的潘之恆則直接評論演員所充任的腳色及其表演藝術。潘之恆有〈豔曲十三首〉之作，有詩序云：「從吳越石水西精舍觀劇出，吳兒十三人乞品題。各以名作姓，以字作名，以諸儒作字，得詩十三絕，以小序冠之。」可知〈艷曲十三首〉乃是品題十三位演員之詩作，這些演員充任不同的腳色，潘之恆的贈詩正可以作爲觀察腳色與表演藝術關係的材料。[41]

首先論擅於生、旦的演員。潘之恆在〈情癡〉一文記述，曾於友人吳越石水西精舍觀《牡丹亭》劇演出。扮演杜麗娘的蘅紉之和柳夢梅的荃子之，能將劇中主角人物情癡的眞情表現得淋漓盡致。潘之恆云：

> 蘅紉之，字江孺。有沈深之思，中含悲怨，不欲自陳，知音得之度外，令人神魂飛越。
>
> 荃子之，字昌孺。慷慨激烈，覺逸韻迫人，殊無兒女子態，

能濯濯自振者矣。

蘅紉之是旦腳演員，以其深沈之思，深入體會杜麗娘之情，而能一字無遺，無微不極的詮釋出來。荃子之是生腳演員，以其飄灑俊逸之韻，而表現柳夢梅一往情深、矢志不渝的癡憐。這兩位演員除了本身特有的才慧性情，更重要的是充份運用生旦的表演藝術，才能掌握人物的內在心靈。另一位生腳演員：「蘭浴之，字谷孺。視荃偉俊而慧遜之，百度盡可肩隨，令狎他場，俱堪雄長。」蘭浴之容色壯美俊傑，其稍遜於荃子之者在「慧」，慧即是〈仙度〉文中所提出的「一目默記，一接神會，一隅旁通」（見第一章色藝論引述）。此外，唱做身段皆與荃子之相差無幾，堪稱生腳中之雄長者。

張三是一位男演員，爲申時行家班之小旦。潘氏有〈醉張三〉敘其「酷嗜酒，醉而上場，其艷入神，非醉中不能盡其技。」扮演《西廂記》中的紅娘，「一音一步，居然婉弱女子」，可謂維妙維肖。張三男扮女妝而能婉約如弱女子，登場演出時能達到其艷入神而盡其技之境，實爲不可多得。

柄執之，字調孺。儼然大奸，甘心鴆毒。誰云悟主片言，亦可曰死生頃刻。今之院本，欲壓彈章，非斯人無幸矣。霽虹雕鶻語模糊，翻手傾危一捋鬚。滿座悄然更喜怒，誰言顰笑不關渠。

柄執之其人有大奸之相，故扮演反面人物十分逼眞，表演時喜怒形象的變化足以感染觀衆。另一位淨腳演員和美度「身不滿五尺」，對於充任淨腳的扮相而言，這是有所不足的，然和美度努力培養氣象格局，故其「虹光繚繞，氣已呑象」，終可以彌補先天的缺陷，而詮釋出淨腳「氣概雄毅，規模宏遠」的表演特色。

至於丑腳演員，潘氏亦有詩評：

> 茹淡之，字連孺。佻達中每持勁節，曼聲亦合宮商，慧性解脫，何必夸毗取媚也。
>
> 滑稽不用脂與書，應響當弦自發機。翻笑叔敖空相業，尚煩優孟中人微。

可知丑腳的表演藝術不在庸俗輕佻，而是在表現一種喜感，一種幽默，一種智慧。另一位演員茜漸之「字絳孺，與淡之發科取諢，亦復唐突可喜。茹既隱微情，而茜尤多浮態，深淺之間，亦各從所尚矣。」這兩位演員的丑腳藝術一深一淺，一隱一顯，風格有異，各從所尚。

關於淨、丑的表演藝術，潘之恆於〈致節〉中強調「大淨小悍而有亮節，亮節者，亮而有節」，言淨腳之表演藝術要明快而有節奏，故此色「忌穠煩，尚簡貴」，尤其不可穠密煩瑣過甚。至於副淨則尚「科諢蒜酪，最忌瑣屑」。潘之恆闡明二淨腳色在戲曲表演中的地位及其表演特色云：「二淨，色中之蒜酪也，顰笑關乎喜怒，謔浪亦示微權。古稱施、孟能近人情，則二子庶幾矣。」[42]此雖只言及二淨，實亦包含丑腳；二淨和丑腳是所有腳色中的調味品，雖比擬爲「蒜酪」，但對於調劑演出節奏，活躍劇場氣氛十分重要，其運用寓莊於諧的方式，正是所謂「顰笑關乎喜怒，謔浪亦示微權」。故李漁稱之爲「看戲人之參湯，養精益神，使人不倦，全在於此。」

忠純之、孝慕之皆是外腳，潘氏云：「體具莊嚴，不刻不纖，而節度繁苛，調實勁捷」正是外腳的表演特色。二人在表演中，既善於博采衆長，又能發揮各自的風格，可謂剛柔相濟。

以上分別從《潘之恒曲話》相關論述，找到生、旦、小旦、淨、副淨、丑、外等腳色之例證，分別呈現出各演員所擅長之腳色及其表演藝術。其評論的角度正可與王驥德以傳奇配部色理論相輔相成，王氏賦予腳色特定的表演藝術，潘氏則以演員所充任之腳色加以印証。王、潘二人所以能具體賦予腳色行當的扮相或技藝，表示腳色的符號已由象徵人物性別轉爲象徵人物類型。

第四節　腳色象徵演員之技藝

由於南戲、傳奇、崑劇爲長篇體製，各腳色皆可唱可做；加上腳色之分化孳乳，使腳色分工的現象愈趨明顯，演員所擅長腳色行當也更加專精，扮飾的劇中人物也成爲一種固定的模式。這些因素互相牽引影響，使明代萬曆年間以後，腳色理論乃成爲一種藝術化、規範化的人物類型以及與之相應的表演程式。這種理念，可說是由李漁形諸文字加以確定的。《閒情偶寄》詞曲部中的〈格局第六〉，開宗明義即說：

> 傳奇格局，有一定而不可移者；有可仍可改，聽人自爲政者。開場用末，沖場用生。開場數語，包括通篇；沖場一齣，蘊釀全部；此一定不可移者。開手宜靜不宜喧，終場忌冷不忌熱。生旦合爲夫婦，外與老旦非充父母即作翁姑，此常格也。

此處所說的「末」兼指「副末」，主司第一齣「開場」。第二齣謂之「沖場」，沖場者，必由生扮的男主腳上場，即所謂「人未上而我先上也」。生、旦合爲夫婦，外與老旦非充父母，即作翁姑等等，則更清楚地規定了腳色所扮飾的人物類型。不止如此，腳色在劇本中，其出場次序也有一定：

本傳中有名腳色，不宜出之太遲。如生爲一家，旦爲一家，生之父母，隨生而出；旦之父母，隨旦而出；以其爲一部之主，餘皆客也。雖不定在一齣、二齣，然不得出四、五折之後。太遲則先有他腳色上場，觀者反認爲主，及見後來人，勢必反認爲客矣。即淨、丑腳色之關乎全部者，亦不宜出之太遲。善觀場者，止於前數齣所見，記其人之姓名，十齣以後，皆是枝外生枝，節中長節，如遇行路之人，非止不問姓字，並形體面目，皆可不必認矣。

——〈格局第六·出腳色〉

李漁將腳色出場序稱之爲「出腳色」。自南宋《張協狀元》戲文出現「腳色」一詞，直到李漁再度運用「腳色」，可見「腳色」的理念，隨著戲劇體製由簡而繁，隨著其與扮相技藝關係之愈趨密切，終於有其明確而獨立的地位。

腳色出場次序及扮飾類型人物，表示腳色行當在劇中的地位有更清楚的分界。所謂「生、旦有生、旦之體，淨、丑有淨丑之腔」。[43]就從腳色各有其「體」、各有其「腔」的觀念，李漁提出了兩個重要的理論。其一是腳色之體態，「聲容部」中〈習技第四·歌舞〉說：

生有生態，旦有旦態，外、末有外、末之態，淨、丑有淨、丑之態，此理人人皆曉。又與男優相同，可置弗論，但論女優之態而已。男優粧旦，勢必加以扭捏，不扭捏，不足以肖婦人。女優粧旦，妙在自然，切忌造作，一經造作，反類男優矣。人謂婦人扮婦人，焉有造作之理？此語屬贅，不知婦人登場，定有一種矜持心態，自視爲矜持，人視則爲造作矣。須令于演劇之際，只作家內想，勿作場上觀，

> 始能免于矜持造作心病，此言旦腳之態也。然女態之難，不難于旦而難于生；不難于生而難于外、末、淨、丑；又不難于外、末、淨、丑之坐臥歡娛，而難于外、末、淨、丑之行走哭泣。總因腳小而不能跨大步，面嬌而不肯粧瘁容，故也。然粧龍像龍，粧虎像虎，粧此一物，而使人笑其不似，是求榮得辱；反不若設身處地，酷肖神情，使人贊美之爲愈矣。至于美婦扮生，較女粧更爲綽約，潘安衛玠，不能復見其生時，借此輩權爲小像，無論場上生姿，曲中耀目，即于花前月下，偶作此形，與之坐談對弈，啜茗焚香，雖歌舞場之餘文，實溫柔鄉之異趣也。

李漁主要就女扮女裝和女扮男妝而論。女扮女妝登場演出時，只作家內想，要如閨中之態般自然；如作場上觀，則易於矜持造作之病。換言之，演員要視劇場爲閨中，如此才能以平常兒女姿態動作表演於劇場上，這純是就旦腳之態而言，與演員在劇場上深入體會劇中角色乃至於忘我的問題是不相同的。至於女扮男妝，更爲不易。扮生腳猶有綽約之態，尙不爲難；更難於外、末、淨、丑之坐臥歡娛、行走哭泣之態。其表演藝術在「設身處地，酷肖神情」；亦即求其神似而不求其形似。如此才能「粧龍像龍，粧虎像虎」。李漁雖然討論的是女性演員充任不同腳色行當而改變性別的表演技巧；但也透露出生、旦與外、末、淨、丑是完全不同的體態。

其二是取材以配腳色，依據演員的音色及體態，使其充任適合的腳色，此之謂「取材」，亦謂「配腳色」。如喉音清婉者可任生旦腳色，喉音悲壯而略近噍殺者，可充任大淨腳色（引文見第一章）。此外，〈習技第四・歌舞〉又說：

然此等腳色，似易實難，男優之不易得者二旦，女優之不易得者淨丑，不善配腳色者，每以下選充之，殊不知婦人體態，不難于莊重妖嬈，而難于魁奇洒脫。苟得其人，即使面貌娉婷，喉音清婉，可居生旦之位者亦當屈抑而爲之。蓋女優之淨丑，不比男優，僅有花面之名，而無抹粉塗胭之實，雖涉詼諧謔浪，猶之名士風流，若使梅香之面貌勝于小姐，奴僕之詞曲過于官人，則觀者、聽者倍加憐惜，必不以其所處之位卑，而遂卑其才與貌也。

由於充任淨丑腳色的演員難以得之，故如有面貌娉婷、喉音清婉而體態魁奇洒脫，雖可居生旦之位者，亦可因其特有的形貌條件或劇情之所需充任淨丑腳色。因而演員可專攻的腳色行當，乃隨其色藝條件而定，此之謂善於配腳色。「色藝」對戲曲演員的重要性，由此可見。這個觀點基本上是從演員的角度而論；換言之，腳色符號不止是象徵人物類型及其與之相應的扮相技藝；更表示演員必需具備與腳色行當相應的聲音特色與容貌體態。李漁使腳色理論有另一層面開展。如是，演員「腳色「人物三者之間有更緊密的依存關係。

演員之所以需要配腳色，是爲表演時能符合各行當之扮相及聲音，符合其扮飾劇中人物的身份、地位、性情等，使演員一腳色一人物三者之間諧調統一。孔尚任《桃花扇》的腳色分配，即運用這種理念。《桃花扇·凡例》云：[44]

腳色所以分別君子小人，亦有時正色不足，借用丑、淨者。潔面、花面，若人之妍媸然，當賞識於牝牡驪黃之外耳。（原註：凡正色借用丑、淨者，如柳、蘇、丁、蔡，出場時暫洗去粉墨。）

《桃花扇》中，侯朝宗和李香君以生、旦扮演，象徵君子，是爲「正色」；阮大鋮、馬士英、弘光帝等昏庸誤國的昏君奸相，以淨、副淨扮演，塗抹白臉，象徵小人。而柳敬亭（丑扮）、蘇崑生（淨扮）、丁繼之（副淨扮）、蔡益（丑扮）等恥於與奸黨爲伍的君子，雖用淨、丑扮演，是因「正色」不足才借用，故出場時要洗去粉墨，還之以「潔面」形象，以與阮大鋮、馬士英等人區別。這雖然是劇作家配腳色，賦予腳色一種美學判斷，但表示腳色象徵人物的本質性情，也突顯了生、旦爲正色，淨丑爲非正色的分野。

生旦與淨丑在人物類型上的二分法，使淨丑腳色不再是附屬地位，其表演藝術可謂別有專長特色，於是形成生旦淨丑全面發展的盛況。李斗《揚州畫舫錄》[45]記錄了「江湖十二腳色」及「洪班全部腳色」：

> 梨園以副末開場爲領班，副末以下，老生、正生，老外、大面、二面、三面，七人謂之男腳色。老旦、正旦、小旦、貼旦，四人謂之女腳色。打諢一人謂之雜。此江湖十二腳色。元院本舊制也（頁三七九）。
>
> 洪班副末二人：俞宏源及其子增德。老生二人：劉亮彩、王明山。老外二人：周維柏、楊仲文。小生三人：沈明遠、陳漢昭、施調梅。大面二人：王炳文、奚松年。二面二人：陸正華、王國祥。三面二人：滕蒼洲、周宏儒。老旦二人：施永康、管洪聲。正旦二人：徐耀文及其徒王順泉。小旦則金德輝、朱治東、周仲蓮及許殿章、陳蘭芳、孫起鳳、季賦琴、范際元諸人（頁三八五）。

將腳色依其所扮飾人物之性別而分男腳色、女腳色兩大類，頗爲簡便。但認爲十二腳色是「元院本舊制」，則不合事實。「打諢一人謂之雜」，應包括雜扮的軍卒百姓，不另作一行。洪班腳色中除無貼旦，小生與正生之別，其餘皆與江湖十二腳色同，可相互印証。黃克保參照同書其他記載和同時期其他論著的相關材料，將崑山腔當時的行當體制構成，列表如下：[46]

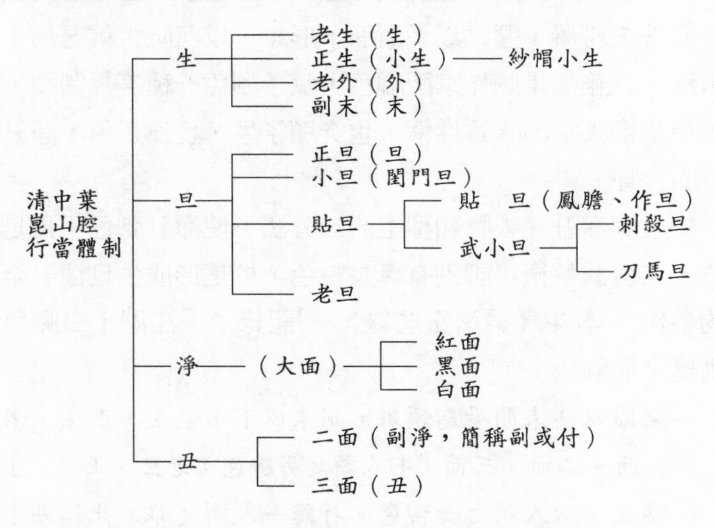

這個行當體制基本上反映了清初至清中葉崑山腔表演藝術的發展結果。其與南戲和元雜劇相對比，有三點新的意義。首先，在行當體制的構成上，出現了生、旦、淨、丑全面分化、全面發展的盛況，每個行當都有若干分支，分支以下又分若干層次，扮演的人物也已相當穩定。比起早期南戲和雜劇的行當體制，不僅在規模上有所擴大，而且已經規範化了。其次各腳色在行當體制中的地位有了變化。南戲以生旦爲主體，雜劇以正末、正旦爲主體；到了此時期，由於淨、丑的分化和發展，不僅使行當體制的構成大爲改觀，而且改變了南戲和雜劇中的淨、丑所處的次要和陪襯地位，從而與生旦平分秋色，並駕齊驅，共同構成了整個行當體制的四大支柱。其三，更重要的是在分行的性質上發生了根本變化。這個行當體制已經突破了南戲和雜劇按照人物在劇中地位的主次分行局限，完成了以人物性格作爲分行基礎的重大演變。這種變化和發展，是以人物塑造的性格化作爲前提的。這可以從以下三方面觀察。

第一：生或末的分化，老生和小生分工。南戲的生和雜劇的正末，名異而實同，都是男主腳的統稱，不表現特定的年齡和性格時徵，自然沒有老生和小生之分。明傳奇出現小生的名目，只是生的副腳。直到前所列的清代中葉崑山腔的行當體制中，小生和老生已從生行中分化出來並且有了分工。小生逐步穩定扮演青年男性的獨立行當；而經過了生、外、末等各行的分化和融合，形成了老生穩定扮演中年以上剛毅之士的行當。據《揚州畫舫錄》記載：

> 老生山崑璧，身長七尺，聲如鏄鐘，演《鳴鳳記·寫本》一齣，觀者目爲天神，自言袍袖一遮，可容張德容輩數十人。張德容者，本小生，聲音不高，工于巾戲，演《尋親記》周官人，酸態如畫（頁三七九）。
>
> 小生陳雲九，年九十。演《綵毫記·吟詩脫靴》一齣，風流橫溢，化工之技（頁三七九）。
>
> 李文益丰姿綽約、冰雪聰明。演《西樓記》于叔夜，宛似大家子弟。後在蘇州集秀班，與小旦王喜增串《紫釵記·陽關折柳》，情致纏綿，令人欲泣（頁三八二）。

山崑璧演出楊繼盛的凜然正氣；陳雲九演出李白的風流橫溢，李文益演出李益的纏綿情致，這種鮮明的性格表演，正是促使生或末分化的前提。換言之，老生和小生的形成是人物塑造性格化的結果。

至於外腳，南戲和雜劇均有此色，泛指生或末的副腳，意爲生外之生、末外之末，不表現確定的性格特徵。明代南曲系統諸劇種中開始向扮演老年人發展。至崑山腔中漸趨定型，成爲扮演老年人的獨立行當，因常戴白髯，故又稱「老外」。《揚州畫舫錄》記載：

> 老外王丹山，氣局老蒼，聲振梁木。同時孫九皋爲外腳副席，九皋戲情熟于丹山，而聲音氣局十不及半（頁三八〇）。
>
> 老外孫九皋，年九十餘。演《琵琶·遺囑》，令人欲死。……。周維伯曲不入調，身段闌珊，惟能說白而已（頁三八三）。

「氣局老蒼」基本上概括老外的藝術特點；而同爲老外的孫九皋，則熟於戲情，善於身段，《審音鑒古錄》記載《荊釵記·上路》一折，即是孫九皋登場演出的身段（詳第六章）。周維伯則聲音氣局和身段皆不及，只能說白。可知不同的演員充任同一種腳色，扮演同類型、同性格人物，會因演員的技藝而有高下之分。

「末」腳在雜劇和南戲皆有此名，名同實異。元雜劇的末爲男腳色的統稱，以正末爲末中正腳。南戲的末有三種職能，一是副末開場，二是與淨、丑配合，滑稽調笑，三是扮演社會地位低下的次要人物。由明至清經過南曲系統諸劇種的交流變化，副末開場之職仍保留，喜劇色彩完全消失，常扮社會地位較低的人物。

第二：旦的分化，正旦和貼旦小旦分工。元雜劇的正旦和南戲的旦都是女主腳的泛稱，貼旦和小旦是副角。崑山腔中，這三腳色各有表演特點，並且有明確的分工。《揚州畫舫錄》記載：「小旦謂之閨門旦；貼旦謂之風月旦，又名作旦；兼跳打謂之武小旦。」故閨門旦多扮大家閨秀；貼旦扮演妓女或婢女；正旦主要扮演性格剛烈、舉止端莊的中年或青年女性，且多爲正劇或悲劇人物。至於老旦則扮演老年婦女，多重唱功。如《揚州畫舫錄》記載：

> 王喜增姿儀性識，特異于人，詞曲多意外聲，清響飄動梁木。金德輝演《牡丹亭·尋夢》、《療妒羹·題曲》，如春蠶欲死。周仲蓮喜《天門陣·產子》、《翡翠園·盜令牌》、《蝴蝶夢·劈棺》，每一梳頭，令舉座色變。董壽齡工爲侍婢，所謂倩婢、鬆婢、淡婢、逸婢、快婢、疏婢、通婢、秀婢，無態不呈（頁三八四）。
>
> 正旦史菊觀演《風雪漁樵記》在任瑞珍之上。瑞珍口大善泣，人呼爲闊嘴（頁三八〇）。
>
> 任瑞珍自史菊官死後，遂臻化境。詩人張樸存嘗云：「每一見瑞珍，令我整年不敢作泣字韻詩」。其徒吳仲熙，小名南觀，聲入霄漢，得其激烈處。吳端怡態度幽閒，得其文靜處，至《人獸關·掘藏》一齣，端怡之外無人矣（頁三八三）。
>
> 老旦費坤元，本蘇州織造班，海府串客。頤上一痣，生毛數莖，人呼爲一撮毛。歌喉清腴，腳步無法（頁三八三）。

第三：淨的分化，淨、丑分工。淨、丑分工的前提是淨的正劇化。元雜劇無丑，喜劇人物由淨承擔；《元曲選》雖增加了丑，但很多喜劇人物仍由淨扮演。南戲的淨、丑不分，都是喜劇腳色，以插科打諢、滑稽調笑爲其表演特色。南戲和雜劇的淨，包含兩類不同表演風格的人物形象：一類是喜劇性的，主要是權豪勢要、貪官污吏、殺人凶犯等反面人物；以及少數正面的喜劇人物，多表現幽默詼諧的性格。另一類是正劇性的，也有正面和反面人物，皆已排除滑稽調笑的成分，而且開創了運用特殊造型以塑造形象的先例，可謂已具備了後世淨行的雛型。明中葉以後，傳奇作品即創造了許多此類獨特性格氣質的人物形象，或嗚咽叱咤、氣勢滂礴，或詭譎奸詐、暴戾凶殘。此外，傳奇作品中還有不少同元雜劇一脈相承的人物形象，如關羽、包拯等，在雜劇中，由於一人主唱的限制，只能由正末或外扮演，形象不夠鮮明，在傳奇中則可突顯其人物性格。正是這兩類人物形象的匯流，推動了淨的表演在前人基礎上進一步發展，到清代中葉終於脫穎而出，形成了大面，並且有了紅面、黑面和白面三支。焦循《劇說》卷六引史承謙《菊莊新話》記載陳優（陳明智）的故事。[47]陳明智「村優淨色，獨冠其部中」，有次在宴會上演出《千金記》，陳扮項羽：

> 陳始胠其囊，出一帛抱肚，中實以絮，束於腹，已大數圍矣；出其靴，下厚二寸餘，履之，軀漸高；援筆攬鏡，蘸粉墨，爲黑面，面轉大。群優乃稍釋，曰：『其畫面頗勿村！』既而兜鍪繡鎧，横槊以出，升氍毹，演《起霸》齣。起霸者，項羽以八千子弟渡江故事也。陳振臂登場，龍跳虎躍，傍執旗幟者咸手足忙饜而勿能從；聳喉高歌，聲出征鼓鐃角上，梁上塵土簌簌墮肴饌中。座客皆屏息，顏如灰，靜觀寂聽，俟其齣竟，乃更閧堂笑語，嗟歎以爲絕技不可得。

這段文字描述出淨（大面）表演的嶄新面貌：不但毫無滑稽

調笑的意味，而且能以磅礡的氣勢，濃重的色彩和高度技巧，表現出楚霸王項羽叱咤風雲的英雄氣概。大面的出現表示淨的正劇化，與此同時，丑就成了喜劇人物的主要扮演者。南戲中丑扮人物較龐雜，多半是插科打諢的次要人物，其性格化程度不明顯。明中葉以後，丑的表演逐漸脫離單純插科打諢或雜扮各種人物的型態，而開始扮演重要人物並致力於性格的刻劃。例如第一本爲崑山腔演出而寫的《浣紗記》，即用丑扮伯嚭，對這個讒言惑主、貪財誤國的奸佞小人作了入木三分的刻劃。丑的表演藝術繼續發展，就趨於性格化，並分化出丑、副淨（付）兩種腳色類型。丑多扮下層人物，地位卑微但正直善良，長於嬉笑怒罵。丑重滑稽；付淨則重冷雋，是介乎丑、淨之間的腳色，常扮演狡詐陰險的奸臣、惡吏、訟棍或無行文人；身份高於丑，品性卻不及丑。正因爲副淨是扮演面孔僞善、心腸狠毒的人物，故動作較少，其表演有時越冷越好，故崑班稱之爲「冰冷二面」。丑時動作則需靈活矯健，性格開朗，動作舞蹈性較強。由此可見，丑、副淨的形成和淨的正劇化，同樣也是以性格表演爲基礎的。以下舉《揚州畫舫錄》記載演員充任淨、丑的表演藝術：

> 大面周德敷，小名黑定，以紅黑面笑、叫、跳擅場。笑如《宵光劍》鐵勒奴，叫如《千金記》楚霸王，跳如《西川圖》張將軍諸齣（頁三八〇）。
>
> 大面范松年，爲周德敷之徒，盡得其叫、跳之技。工《水滸記·評話》，聲音容貌，摸寫殆盡。後得嘯技，其嘯必先斂之，然後發之，斂之氣沉，發乃氣足，始作驚人之音。繞于屋梁，經久不散，散而爲一溪秋水，層波如梯；如是又久之，長韻嘹亮不可遏，而爲一聲長嘯，至其終也，仍

嘐嘐然，作洞穴聲。中年入德音班，演鐵勒奴，蓋于一部，有周德敷再世之目。其徒奚松年，爲洪班大面，聲音甚宏，而體段不及（頁三八四）。

可知大面以狂笑、呼叫、跳躍爲表演特點，周德敷深得其技。范松年不僅得其師叫、跳之技，扮相音色亦模擬傳神。此外，更得呼嘯之技，其歙氣叫嘯的學習工夫可見苦心孤詣，其震撼性較之於上文提及陳明智「梁上塵土簌簌墮肴饌中」更有過之，大面的聲音氣局之沈雄宏大，由此可見。從周德敷、范大年專工的劇目，則大面中的紅、黑面主要扮演性格豪放或粗獷的正面人物形象爲主；少數扮演反面人物形象，如《八義記》的屠岸賈勾紅臉，《精忠記》的金兀朮勾黑臉。至於大面中的白臉則是抹大白臉的腳色，其化妝可擴大於整個臉部，一直可以畫到腦門頂即髮際線以上兩三指的部位，故又稱「白淨」。白淨多扮演權奸類型人物，如《鳴鳳記》中的嚴嵩、《桃花扇》的馬士英等。馬文觀即是工於白面腳色的演員：

馬文觀字務功，爲白面，兼工副淨。以《河套》、《參相》、《遊殿》、《議劍》諸齣擅場。白面之難，聲音氣局，必極其勝，沉雄之氣，寓于嘻笑怒罵者，均于粉光中透出。二面之難，氣局亞于大面，溫暾近于小面；忠義處如正生；卑小處如副末；至乎其極，又服婦人之衣，作花面丫頭，與女腳色爭勝。務功兼工副淨，能合大面、二面爲一氣，此所以白面擅場也。其徒王炳文，謹守務功白面諸齣，而不兼副淨。故凡馬務功之戲，炳文效之，其神化處尚未能盡（頁三八〇）。

馬文觀擅場的劇目，《河套》中扮嚴嵩，《參相》中扮万俟」，都是白面；《遊殿》中扮法聰，《議劍》中扮曹操，都是副淨（即二面），其爲白面兼工副淨可証。白面和二面有各自的表演藝術特色。白面是要在粉墨臉部上，透顯出其由於權高勢重而具有的身分和氣派，又要深刻地表露其奸詐、陰險、凶狠、暴戾的本質。所以一方面要極其聲音氣局，一方面要在嬉笑怒罵之中還有一股陰沈雄霸之氣。二面則氣派格局不如大面，並且兼有小面（小丑）的「溫暾」；正生的「忠義」；副末的「卑小」，正宜於表現僞善猥瑣的人物。其臉譜的化妝部位小於大面，又略大於小面，即把小丑眉眼間的白斑擴大些。[48]二面的扮相正與其介於淨、丑之間的人物類型相合。馬文觀能融合大面、二面的表演藝術，以更深刻地詮釋權奸佞幸的人物形象，故其白面腳色無人能及，其徒王炳文雖能苦練馬文觀專工之劇目，卻無法達及神化之境。以下再舉《揚州畫舫錄》善於二面及小丑的演員，以觀此二色之表演藝術：

副淨陳殿章，細膩工緻，世無其比。惡軟以冷勝，演《鮫綃記·寫狀》一齣，稱絕技；惡軟，蘇州人，忘其姓名。小丑丁秀容，打諢插科，令人絕倒。孫世華唇不掩齒，觸處生趣，獨不能扮武大郎。宋獻策，人呼爲長腳小花面。（頁三八三）

二面蔡茂根，演《西廂記》法聰，瞪目縮臂，縱膊埋肩，搔首踟躕，興會飆舉，不覺至僧帽欲墜，斯時舉座恐其露髮，茂根顏色自若。小丑滕蒼洲，短而肥，戴烏紗，衣皂袍，著朝靴，絕類虎邱山拔不倒。（頁三八五）

副淨陳殿章細膩工緻，即指能在「溫暾」、「忠義」、「卑小」分寸之間，掌握得極微極妙，以「世無其比」評賞其人，可見表演藝術之超絕。惡軟以「冷」勝，當是善於運用細微動作刻劃陰狠人物之性格，堪稱「冰冷二面」。同屬二面腳色的蔡茂根，則屬喜劇表演藝術，作者這幾句形貌動作的描述語，栩栩如見其人。至於小丑丁秀容，孫世華、宋獻策、滕蒼洲等人的滑稽形象及令人絕倒、觸處生趣的表演特點，已經具備丑腳的藝術之美。

清代中葉崑山腔生、旦、淨、丑的全面分化發展及其內涵大致如上所述。《揚州畫舫錄》的記述，代表崑山腔行當體制的內容，同時意味雅部行當體制的完成。從行當的類型比較龐雜到日趨規整；從偏重生旦到生旦淨丑全面發展；從性格刻畫較爲粗略到日漸精確；進而形成依照人物性格類型分行的嚴密體制，可見腳色行當的發展歷史。再從腳色與表演藝術的關係觀察，自宋金雜劇院本的副淨、副末扮演稽調笑的人物，而以「發喬打諢」爲其表演特質，即已奠定腳色象徵人物類型及技藝的理論基礎。元雜劇腳色象徵人物性別，則與演員的表演藝術更有密切關係，正因演員不受類型人物的拘限，所以必需衆藝兼備，能詮釋各種角色人物。宋元戲文腳色開始分工，奠定了腳色象徵人物類型的基礎，至明傳奇、崑山腔，各腳色所扮飾的人物類型愈趨穩定，並有了腳色扮相及技藝的理論，如王驥德以傳奇配部色，及潘之恆直接評論演員所充任的腳色及其表演藝術。明末清初至中葉，腳色象徵人物類型更加精確，同時更突顯人物性格，以及與人物類型、性格相應的表演程式，於是演員專精的腳色及表演藝術更加重要，《揚州畫舫錄》對這方面的敘述是爲代表。因此腳色符號則演變爲象徵演員的技藝，又以宋金雜劇院本的基本理論爲依歸。腳色理論隨著戲劇史的發展，隨著體製劇種的演變，隨著表演藝術的成熟，隨著搬演理論的豐富，歷經一段曲折演變，終於成就其內在的美學體系。

【註釋】

[1]王國維〈古劇腳色考〉收入《王國維戲曲論文集》，本段引述見頁一九六。

[2]曾師永義先撰〈中國古典戲劇腳色概說〉，後寫〈前賢腳色論述評〉，此爲便於敘述之故。

[3]參徐扶明先生《元代雜劇藝術》第十六章〈腳色〉頁二八六。

[4]錢南揚《永樂大典戲文三種校注》：「後行腳色指戲班中的樂隊，後世稱爲後場、場面。」（頁一二）。不知錢氏何以作此解？

[5]參考郭亮〈早期南戲表演探源——張協狀元剖析〉。

[6]元雜劇旦行腳色，元刊本止有正旦、外旦、小旦、老旦四目；《元曲選》則有十六目，一因《元曲選》爲不刪節的全本，二因有明人增飾之筆墨，故名目較多。駕旦、搽旦、色旦、魂旦皆據《元曲選》。

[7]參齊如山《國劇藝術彙考》第十章〈腳色名詞〉。

[8]以上歸納七項，參考曾師永義〈中國古典戲劇腳色概說〉、郭亮〈戲曲演員的舞臺適應——戲曲演員分工與形象構思〉。

[9]這種專門從演員唱功而分工的情況，郭亮原歸納於上文第七項中，筆者轉用於此處。同上註。

[10]曾師永義有〈男扮女妝與女扮男妝〉專文討論。

[11]語見任中敏《曲海揚波》卷六（頁九四一），收入任中敏編《新曲苑》冊四。

[12]黃克保《戲曲表演研究》一書注明，凡涉及行當時均稱「腳色」；論述人物塑造時，則稱「角色」（頁九九）。

[13]李春熹解釋這種既是觀念的又是實體的，既是屬於劇作家的又是屬於演

員的，可說是「舞臺角色的雙重性」。參見《作爲演出藝術的戲劇》頁四七～五〇。

[14]《單刀會》現存於《元刊雜劇三十種》，見徐沁君《新校元刊雜劇三十種》。

[15]如北京京劇團曾反串演出《八臘廟》，由著名旦腳張君秋反串架子花臉金大力等。本段敘述戲曲演員分工的四種規制，參朱文湘〈戲曲行當與角色創造〉。

[16]黃克保〈腳色行當：戲曲表演的程式性在人物塑造上的反映〉，同註一二。

[17]引自陳多、葉長海先生《中國歷代劇論選注》頁六〇。

[18]「發喬、打諢」之解參王國維《宋元戲曲考》第七章〈古劇之結構〉頁五四。此外，宋雜劇各腳色則參曾師永義之解，同註二。

[19]元陶宗儀《南村輟耕錄》卷二十五「院本名目」條，亦有此段，文字大同小異。《輟耕錄》卷首有孫作大寫於至正丙午二十六年(一三六六年)之序；夏庭芝此誌之記年有二：一是清趙魏抄校本署作「至正庚子」，庚子爲至正二十年（一三六〇年）；一是《說集》本署作「至正乙未」（案：原作己未，至正間無此年號，或爲乙未之誤)，即至正十五年(一三五五年）。則《輟耕錄》較《青樓集》初稿成書遲十一年、修定稿成書遲六年。如《輟耕錄》成書於至正丙午，此段文字有可能是根據本誌而來。參孫崇濤、徐宏圖《青樓集箋注》頁四五。案：此段文字，一般都是引錄《輟耕錄》，現引錄時代較早〈青樓集誌〉，更可以發現其不同於《夢粱錄》的意義。

[20]曾師永義有〈參軍戲及其演化之探討〉。

[21]「爨」與「串、攛」異字同音，意義相同，是當時市語，用以代表宋金雜劇院本的一種表演形式，與「爨」國無關，參曾師永義〈中國古典戲

劇的形成〉。此處不取其附會之義，而取其描述蠻國人來朝時的裝扮。

[22]語見陶宗儀《南村輟耕錄》卷二十五「院本名目」條，頁三〇六。

[23]參《青樓集箋注》頁五〇。

[24]〈贈宋氏序〉見《紫山大全集》卷八。

[25]清趙魏（晉齋）抄校本《青樓集》作「其餘供襯者，悉謂之外腳。」夏庭芝並未明言「正腳」一詞，但由正旦、正末腳色名稱觀之，則「外腳」與「正腳」可說是相對的腳色類別。

[26]朱權《太和正音譜·詞林須知》：「妓女之老者曰鴇。」後遂稱妓女曰鴇兒，妓女之養母曰鴇母。此處應指鴇母，以與花旦所扮區分。

[27]以上詞語說明參《青樓集箋注》頁五二～五五。

[28]《青樓集箋注》認為夏庭芝所列舉的駕頭、閨怨、花旦……等十種，皆是外腳（頁五二）。根據夏庭芝的品評，旦末雙全的演員如珠簾秀「駕頭、花旦、軟末泥，悉造其妙。」在雜劇搬演中，珠簾秀不可能只是一個外腳，故筆者認為這十種是包括正腳和外腳所扮演的人物。古典戲劇於劇中人物的標示，一向是腳色與俗稱並用。這十種人物，在劇中如不以俗稱，則各歸末行中的正末、外末、駕末、外孤、小末、孤末、衆外等；旦行中的正旦、外旦、小旦、老旦等；淨行中的淨、外淨、二淨等。這三大行當是以元刊本雜劇的腳色門類為原則，此據曾師永義〈中國古典戲劇腳色概說〉之統計。同註二。

[29]另有旦末合本五種，不合元雜劇體製，故不論。末本、旦本之統計，參洛地〈一正衆外，一角衆腳——元雜劇非腳色制論〉。

[30]《青樓集》評「事事宜」：「姓劉氏，姿色歌舞悉妙。其夫玳瑁斂，其叔象牛頭，皆副淨色，浙西馳名。」這是書中僅知善副淨色的男性演員。

[31]語見〈贈宋氏序〉。據學者考証，「宋氏」當為「朱氏」筆誤，認為此文也是為朱簾秀而寫的。見蔡美彪〈關於關漢卿的生平〉。

[32]〈青樓集誌〉已將元雜劇題材作了分類：「君臣如《伊尹扶湯》、《比干剖腹》；母子如《伯瑜泣杖》、《剪髮待賓》；夫婦如《殺狗勸夫》、《磨刀諫婦》；兄弟如《田眞泣樹》、《趙禮讓肥》；朋友如《管鮑分金》、《范張雞黍》，皆可以厚人倫，美風化。

[33]《救風塵》、《謝天香》，見吳曉鈴編《關漢卿戲曲集》。

[34]語見曾師永義〈元雜劇體製規律的淵源與形成〉頁一九五。

[35]筆者有〈論關漢卿雜劇中的改扮人物〉。

[36]元雜劇二一三種中只有《東牆記》、《桃符記》、《西廂記》不是由一種腳色獨唱。統計數字參柯秀沈《元雜劇的劇場藝術》頁二二、三一。案：柯氏統計改扮人物劇作，未含《元刊雜劇三十種》中的《西蜀夢》。筆者所說的七十三種，已列入。

[37]參曾師永義〈元人雜劇的搬演〉。

[38]《夢粱錄》卷二十云：「又有雜扮，或曰雜班，又名紐元子，又謂之拔和，即雜劇之後散段也。」胡忌《宋金雜劇考·雜扮研究》云：「雜扮據記載所及，應是北宋末期形成的戲劇形式，當它和雜劇發生關係時，雜劇中早有淨色的地位了。那末這類似淨色的名目，本有『紐元子』的別稱，後人就省稱爲爲丑，理頗自然。」

[39]《夢粱錄》妓樂條云：「散樂傳學教坊十三部，唯以雜劇爲正色，舊教坊有篳篥部、大鼓部、拍板部。色有歌板色、琵琶色……雜劇色、參軍等色。色有色長，部有部頭……。」前稱「雜劇色」，後云「雜劇部」，則「部」、「色」之稱無別。

[40]所謂「貼生」，傳奇中未見，意味當如「貼旦」，即貼加之生腳，地位次於「正生」，或即同於「小生」。

[41]以下舉証以〈艷曲十三首〉爲主，如另有引証他文者，另外注明。

[42]語見〈廣陵散二則·續品三首〉。

[43]語見〈詞采第二·戒浮泛〉，原指劇作家塡詞時應隨腳色行當而斟酌其詞，以合乎腳色身份。

[44]《桃花扇·凡例》見蔡毅主編《中國古典戲曲序跋彙編》冊三頁一六〇六。

[45]《揚州畫舫錄》有作者寫於乾隆十六年(一七九五)自序。故「江湖十二腳色」可代表清代中葉以前崑山腔的腳色行當體制。以下引文皆注明頁數，便於檢閱。

[46]此表見黃克保《戲曲表演研究》頁一一四。下文討論此表的內涵，多參考黃氏的分析（大略見於該書頁一一四～一五九），並有筆者之補充敘述。

[47]見焦循《劇說》頁二〇〇，收入《中國古典戲曲論著集成》冊八。

[48]關於大面中的紅、黑、白面及二面、小面的化妝及其主要扮演的人物類型，參龔和德〈明清崑曲的舞臺美術〉。

第八章　形神論

本書的前七章是分別從演員的色藝、唱曲、念白、身段、腳色等各層面加以探討，在論述過程中發現，「形神」的觀念似乎是如影隨形地和每一主題產生關聯性。如色藝論中湯顯祖〈廟記〉的「一汝神，端而虛」的藝道；潘之恆〈仙度〉的「登場而從容合節，不知所以然而然」的仙致；鐵橋山人等以花比色、以鳥比聲品評十八位伶人，亦「取其神肖，不徒泛以形求」。度曲論中，芝菴、朱權、魏良輔等講求唱曲形相；徐大椿《樂府傳聲·頓挫》說：「曲之妙，全在頓挫，必一唱而形神畢出，隔垣聽之，其人之裝束形容，顏色氣象，及舉止瞻顧，宛然如見，方是曲之盡境。」曲白論中，黃旛綽《梨園原·曲白六要》中引述的：「說白病數字，佳者四聲全(四聲乃歡、恨、悲、竭)。」身段論中，潘之恆〈與楊超超評劇五則〉中的「度」和「思」；李漁《閒情偶寄·授曲·解明曲意》：「得其義而後唱，唱時以精神貫串其中，務求酷似。若是，則同一唱也，同一曲也，其轉腔、換字之間，別有一種聲口；舉目回頭之際，另是一副神情。」腳色論中，李斗評小生陳雲九「風流橫溢，化工之技」等等。這些文字顯然意味著在表演體系中，有一種神妙的藝術境界。而這種神妙境界絕不止就表演理論中個別層面而說的，應該是整體性的、統攝性的。本章即是就各章主題所延伸出來的共同論題做深一層的觀察，一方面以形神論將各章予以統攝整合，同時以形神論表徵戲曲表演的最高境界。

第一節 形神美學溯源

形神問題在先秦諸子思想中已有論及。《荀子·天論》說：「形具而神生，好惡喜怒哀樂臧焉，夫是之謂天情。耳目鼻口形能各有接而不相能也，夫是之謂天官；心居中虛以治五官，夫是之謂天君。」此以形指人身之百骸九竅，神指人之精神魂魄。具體而言，形體包括耳、目、鼻、口形態可以接物而不能互相為用的五官；神則主要是指居於中虛之地以主宰五官的心靈(天官)；故〈解蔽篇〉說：「心者，形之君也，而神明之主也。」[1]而《莊子·知北遊》所說：「精神生於道，形本生於精」，亦是指有氣而有質的形體和清通而無象的精神[2]；所以〈養生主〉即是要養神明之主，〈德充符〉要追求的是形全神全或形雖殘而神全的境界。

到了西漢，《淮南子·詮言訓》所謂：「神貴於形也，故神制則形從，形勝則神窮」充分發揮神對形的主宰作用；並進而將神貴於形、以神制形的觀點運用於藝術領域。〈說山訓〉云：「畫西施之面，美而不可說；規孟賁之目，大而不可畏：君形者亡焉。」正因為缺乏「使其形者」的精神，故西施之面雖美，孟賁之目雖大，只得其形，未得其神也。再看〈覽冥訓〉中的一段話：[3]

> 昔雍門子以哭見於孟嘗君，已而陳辭通意，撫心發聲。孟嘗君為之增欷歍唈，流涕狼戾不可止。精神形於內，而外諭哀於人心，此不傳之道。使俗人不得其君形者，而效其容，必為人笑。

雍門子的歌唱所以能使孟嘗君感動得失聲痛哭，是因其表現了「哀於人心」的內在情感。如果一個「不得其君形者」的俗人，只從容貌上模倣，則如東施效顰，徒爲人笑。《淮南子》討論繪畫和音樂藝術都用了「君形者」的觀念，其實就是「神制形從、形勝神窮」的印証。而將形神運用於繪畫和音樂，可以說分別爲六朝以後的繪畫理論以及元代以後戲曲表演理論開展了形神的美學。

東晉顧愷之首先提出「傳神寫照」的理念。《世說新語·巧藝》有一則記載：「顧長康畫人，或數年不點目精。人問其故，顧曰：『四體妍蚩本無關於妙處，傳神寫照正在阿堵中』。」顧愷之指出傳神處主要在於眼睛，而不在於「四體妍蚩」；換言之，人物畫要想傳神，不是著眼於整個形體，而應是著眼於人體的關鍵部位——眼睛。顧愷之在〈魏晉勝流畫覺贊〉也提到傳神的問題：

> 凡生人無有手揖眼視，而前無所對者。以形寫神而空其實對，荃生之用乖，傳神之趣失矣。空其實對則大失，對而不正則小失，不可不察也。一象之明昧，不若悟對之通神也。

所謂「以形寫神而空其實對」是說，如果畫家僅僅抓住所畫人物之形體來寫神，而所畫的人卻「空其實對」，則鑒照生人的作用效果將有所乖違[4]，傳神的旨趣興味亦將失去。則「以形寫神」之「神」已不是先秦所謂的精神魂魄或神明之主，而是一個人的風神、風韻、風姿神貌。進一步說，繪畫中的「形」是畫家把人物形體中那些不能表現「神」的部份，經過提煉而陶汰了，只留下可以表現「神」的部份，即所謂「洗盡塵滓，獨存孤迥」；

而繪畫中的「神」則是畫家以審美的眼光捕捉人物的風神，並運用技巧在畫面上加以顯現。於是畫面上的人物形象，也是形神的統一，但對於生活中自然形態形神統一的人物形象而言，卻是一種超越，是一個新的質。[5]顧愷之提出「傳神寫照」和「以形寫神」兩個觀念，實可以借用於戲曲表演理論中。

蘇軾發揮顧愷之的繪畫美學而有〈傳神論〉：[6]

> 傳神之難在目。顧虎頭云：「傳神寫影，都在阿堵中」，其次在顴頰。……。傳神與相一道，欲得其人之天，法當于眾中陰察之。今乃使人具衣冠坐，注視一物，彼方斂容自持，豈復見其天乎？凡人意思，各有所在，或在眉目，或在鼻口。虎頭云：「頰上加三毛，覺精采殊勝。」則此人意思蓋在鬚頰間也。優孟學孫叔敖抵掌談笑，至使人謂死者復生。此豈舉體皆似，亦得其意思所在而已。使畫者悟此理，則人人可以爲顧、陸。

優孟爲楚之樂人，多辯，常以談笑諷諫。《史記·滑稽列傳》敘述優孟：「即爲孫叔敖衣冠，抵掌談語。歲餘，像孫叔敖，楚王及左右不能別也。莊王置酒，優孟前爲壽，莊王大驚，以爲孫叔敖復生也。」優孟模倣孫叔敖長達一年之久，絕不止於聲音容貌、言語動作，所以能使莊王以爲孫叔敖復生。蘇氏所謂「舉體皆似」即「形似」，指優孟扮孫叔敖時的衣冠，及其言行舉止等整個外形而言；所謂「得其意思之所在」，則指優孟掌握了孫叔敖內在的精神氣質和性格特徵，達到「神似」之境。蘇軾認爲優孟摹擬孫叔敖之維妙維肖，豈是舉體皆似之故？而是得傳神之道。東坡之評論是發揮《淮南子》「君形者」的藝術理念。儘管戲劇體制之發展成熟始於元代，然優孟衣冠的故事多被戲劇史學者視爲中國戲劇表演史之濫觴，故東坡可說是最早將繪畫傳神觀念運用於優人表演之中的先驅者。

就東坡的詮釋而言，優孟以其形體、聲音、言語傳達孫叔敖之精神性情，正是「以形寫神」、「傳神寫照」的藝術表現。從這個角度來看，形神觀念可說與戲曲表演有了密切的關聯。戲曲演員在舞臺上表演時，一切可見的手、眼、身、髮、步是爲「象形」；一切可聽的唱念、吟、誦、哭、笑是爲「聲形」；一切虛擬象徵的翻、打、跌、舞是爲「技形」；而象形、聲形、技形，皆必需經由演員自身的形體表現出來，而演員的姿色容貌、身材體型等外部形態亦皆涵括其中。此即荀子、莊子「形具而神生」、「形本生於精」之「形」。故「形」佔有具體時間和空間，是構成欣賞者可視、可聽、可見的客觀形象，它基本上包括了戲曲表演的全部技藝。因此戲曲表演中的「形」，包括演員的形體及象形、聲形、技形等一切表演程式；如必嚴格區分，則前者是「形」，後者是「技」。而當演員表演於舞臺之上時，形與技同時呈現在演員身上，往往變成二而一、一而二的關係。故戲曲評論家或言形或曰技，隨其上下文義及偏重的角度而定。本章以「形神論」爲題，其「形」字內涵是統攝二者。

形只是戲曲表演中的一種手段、媒介、形式。演員通過形傳達出角色形象之「神」，才是戲曲表演的終極目的。當表演者能以其形、用其技，將劇中人物的精神風貌和思想性格表現到至精至微的境地，此之謂出神入化，所謂形有盡而神無窮。故「神」不止於演員表現人物角色之神，更象徵戲曲表演藝術的最高境界。而這種藝術境界又必透過形才能表現，因此「形」是「神」的必要條件，無形則無法傳神，必「以形顯神」、「以形領神」，才成為戲曲的表演藝術；而顧愷之的「以形寫神」、「傳神寫照」正可以借用於戲曲表演中。反之，有形而無神，則落入第二義，表演藝術則止於形式、技術而已，此所謂「神不到，戲不妙」；故神似者為上品，形似者為下品。則戲曲之「形神」是：演員以形體為媒介，運用一切象形、聲形、技形之表演程式，傳達一種無形、無聲、無象的神妙境界。表演者在追求形神的過程中，是先求「形似」，進而求「神似」，達到「形神兼備」，最後以「妙入神品」為最高境界。

第二節　戲曲形神觀念及理論之建立

《淮南子》以「君形者」評雍門子之歌唱，東坡以「傳神寫影」、「得其意思」評優孟摹擬孫叔敖，對戲曲表演的評賞產生了直接的影響。一方面是因為戲曲表演具有象徵性、虛擬性的特質；二方面演員是通過腳色的象徵符號扮飾劇中人物。因此，「以形傳神」可以為戲曲以技藝化的形態表現人物，提供理論依據。[7]而形神做為表演理論的依據，是逐漸形成的，所以有些評論文字，雖不用「形神」詞語，但卻蘊含形神觀念，這些敘述都將一併納入討論。以下嘗試探討戲曲形神觀念及其理論之建立。

首先就演員的表演藝術提出規範與判斷原則，是胡祗遹〈黃氏詩卷序〉（引文見第一章）。九美之中，第一、二、三美屬於色藝；第四、五、七美屬於唱念藝術；第六美屬於身段藝術；皆已於前面各章分別論述。第八、九美則屬於演員如何詮釋角色問題。胡氏認為戲劇就是倫理生活的投影，是社會生活的反映（見第七章引〈贈宋氏序〉），因此演員就是要進行第二度的「發明創造」，讓劇中人物的「喜怒哀樂、憂悲愉佚、言行功業」隨著戲劇的搬演而重新活在劇場之上，使觀聽者如置身在歷史的時光隧道之中，並且聚精會神地觀賞而惟恐錯失似的。演員對每齣戲的表演，對每一個人物的詮釋，要不地斷地溫故而知新，讓每一次的表演都是一次新的表現，甚至都有新的體悟。誠如胡祗遹〈優伶趙文益詩序〉所說：「醯鹽薑桂，巧者和之，味出於酸、鹹、辛、甘之外。日新而不襲故常，故食之者不厭。滑稽詼諧，亦猶是也。拙者踵陳習舊，不能變新，使觀聽者惡聞而厭見。」惟能時出新奇，不襲故常，「以新巧而易拙，出於衆人之不意」，才可以達到一種無法測度而餘味無盡的境地，而令觀聽者愛悅。表演者可以使觀聽者「如在目前」，「使人不能測度爲之限量」時，其表演藝術當是臻於於出神入化之境了。

演員要具備姿質之美、風韻之美、聰慧練達之美，融合唱、念、身段等技藝，創造出角色的悲喜人生，正是「以形傳神」、「以技傳神」的意義，胡氏此文堪稱是一篇形神的美學理論。胡氏就以形神理論評賞朱簾秀，〈朱氏詩卷序〉詳述其可以扮演不同的角色人物，可說是「以一女子，衆藝兼并」。當其登場時「外則曲盡其態，內則詳悉其情」（引文見第七章），這兩個「其」字應指角色人物，也就是說朱簾秀能詳盡地洞悉人物內在的感情意緒，將劇中人物之狀貌、舉止、言語、動作的曲微纖細之處，淋漓盡致地詮釋出來。換言之，朱簾秀充分運用其肢體語言及其唱念做舞之身段，將角色人物的形和神表現出來；是得表演藝術之訣要，故能「九流百伎，衆美群英，心得三昧，天然老成。」故夏庭芝言其：「雜劇爲當今獨步，駕頭、花旦、軟末泥，悉造其妙。」可見朱簾秀之表演藝術已達到曲盡意趣、形神兼備的妙境。

除了朱簾秀，夏庭芝《青樓集》品評其他優伶，也有此類的語詞，如：

> 順時秀：雜劇爲閨怨最高，駕頭、諸旦本，亦得其體。
>
> 天然秀：閨怨雜劇爲當時第一手，花旦、駕頭，亦臻其妙。
>
> 米里哈：歌喉清宛，妙入神品，貌雖不揚，而專工貼旦雜劇。
>
> 宋六嫂：與其夫合樂，妙入神品。
>
> 陳婆惜：聲遏行雲，然貌微陋，而談笑風生，應對如響。……女觀音奴，亦得其彷彿，不能造其妙也。

陸林〈元人戲曲表演論初探〉認爲夏庭芝提出了「神、妙、得」三品。所謂「得」是指對形的模倣，其內涵就是得其形似，得其外貌。故觀音奴「只得其彷彿，不能造其妙」，即言「妙」在「得」之上，是指表演藝術的形神兼備，曲盡意趣。至於「妙入神品」，則是品評天然渾成、造化無工的最高藝術境界。陸林進一步比擬：夏氏的三品相當於元夏文彥《圖繪寶鑒》中的神、妙、能三品。[8]陸氏以三品分析或有可以商榷之處。如上論述，朱簾秀的表演藝術已是「九流百伎，衆美群英」，則夏氏所謂的「悉造其妙」，義同「妙入神品」。其次，在夏氏品評的體系中，有比較伶人伎藝之優劣，但並未建立品第，亦未對「神、妙、得」有具體的闡釋。唯可肯定的是，從「得其彷彿，不能造其妙」的評語中可知「得其彷彿」近於「形似」；而「造其妙」近於「神似」，亦即「妙入神品」。夏氏開始運用「妙、神」等語，可見傳神理論眞正做爲評賞戲曲演員的表演藝術境界了。

胡祗遹評朱簾秀「外則曲盡其態，內則詳悉其情」，夏庭芝評「造其妙」皆是就其表演境界而說；明代李開先《詞謔·詞樂》記「顏容演戲」，觀察角度就不同了（引文見第六章）。顏容扮公孫杵臼，搬演《趙氏孤兒》戲文時，曾經是「見聽者無戚容」，表示顏容只得其形似而已；後於家中對鏡自觀，以孤苦可憐之形色融合唱念身段，摹擬公孫杵臼。由於顏容已得角色之形神，故異日復演此戲，令千百人哭皆失聲，表示顏容達到以形傳神的境界。這一段敘述提供了一個表演者如何「以形取神」的過程，於是形神觀念用之於戲曲表演中，還代表一種工夫，一種歷程。

由形入神的工夫、歷程，至湯顯祖便建立「由藝入道」的理論，〈宜黃縣戲神清源師廟記〉：

> 汝知所以爲清源祖師之道乎？一汝神，端而虛。擇良師妙侶，博解其詞而通領其意。動則觀天地人鬼世器之變，靜則思之。絕父母骨肉之累，忘寢與食。少者守精魂以修容，長者食恬淡以修聲。爲旦者常自作女想，爲男者常欲如其人。其奏之也，抗之如青雲，抑之如絕絲，圓好如珠環，不竭如清泉。微妙之極，乃至有聞而無聲，目擊而道存。使舞蹈者不知情之所自來，賞歎者不知神之所自止。若觀幻人者之欲殺偃師，而奏《咸池》者之無怠也。若然者，乃可爲清源師之弟子，進於道矣。

從「擇良師妙侶」至「爲旦者常自作女想，爲男者常欲如其人」，是討論演員藝術修養的五種方法（詳第一章色藝論），這是演員在登臺之前積累的修養。而當登場表演時，其曲情高亢處要直入雲霄，低迴處則如遊絲飄動，轉折處則纍纍然如貫珠，餘音不盡處則如清溪小泉。甚至微妙之極，使觀聽者從視聽上的有聞目擊進入無聲道存的境地。這種使表演者不知情之所自來，使觀賞者不知神之所自止的境界，就是清源戲神之「道」，也就是神化之境。演員臻此表演藝術，則不止是以形傳神或形神兼備而已，根本上是超乎於形神之外了。〈廟記〉一文就是演員要先以修養工夫達到「一汝神，端而虛」的藝術心靈，進而要求能在登場表演時達到出神入化之極境。

湯顯祖提出微妙之極的「道」，可以用張元長《梅花草堂曲談》中評論趙必達扮杜麗娘的例子補充：「趙必達扮杜麗娘，生者可死，死者可生，譬之以燈取影，橫斜平直，各相乘除，又如秋夜月明，林間可數毛髮。」[9]這一段抽象的評語，意指趙必達詮釋杜麗娘角色，其感情之細膩幽微，情緒之千層萬轉，「如以燈取影，逆來順往，旁見側出，橫斜平直，各相乘除，得自然之數，不差毫末。出新意於法度之中，寄妙理於豪放之外。」[10]所以能將杜麗娘演至可生可死的地步。

湯顯祖從理論家的角度提出演員由藝入道、由形入神的過程；潘之恆則從觀劇、評劇的立場提出「以神合劇」的過程，〈神合〉云：

> 神何以觀也？蓋由劇而進於觀也，合於化矣！然則劇之合也有次乎？曰：有。技先聲，技先神，神之合也，劇斯進已。會之者固難，而善觀者尤鮮。余觀劇數十年，而後發此論也。其少也，以技觀，進退步武，俯仰揖讓，具其質爾，非得嘹亮之音，飛揚之氣，不足以振之。及其壯也，知審音，而後中節合度者，可以觀也。然質以格囿，聲以調拘，不得其神，則色動者形離，目挑者情沮。微乎！微乎！生於千古之下，而游於千古之上，顯陳跡於乍見，幻滅影於重光，非旃、孟之精，通乎造化，安能悟世主而警

凡夫？所謂以神求者，以神告，不在聲音笑貌之間。今垂老，乃以神遇。然神之所詣，亦有二途：以摹古者遠志，以寫生者近情。要之，知遠者降而知近，知近者溯而知遠，非神不能合也。

以神合劇主要有三個過程。首先是「技」，其次是「聲」，最後是「神」。技包含「進退步武，俯仰揖讓」等身段動作，和「嘹亮之音，飛揚之氣」的資質聲勢。聲指唱曲時審音識曲、中節合度的聲律宮調。神指「生於千古之下，而游於千古之上，顯陳跡於乍見，幻滅影於重光」而能通乎造化天地的神境，也就是由「劇」進於「觀」而合於「化」的化境。潘之恆觀劇數十年，由少至壯至老分別經歷了技——聲——神三個階段，終於可以達到官知止而神欲行的境界。做爲觀劇的階段過程，從另一個角度看，也可說是表演者「由技入神」的層次。演員如僅止於技，則受技之規範程式拘限；如超越於技又僅止於聲，則受聲之格律調式拘束；如超越於技、聲，卻不得其神，「則色動者形離，目挑者情沮」，必在技、聲之外，合之以神。潘氏進一步指出到達神境有「摹古遠志」、「寫生近情」二途：古指「書籍所載，古人現成之事」；生指「耳目傳聞，當時僅見之事」。[11]即搬演古人古事要遠推其志，搬演耳目傳聞之事則要近想其情。而且二者可以相通，古人之志與近人之情可以互相類推，互相觸發，讓演員可以從古從今等不同途徑描摹體會各種角色人物的情志，而能在聲音笑貌之外，達到以神合劇的境界。從這個論題回顧〈與楊超超評劇五則〉中的「度、思、步、呼、嘆」（詳第六章身段論），「步」是技，「呼、嘆」是聲，「思、度」就是神，正可與〈神合〉一文照應，也可以說明演員由技入神的層次。

演員由「技、聲」轉入「神」的關鍵在於能對角色「入情」，也就是能「思」。〈情痴〉一文可說是討論演員「以情傳神」的代表作：

> 古稱優孟、優施能寫人之貌，尚能動主；而況以情寫情，有不合文人之思致者哉！余友臨川湯若士，嘗作《牡丹亭還魂記》，是能生死死生，而別通一竇于靈明之境，以游戲于翰墨之場。同社吳越石，家有歌兒，令演是記，能飄飄忽忽，另番一局于縹緲之餘，以淒愴于聲調之外，一字無遺，無微不極。既感杜、柳情深，復服湯公為良史。……。而最難得者，解杜麗娘之情人也。夫情之所之，不知其所始，不知其所終，不知其所離，不知其所合，在若有若無、若遠若近、若存若亡之間，其斯為情之所必至，而不知其所以然。不知其所以然，而後情有所不可盡，而死生、生死之無足怪也。故能痴者，而後能情；能情者，而後能寫其情。杜之情痴而幻，柳之情痴而蕩；一以夢為眞，一以生為眞。惟其情眞，而幻、蕩將何所不至矣。

潘氏首先肯定湯顯祖《牡丹亭》是一本以情寫情之劇作，創造出杜麗娘和柳夢梅這兩位情癡的角色。情之一物，超越時空，無形無象，遠遠近近，悠悠漾漾，生生死死，其幽微曲折最難體悟。而同是情癡，杜麗娘寄情癡於幻象之中，故視夢境為眞；柳夢梅則寄情痴於奔放不羈之中，故視實境為眞。因人物之情癡、情眞，故最難者在於能解杜麗娘之情的「情人」——演員。蘅紉之江孺，荃子之昌孺二人正是「各具情痴而為幻為蕩，若莫知其所以然者」。故江孺扮演杜麗娘時，「情隱於幻，登場字字尋幻，而終離於幻」；而昌孺扮演柳夢梅，「情蕩於揚，臨局步步思揚，而未能揚」。可知二孺能入角色之情，將杜之幻、柳之蕩發揮到「一字無遺，無微不極」的境地。換言之，正因二孺能癡、能情，故能入情而寫其情。[12]表演者唯有入情，才能超越於技、聲之外，如李紉之演唱時：

> 水波欲立，梁塵盡飛，菊爲慚英，柳爲凋色。其音能超于調，而不以律束；其度能游于化，而不以意馳。此之爲善音，非審音者不識也。姬益爲縱之，爲緣雲，爲掇月，有不知情之所極，而翻然于大空。……。先有所主，而感乃入微。姬之曲韻，亦似有心者爲之也。——〈李紉之〉

「有心者」，有情者也；「先有所主」，所主者亦情也；「感乃入微」，所感者亦情也。李紉之以情貫入曲韻之中，故能超於調律而縱横入化。再看表演藝術達爐火純青的演員筠雪：

> 筠雪之爲劇也，韻既朗閑，情亦蕩譎。不戒而嚴，不律而逸。氣和調肅，神凝志一。其爲音也，乍揚若抑。其爲步也，進三退一。其爲態也，當境以出。其來也，若飛而集；其去也，若滅而入。其爲度也，百不爽失。人謁其長，神效其力。起金鳳有怍容，儷仙度而讋魄。眞有愧于丈夫，而開劇之內則，羌感夫禮魂，而心乎爲國者哉！(原註：是日演《連環記》，筠雪爲貂蟬。）——〈筠喻〉

筠雪演劇的藝術正可以用〈與楊超超評劇五則〉中的「度、思、步、呼、嘆」加以評賞：其「呼」、「嘆」抑揚頓挫，其「步」進退自如、來去飄忽；其「思」態合於戲劇當下之情境；其「度」能縱横有持、漫衍有節。其中更有蕩譎之情、凝一之神，使其「度、思、步、呼、嘆」之發揮，有最根本的原動力。故筠雪可匹美楊仙度，而令扮相華麗美艷、登場時之百態輕盈、艷奪人目的金鳳翔自嘆不如。[13]

江孺、昌孺、李紉之、筠雪、楊仙度等，都是能入情而後能入神的表演者。而在潘之恆的理論體系中，演員技精入神之後，還要能「度人」（詳第六章身段論）。或者可以說，入神是表演藝術的最高境界；而度人是境界之後所引起的作用，這種作用是從觀衆的角度而說的。所以臧懋循《元曲選·序二》云：「曲有名家、有行家。……。行家者隨所粧演，無不摹擬曲盡，宛若身當其處，而幾忘其事之烏有。能使人快者掀髯，憤者扼腕，悲者掩泣，羨者色飛，是惟優孟衣冠，然後可與於此。」表演者「模擬曲盡，宛若身當其處」，即是以形傳神，於是可以感動觀衆，使觀衆掀髯、扼腕、掩泣、色飛。顏容復演《趙氏孤兒》使千人哭皆失聲，可以印証。故袁于令《焚香記·序》所說，劇場就是一個有「情」的世界：[14]

> 蓋劇場即一世界，世界只一情。人以劇場假而情眞，不知當場者有情人也，顧曲者尤屬有情人也；即從旁之堵牆而觀聽者，若童子、若瞽叟、若村嫗，無非有情人也。倘演者不眞，則觀者之精神不動；然作者不眞，則演者之精神亦不靈。

「當場者」指演員和觀衆，「顧曲者」指作者。所以湯顯祖以情寫情；江孺、昌孺解情；而做爲評論而且兼觀衆的潘之恆則以情賞之。作者居於劇場之外，而演員、觀衆則同於劇場之中，故表演者情眞，方能動之以觀者的精神。

胡祗遹對演員提出「九美兼備」的準則，即隱含形（色）、技、神的觀念；夏庭芝《青樓集》品評伶人之表演藝術，開始運用「妙入神品」的語詞；李開先記述顏容演戲亦隱含由形取神的工夫；此後即由湯顯祖建立由藝入道的過程，乃至超乎形神的境界；潘之恆再從觀劇的角度，建立表演者由「得其技—得其聲—得其神—」的工夫；然後臧懋循、袁于令進一步補充「度人」的涵義，也就是由技入神、以情傳神所達成的作用，而推及於劇場之中，演員達到出神入化之境後與觀眾的交流。戲曲表演中的形神理論，由一種觀念的形成而發展爲一種理論，統攝表演藝術中的「唱、念、做、舞」四功或「口、手、眼、身、髮、步」六法。一方面作爲表演者如何以形傳神、如何以情傳神、如何由技入神的原理原則；另一方面也成爲評賞者觀劇的方法與態度，同時象徵表演藝術的最高境界。

第三節　形神的實際批評

元明兩代形神理論主要著重在由形入神、以情傳神的工夫，強調表演者藝術造詣的過程。對戲曲演員而言，表演藝術是日積月累、年復一年的工夫，絕不是朝夕可成的；因此戲曲形神的工夫理論可做爲演員進程的依據。明末清初以後，「形神」被當作表演者扮飾人物的贊語使用，或落實在對表演者演出劇目的批評，因而成爲一種不言而喻的原則存在，成爲表演藝術境界的形容語。這類實際批評的例子不勝枚舉，本節乃就明末清初以後較具代表性的實例加以分析。

張岱《陶菴夢憶》中記述兩個著名的演員，一是朱楚生，一是彭天錫。[15]朱楚生是位女演員，妙於科白，又得精通音律的姚益城先生「講究關節，妙入情理」，可謂是「擇良師妙侶，博解其詞而通領其意」。由於對戲劇的關目情節細細摹擬，故深得劇中人情物理之妙，在劇場上或舞臺下，形成一種特有的風韻。張岱於〈朱楚生〉一文評述：

> 楚生色不甚美，雖絕世佳人，無其風韻。楚楚謖謖，其孤意在眉，其深情在睫，其解意在煙視媚行。性命于戲，下全力爲之。曲白有誤，稍爲訂正之，雖後數月，其誤處必改削如所語。楚生多坐馳，一往深情，搖颺無主。一日同余在定香橋，日晡煙生，林木窅冥，楚生低頭不語，泣如雨下，余問之，作飾語以對，勞心忡忡，終以情死。

朱楚生色雖不甚美，但風韻楚楚有致，其眉睫之間蘊含孤意深情，目光流盼、身段動作之中流露善解人意的神態。則其登場時，亦善於通過眉目表現幽微細膩的情感，傳達角色內心深處微妙、羞澀、嫵媚、動人的情態。從「多坐馳，一往深情，搖颺無主」之語可知，楚生常使自己與所扮演的角色融合爲一，把角色情感化爲自己的自然動作，而達到坐馳、坐忘的境界。湯顯祖〈廟記〉要求演員「動則觀天地人鬼世器之變，靜則思之」，楚生可謂得其實了。而其「勞心忡忡，終以情死」，可說是個能癡能情、而能寫其情的演員。彭天錫生於萬曆年間，是一個遊遨山水，寄情歌嘯，縱酒佯狂，經常粉墨登場演戲的狂生。[16]張岱〈彭天錫串戲〉記述：

> 彭天錫串戲妙天下，然齣齣皆有傳頭，未嘗一字杜撰。曾以一齣戲，延其人至家，費數十金者，家業十萬，緣手而盡。三春多在西湖，曾五至紹興，到余家串戲五六十場，而窮其技不盡。天錫多扮丑淨，千古之奸雄佞倖，經天錫之心肝而愈狠，借天錫之面目而愈刁，出天錫之口角而愈險。設身處地，恐紂之惡不如是之甚也。皺眉眯眼，實實

腹中有劍，笑裏有刀，鬼氣殺機，陰森可畏。蓋天錫一肚皮書史，一肚皮山川，一肚皮機械，一肚皮磥砢不平之氣，無地發洩，特于是發洩之耳。余嘗見一出好戲，恨不得法錦包裹，傳之不朽；嘗比之天上一夜好月，與得火候一杯好茶，只可供一刻受用，其實珍惜之不盡也。桓子野見山水佳處，輒呼「奈何！奈何！」眞有無可奈何者，口說不出。

明中葉以後，傳奇作品中的淨腳多扮演反面人物的主腳，具有詭譎奸詐、暴戾凶殘的性格特質。由這段敘述，則彭天錫應以扮淨腳爲多。凡奸雄佞倖之人物，經由彭天錫內心設身處地的體悟，面部皺眉眯眼、笑裏藏刀的表情，唱念的抑揚頓挫，而將人物凶狠殘忍、奸刁形象、險惡性格表現出來。天錫博覽古籍、見聞豐富、世故人情、氣概雄毅，其藝術修養及性情襟抱，都是使其技藝精湛的原動力。彭天錫所演之劇目「齣齣皆有傳頭，未嘗一字杜撰」，即有前人經驗累積的表演範本爲依據，從不輕易改動或杜撰其中的曲白唱詞。天錫能將唱念做舞的程式規範，發揮到極致，故能「窮其技不盡」。

朱楚生善用眉目之色、身體之形傳達出人物內在的情意，而達到「一往深情，搖颺無主」的神思，可說是一種「傳神寫照」的境界。彭天錫將奸雄佞倖的人物，詮釋到「恐紂之惡不如是之甚」的情境，以致令觀賞者「恨不得法錦包裹，傳之不朽」，其表演藝術可比擬爲一夜好月，一杯好茶，可說是達到「技精入神」之化境了。張岱對朱楚生和彭天錫的評述，與顏容演戲的敘述角度是不同的。李開先的描述偏重在顏容如何以形取神的歷程；張岱則偏重在描述朱楚生傳神寫照的狀態和彭天錫技精入神的狀態，是對二人表演藝術狀態的形容。形神美學的運用，前者是「工夫」，後者是「境界」。

另一位善長淨腳的馬錦，是明末天啓年間，金陵梨園興化部的演員。談遷（一五九四～一六五七）〈伶人馬錦〉記述：[17]

金陵伶人馬錦，其先西域人，嘗兩坊角技，演《鳴鳳》傳奇。而西部李氏爲嚴閣老獨絕，馬錦自以爲不如，竟遁。遁三年，還故部，告諸客部曰：「令若奏《鳴鳳》，願效所長。」于是貌嚴相似角。奏畢，李氏大驚服，夜問所自。錦曰：「我安所自哉！聞今相國顧秉謙猶嚴相也。走京師，求爲其門卒三年。日於朝房察其舉止，聽其語，久能得之。此吾之所師也。」李氏曰：「善」。

其後侯方域（一六一八～一六五四）將此文擴充爲七百餘字的〈馬伶傳〉[18]，主要有一段描繪兩個戲班比賽時，馬錦因技不如李伶而遁逃的景象：

一日，新安賈合兩大部爲大會，遍徵金陵之貴客文人，與夫妖姬靜女，莫不畢集。列興化於東肆，華林於西肆，兩肆皆奏鳴鳳——所謂椒山先生者。怠半奏，引商刻羽，抗墜疾徐，並稱善也。當兩相國論河套，而西肆之爲嚴嵩相國者曰李伶，東肆則馬伶。坐客乃西顧而歎，或大呼命酒，或移坐更近之，首不復東；未幾，更進，則東肆不復能終曲。詢其故，蓋馬伶恥出李伶下，已易衣遁矣。

《鳴鳳記》演述嘉靖年間嚴嵩專政，誤國欺君，楊繼盛（別號椒山）、夏言等八個諫官戮力激濁揚清的故事。[19]「論河套」之情節是指第六齣《二相爭朝》，演述夏言與嚴嵩爲曾銑收復河套的建議，意見相左，起了爭執。[20]馬伶、李伶二人各在東、西肆扮演嚴嵩。侯方域在文中，有「李伶之爲嚴相國，至矣」，「天下無以易李伶」，「子天下之善技也」等語句，可見李伶扮演奸相的神貌風度，已達「至極」、「技精入神」之境。從觀聽者的反應，則二人演技之高下立見，故馬伶恥其技之不如而遁逃。

於是聽聞今相國顧秉謙猶嚴嵩之相，乃至京師，求爲其門卒三年，「日於朝房察其舉止，聽其語」，非徒學其形貌而已，更是揣摹體會其神情風度。三年後，「馬伶復爲嚴嵩相國以出，李伶忽失聲，匍匐稱弟子」，馬伶終成善技之演員。故侯方域在傳末有贊語：「異哉！馬伶之自得師也。夫其以李伶爲絕技，無所於求，乃走事崑山，見崑山猶之見分宜也。以分宜教分宜，安得不工哉〈嗚乎！恥其技之不若，而去數千里，爲卒三年；倘三年猶不得，則猶不歸爾。其志如此，技之工又須問耶？」馬伶以顧秉謙（江蘇崑山人）之形神求嚴嵩（江西分宜人）之形神，使能盡其技而臻於「化工」、達於「形神兼備」之境，其與顏容以形取神的過程是有差別的。前文述及潘之恆提出的神之所詣有二途：「以摹古者遠志，以寫生者近情。要之，知遠者降而之近，知近者溯而之遠」，馬伶求「神合」之例可以印証此說。

戲曲表演中，另有一種情況是演員完全融入角色，演至超乎形神之外，甚至忘生忘死的境界。焦循《劇說》引錄「商小玲」表演的情景：[21]

> 杭有女伶商小玲者，以色藝稱，於《還魂記》尤擅場。嘗有所屬意，而勢不得通，遂鬱鬱成疾。每作杜麗娘《尋夢》、《鬧殤》諸劇，眞若身其事者，纏綿淒婉，淚痕盈目。一日演《尋夢》，唱至「待打併香魂一片，陰雨梅天，守得個梅根相見」盈盈界面，隨聲倚地。春香上視之，已氣絕

矣。臨川寓言，乃有小玲實其事耶？

商小玲以擅演杜麗娘著稱，每演《尋夢》、《鬧殤》等折，則「纏綿淒婉，淚痕盈目」，可見其傳神之境。既擅場《牡丹亭》，則必常搬演此劇，對杜麗娘之角色必不斷地揣摹體會，久而久之，則有所屬意，想其「一往而深，生者可以死，死可以生」的癡情[22]，然對於情之一物，可以「役耳目，易神理，忘晦明，廢飢寒，窮九州，越八荒，穿金石，動天地，率百物」[23]的力量，不可思議，遂抑鬱成疾。由於商小玲詮釋角色，其感情的深度和強度都超過了舞臺表演時所需要的份量，超過自己身心所能承受的能力，故而悲傷過度，竟至「隨聲倚地」，氣絕而亡。比較江孺、朱楚生、商小玲三位演員，其傳神寫照的層次又有不同：朱楚生稍過，商小玲則太過，江孺可說是恰如其境。於是，演員對角色的體驗和表現的程度，形神美學遂成爲實際批評中觀照戲曲表演的原則。

大量運用形神美學評論演員的表演藝術者，當推鐵橋山人等著《消寒新詠》[24]，其「以花比色，以鳥比聲」品評十八位伶人，乃取其神似而不徒以形求。可知作者是以演員之表演能否神肖爲標準。鐵橋山人以梅花、白鶴品題慶寧部生腳范二官，認爲其「有聲有色，卓卓冠時者也。彼其格高態老，非梅花，白鶴不足以方之。」並對其既能解曲意又能傳神極爲推崇：「彼范二官者，摹形繪影，聲情逼眞，鬚眉活現，觀者莫不快心醒目，嘖嘖稱羨焉。」（頁一一）以下看實際的品評，石坪居士題范二官演出《彩毫記·吟詩》：

明皇愛貴妃之色，重李白之才，於宮中飲酒，召白填詞，誠千古韻事。但此劇專寫李白之奇才雋致，最難摹仿傳神。

> 惟范於原詞『雲想衣裳花想容』及『名花傾國兩相歡』之句，作濡毫落筆狀，有意無意間，頻頻注視玉環，可謂體貼入微。及賜酒，作醉態，他伶不失之呆，即失之放。惟范拜賜已露酒意，跪跌若難自持。不漫不呆，純是儒臣丰致，略露才子酒狂。梨園無能學者。（頁四七）

《吟詩》一折，敘唐明皇與楊貴妃賞牡丹於沉香亭畔，欲作新樂府，詔李白填詞。李白於酒肆中連飲五百餘觴，宿酲未醒而入宮。明皇使貴妃捧硯，高力士拂紙磨墨，李白執筆立就《清平調》三章。[25]李白要在餘醉之間賦詩，一展奇才雋致，其難摹仿傳神者正在此處。范二官扮演李白賦詩作詞時，有意無意注視玉杯，以眼神表現其「但得斗酒，便揮百篇」的才情；其後在明皇賜酒與醉態之間，既不失之癡呆，又不失之放蕩，既不失君臣之禮，又不失儒臣丰致，又略露酒狂奇才。可知掌握眼神及醉態身段，其分寸之間恰到妙處，可謂傳神之至。范二官演出《鳴鳳記·吃茶》亦頗傳神，石坪居士題曰：

> 椒山爲阻奸謀不遂，反被相僕奚落一番。不得已，諮及文華，胸中多少憤懣！乃文華當獻茶時，偏誇爲嚴相所賜，此刻因物嫉奸之心，自必露於顏面。范二官當擎杯欲飲，一聽此言，忽然目赤腮紅，眞是含怒者。以後諍辯、忿別，無不確肖當年。若非會悟忠臣梗概，焉能繪出全神！
>
> （頁四七）

大學士夏言欲恢復河套失地，爲總兵仇鸞與首相嚴嵩所阻撓。兵部主事楊繼盛（號椒山）憤而劾仇鸞，並預將奏本揭帖明告嚴嵩。楊至嚴府，遭相僕奚落。復至趙文華處，欲趙將揭帖交嚴。趙獻茶時，誇茶爲嚴府所賜，楊怒，爲奏本事與趙諍辯，忿然辭去。[26]「吃茶」爲該折最精彩處，楊繼盛通過對茶的顏色、香氣、滋味之品評譏刺趙文華；趙則誇說此茶是聖上賜與嚴太師，蒙太師見惠，茶童不知，胡亂烹之。楊一聲冷笑，將茶潑倒於地。范二官演至此處，「忽然目赤腮紅」，神色含怒；其後與趙舌戰、終忿然離去。其摹形繪影，如同繼盛再生，正因范二官能領悟人物忠心凜然之氣概，故能描繪人物之風神氣度。

萬和部小生王百壽官每出臺時，「丰神閑逸，動輒得宜」，其「無論冠帶妝、風流妝、別離妝、愁苦妝、疾病妝、夢寐妝、婦女妝，無不色色動人」。如石坪居士評其演出《玉簪記·秋江》：

> 人生傷情之事，最是年少別離。況屬私效鸞鳳，忽爾強爲拆散。心中無限愁腸，未便明言剖訴，所以對面含意難伸，只好眉頭暗傳痛楚。百壽演此劇，於別離後，強作乘舟狀。意難舍，舉步行遲；心多酸，低頭氣喪。將當日別緒離情，從無詞曲處體會出來，眞能傳不傳之神者。（頁五二）

《秋江》敘潘必正之姑母發覺潘必正、陳妙常互有情愫，催潘赴臨安會試。潘不得已，勉強登舟。妙常欲話別，未能遂意。後自雇小舟，追及潘生。二人傾訴衷腸，妙常贈潘玉簪，必正贈陳扇墜，相泣而別。[27]此戲之場景主要在江上、在船中，故百壽欲「強作乘舟狀」，則要先想像角色所處的環境，掌握河性，水性、船性、風性。整齣戲的表演就在把握船行水中是一個「動」字；陳妙常趕潘心切是一個「追」字，江上行船；舞蹈上要有個「風」字。[28]陳妙常追趕而至，百壽以舉步行遲之身段表難捨之意；以低頭氣喪之態表心酸之情。這些都得從無詞曲處體會出來，而百壽能得其妙理，故謂之「能傳不傳之神者」。鐵橋山人評百壽官演戲，「每於空處傳神」，例如《長生殿・埋玉》一齣[29]，「事窮勢迫，裝出莫可如何之態，或人所能學步。獨其垂頭喪氣，不言不語，又怨恨，又悲哀。」（頁五一）百壽能傳種種難顯之情韻，其長於無詞曲之「空處」傳神，由此可見。

慶寧部小旦徐才官「態含新雨，音遏行雲」，石坪居士賞曰：「其秀在骨，其韻俱神」，如演出《紫釵記・灞橋》：

> 傷離泣別，傳奇借爲抒寫者屢矣，梨園以此見長者亦多矣。惟才官演《紫釵記・灞橋》一齣，其傳杯贈柳，固亦猶人。乃當登橋遙望，心與目俱，將無限別緒離情，於聲希韻歇時傳出。以窈窕之姿，寫幽深之致，見者那得不魂銷！（頁五三）

《紫釵記》爲湯顯祖作，本唐人小說《霍小玉傳》而改寫。才子李益與霍小玉新婚，李中狀元，盧太尉欲招李爲婿，李不允。盧故遣李益至玉門關外。後幾經周折，李益與霍小玉終於團圓。《灞橋》即崑曲盛演之《折柳》、《陽關》，敘李益奉命西行，霍小玉於灞橋餞別。[30]徐才官詮釋傳杯贈柳的哀怨情懷，頗有可憐之色；尤其在登橋遙望的身段動作中，透過心與目的聯繫，而將無限的離情別緒從眼神傳達出來，而這種情緒又是在舞臺上音樂暫時停頓——聲希韻歇的一瞬間表達出來。使這齣原以唱工爲主的戲，能有更細膩的表演，而使觀者消魂。

再看徐才官演《療妒羹・題曲》一齣[31]，石坪居士評曰：「歌喉嘹嚦，意致纏綿，將小青感歎杜麗娘神思，細意描寫，則可謂彷彿當年，不徒形似者。」（頁五三）喬小青爲褚大郎妾，大婦苗氏悍妒。吏部員外郎楊器夫人顏氏憐惜之，借以書籍解憂，內有《牡丹亭》劇本。秋雨之夜，小青愁心欲碎，難以成眠，乃挑燈細讀詠玩一番。嘆杜麗娘之多情，慕杜麗娘之美夢，羨杜、柳生死不渝之姻緣。閱畢後，題詩一首云：「冷雨幽窗不可聽，挑燈閒看《牡丹亭》。人間亦有癡於我，豈獨傷心是小青。」這是一齣獨唱獨做的戲，劇中人物喬小青悲喜的感情皆隨杜、柳之生死離合而起伏變化，《牡丹亭》人物的情懷與小青自傷際遇的情懷交錯糾結，演員就要把這種曲折幽微的情思詮釋出來。而徐才官不徒形似而已，其細意揣摹、描繪、寫照之處，眞能絲絲入扣。

《消寒新詠》的作者所評論的演員全以生、旦行當爲主；《揚州畫舫錄》則生、旦、淨丑各腳色行當皆有品評，回顧第七章腳色論所述及的，如老生山崑璧，演《鳴鳳記·寫本》一齣，觀者目爲「天神」。老外孫九皋，年九十餘，演《琵琶·遺囑》，「令人欲死」。小生陳雲九，年九十，演《綵毫記·吟詩脫靴》一齣，「風流橫溢，化工之技」。李文益與小旦王喜增串《紫釵記·陽關》、《折柳》，「情致纏綿，令人欲泣」。金德輝演《牡丹亭·尋夢》、《療妒羹·題曲》，「如春蠶欲死」。王炳文仿效馬務功（文觀）之戲，其「神化」處尙未能盡。李斗形容演員表演藝術的抽象詞語，都是象徵出神入化的境界，也是形神美學的實際批評。

縱觀各家的批評，「形神」做爲表演藝術境界的形容語，可以包含演員整體的表演藝術成就，可以指搬演某一齣戲，可以指搬演某齣戲中的折子戲，可以指某折子戲中細微的眼神或身段動作，全在於評賞者著重的角度而靈活運用。此外，形神可以品評各腳色行當，這意味只要是一個表演者，除了必須具備色藝條件，還必須努力達到一種表演境界。於是形神成爲戲曲表演美學中一個重要的形容詞，一個具有象徵意義的境界語。《梨園原》引錄「王大梁詳論角色」的一段話正可以做爲本節的結語：「凡男女角色，既粧何等人，即當作何等人自居。喜、怒、哀、樂、離、合、悲、歡，皆須出於己衷，則能使看者觸目動情，始爲現身說法。」每一個演員不論充任那一門腳色行當，扮演何種角色人物，皆必須設身處地，出之以眞情，運用象形、聲形、技形等表演藝術，以詮釋人物喜、怒、哀、樂、離、合、悲、歡的情感，而力求達到以形傳神、技精入神的境界。從莊子、荀子提出形神一詞；先由《淮南子》轉用品評繪畫、音樂；至六朝成爲繪畫美學理論；然後由蘇軾的〈傳形論〉開始運用於優孟的扮演；元代胡祗遹九美說則隱含形神觀念；夏庭芝眞正用神妙之詞評論女伶；而經由湯顯祖、潘之恆建立形神的工夫理論；明末清初以後，成爲實際批評，成爲戲曲表演藝術境界的形容語。形神論終成爲戲曲表演美學中重要的主題。

【註釋】

[1]語見王先謙《荀子集解》頁二〇六、二六五。王注：「形能」當連讀，「能」讀爲「態」，「形態」即形也。

[2]語見王師叔岷《莊子校詮》頁八一八。

[3]見《淮南子》。

[4]「荃生」之「荃」疑是「鑒」字之誤，鑒有鏡、照等義，鑒生，意即鑒照生人；「趨」疑當作「趣」；「悟對」當作「晤對」。參楊大年編著《中國歷代畫論采英》頁九一。

[5]參葉朗《中國美學史大綱》上冊頁一九九～二〇二。

[6]見《蘇東坡全集》。

[7]以形傳神可作爲戲曲表演理論之依據，參譚帆、陸煒先生《中國古典戲劇理論史》頁二三九～二四〇。

[8]陸林〈元人戲曲表演論初探〉。案：夏文彥《圖繪寶鑒》卷一〈六法三品〉曰：「故氣韻生動，出於天成，人莫窺其巧者謂之神品；筆墨超絕，傳染得宜，意趣有餘者，謂之妙品；得其形似而不規矩者，謂之能品。」

[9]見張元長《梅花草堂曲談》頁一五七，收入任中敏編《新曲苑》冊一。

[10]語自蘇軾〈書吳道子畫後〉。同註六。

[11]此借用李漁《閒情偶寄・結構第一・審虛實》中對「古、今」之解釋。

[12]潘之恆有詩贈曰：

本是情深者，冥然會此情。難逢醒若夢，願向死求生。化蝶飄無影，啼鵑怨有聲。柳狂飛似絮，終與浪花平。

——〈觀演杜麗娘贈阿蘅江孺〉

不謂情痴絕，痴來轉自憐。幽婚冥府牒，禁臠丈人權。雀舞開屏暗，鸞歡照影全。吳儂心總慧，似得董狐傳。

——〈觀演柳夢梅贈阿荃昌孺〉

[13]金娘子字鳳翔，乃越中海鹽腔戲班的女旦，潘氏有〈金鳳翔〉小傳曰：「其人纖長、色澤俱不可增減一分。翠翹珠結，垂珮明璫，其爲耀首文身之飾最麗，望之如帷翟中人。試一登場，百態輕盈，艷奪人目，余猶記其《香囊》之探，《連環》之舞，今未有繼之者，雖童子猶令魂銷，況情熾者乎！今之爲女艷者，無不慕弋陽而下趨之。」

[14]《焚香記・序》見《中國古典戲曲序跋彙編》冊二頁一三二三，題爲劍嘯閣主人撰；陳多、葉長海先生《中國歷代劇論選注》則題爲袁于令作（頁二二九）。

[15]這兩篇文章分別見張岱《陶庵夢憶》卷五頁五〇、卷六頁五二。

[16]參蔣星煜〈晚明戲劇家彭天錫之生平及其表演藝術〉。

[17]見談遷《北游錄·紀聞》，收入《國榷》頁三四六。

[18]侯方域〈馬伶傳〉見《壯悔堂文集》卷五。

[19]《鳴鳳記》一說為王世貞作，一說為其門客作，見《六十種曲》冊二。

[20]嘉靖二十五年，陝西總督曾銑上書，主張收復河套（陝西省長城以外，黃河以內地，時為蒙古韃靼部的俺答佔據），夏言贊成，嚴嵩反對。二人都是大學士，實掌宰相之權，故稱二人為相國。

[21]見焦循《劇說》卷六頁一九七。

[22]語自湯顯祖〈牡丹亭題詞〉，見《湯顯祖詩文集》卷三十三頁一〇九三。

[23]語自張琦《衡曲麈譚·情癡寤言》頁二七三。

[24]周育德先生據北京圖書館藏四卷本《消寒新詠》，參校中國藝術研究院戲曲研究所圖書資料室藏一卷本和北京圖書館藏一卷本，重新標點，並加目錄。以下引文據此校刊本。

[25]《彩毫記》為明人屠隆作，寫唐代大詩人李白故事。《吟詩》一折，相沿作《彩毫記》，而此記中並無是折。今崑劇演盛之《太白醉寫》，本明人吳世美《驚鴻記》，見王季烈、劉富樑《集成曲譜》振集卷五（冊八頁七五七）。

[26]《吃茶》見《審音鑒古錄》下冊頁六九七。收入王秋桂先生主編《善本戲曲叢刊》第五輯。

[27]《玉簪記》，明高濂撰，《秋江》原題名為《追別》，為其中著名折子戲，近世各劇種均有演出，此據《綴白裘》所載《秋江》劇情。參陳為瑀《崑劇折子戲初探》頁一二一。

[28]參《周慕蓮舞臺藝術》，引自矯元本〈以形傳神，以神為主——戲曲表演本質特徵淺探〉。

[29]《長生殿》為清人洪昇作。《埋玉》一齣演述唐玄宗西逃，行至馬嵬驛。軍士宣言「不殺楊貴妃，誓不護駕」。玄宗迫於將士壓力，不得已賜死

楊貴妃。見《集成曲譜》玉集卷八（冊六頁一〇九一）。

[30]《折柳》、《陽關》，見《集成曲譜》聲集卷六（冊四頁七四九）。

[31]《療妒羹》爲明末清初人吳炳作，《題曲》見《集成曲譜》振集卷六（冊八頁八五五）。

結　論

本書建構古典戲曲搬演理論之體系爲色藝論、度曲論、曲白論、身段論、腳色論、形神論六大主題。每一主題都包含了元明清三代的相關論述，每個時代基本上又以批評家或理論家的年代先後爲序，以便觀照每一主題的形成、內容及其發展演變。在各章的結論中，筆者皆已嘗試將各主題的發展脈絡作了簡要的敘述。現在從另一個的角度，將每個主題所涉及的內涵綜合起來，加以說明，如此才能更清楚地掌握古典戲曲理論家期許一個戲曲演員，在各方面應該具備的表演藝術。

爲說明之便，先將「色藝」的內涵列表如下：

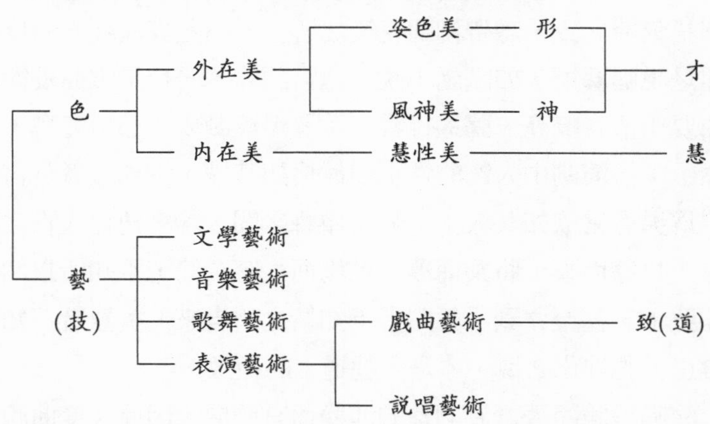

「色」包含外在美和內在美。外在美有兩種，一是姿色美，所謂「姿質濃粹、光彩動人」、「姿色嫵媚」，皆指姿色容貌之

美；一是風神美，所謂「舉止閑雅，無塵俗態」、「丰神靚雅，殊有林下風致」、「舉止溫雅，語不傷氣，綽有閨閣風致」等，都是指一種靈氣之美。姿色美、風神美分而言之，前者是「形」，後者是「神」，故以花比色，可取其「色似」，亦可取其「神似」；二者合而言之，即是潘之恒「才、慧、致」之「才」，謂「賦質清婉，指距纖利，辭氣輕揚」。內在美指心靈的聰明敏慧，「心思聰慧，洞達事物之情狀」、「賦性聰慧，記性最高」、「博解其詞而通領其意」、「動則觀天地人鬼世器之變，靜則思之」、「一目默記，一接神會，一隅旁通，慧所涵也」，皆指演員具有默記劇本、理解劇情、體會人物、洞明世事、練達人情的智慧能力。

「藝」的修養所包含的層面很廣，一是文學藝術的修養，樂府小令、作詩填詞、文墨書畫，即所謂琴棋書畫皆是。二是音樂藝術的修養，絲竹管絃樂器皆然。三是歌舞藝術的修養，以具備「燕語鶯啼之致，悉帶柳翻花笑之容」。四是表演藝術的修養，一種是說唱藝術，如調話小說、諸宮調等。一種是戲曲藝術，如度曲要「清音嘹亮、聲遏行雲」；登場演劇要「心情宛轉，顧盼嫣然」；扮演劇中人物的性別要能恰如其妙，「爲旦者常自作女想，爲男者常欲如其人」；唱念做舞之間，詮釋角色人物之時，要有「見獵而喜，將乘而蕩，登場而從容合節，不知所以然」的「仙致」，甚至達到「舞蹈者不知情之所自來，賞歎者不知神之所自止」的神化之境，才是「藝道」的極致。

演唱理論隨著體制劇種的演變而有發展，因此〈度曲論〉的內容最爲豐富，曲論家提出的演唱方法亦極爲細密。今條其脈絡，以「傳聲」與「傳情」兩大系統加以歸納，並列簡表如下：

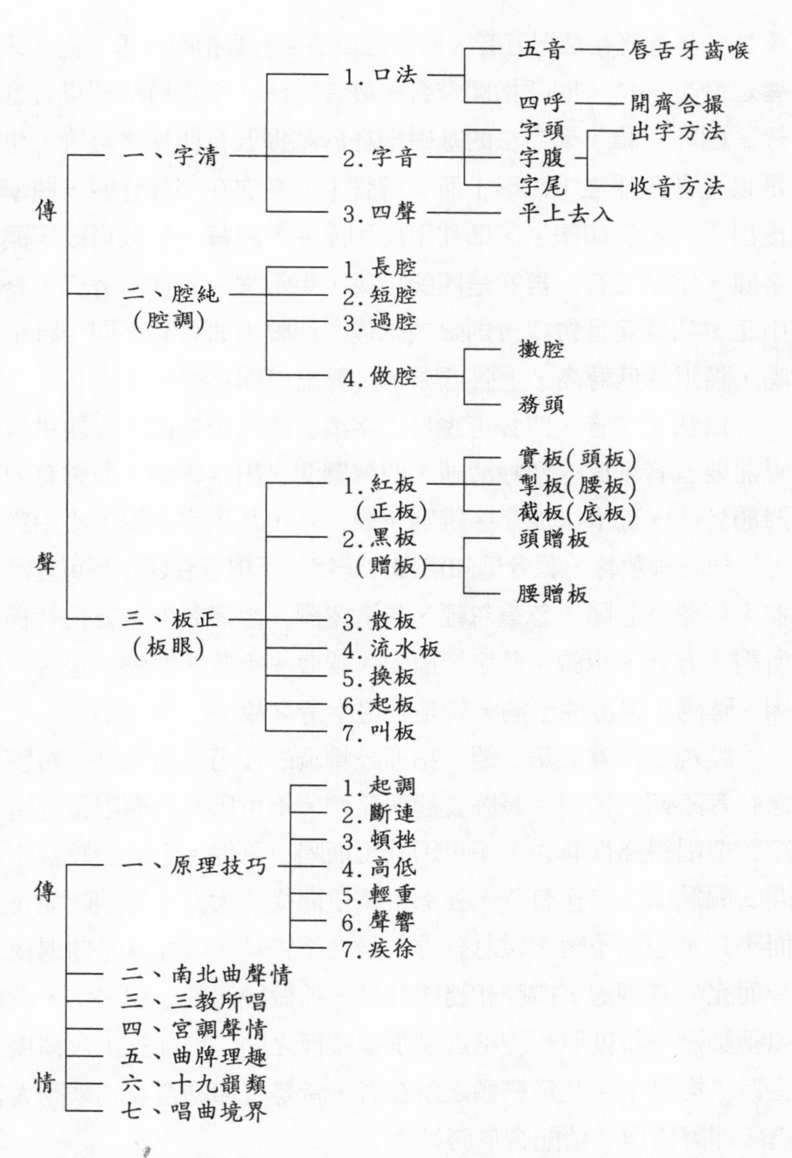

傳聲系統包括字清、腔純、板正三絕。字清就是發音咬字要

清楚，其首務在掌握五音、四呼之口法。五音指喉、舌、齒、牙、唇之發音部位；四呼指開齊合撮發音方法。字之口法即以五音爲經，四呼爲緯；學口法的基礎即在於掌握五音四呼之經緯，也就是以五音四呼之「口形」而「傳聲」。其次在字音分明，曲學家提出「一字三切法」，即利用反切原理，將每一字敷衍成字頭、字腹、字尾三音。再次是四聲平仄，平上去入，逐一考究，務得中正，如或苟且舛誤，則聲調乖違。四聲唱法各有不同：陰平直唱，陽平繇低轉高，上聲低唱，入聲出口即唱斷。

口法、字音、四聲可說是「字清」的三大方向，立論主旨在唱曲要五音準確、四呼清晰、四聲圓潤、出字眞切、收聲有力、歸韻分明，而令人能字字辨別。換言之，凡出字之後，必始終一音，則腔雖數轉，聽者仍知爲即此一字。不但五音四呼不可互易，並不可忽陰忽陽、忽重忽輕、忽清忽濁、忽高忽低，方爲純粹。所謂「方音、犯韻、截字、破句、誤收、不收、爛腔、包音、尖團、陰陽」這度曲十病，皆是未得字清之故。

腔純爲傳聲之第二絕，指運腔轉調的技巧。有長腔、短腔、過腔等不同的情況：長腔要起伏宛轉，不可因其長而唱得拖沓；短腔要唱得簡潔有力，不可因其短而唱得急促；至於過腔接字之間的關鍵處，有緩有急，要唱得穩重而從容大方。運腔時能夠長而不長，短而不短，緩急有分，是之謂腔純。做腔就是曲遇揭起音而宛轉其調處，擻腔和務頭都是一種做腔。凡一腔之中，爲求宛轉動聽，特就原有腔格之腰眼或腰板之間，別加三工尺搖曳其音爲「擻腔」。凡爲務頭之所在者，皆是音律諧合兼詞采動人之處，即聲情與文情配合最勝妙處。

板正爲傳聲第三絕，傳統唱曲時，常以鼓板按節拍，使板眼分明而顯現曲調之節拍，是謂之「板正」；如板先於曲者，即犯「促板」之病；板後於曲，則犯滯板之病，皆不中拍也。板拍分爲正板（紅板）和、贈板（黑板）兩類。正板又分爲頭板、腰板、底板。贈板分頭贈板和腰贈板兩種，用法和頭板、腰板相同。贈板的唱腔曲調細膩入微，速度緩慢，宜於表現曲折宛轉的情緒。流水板有板無眼，節奏急；跌宕曲情的浪板，應指流水板，是敘述性較強的曲調，適合表現輕鬆愉快或慷慨激昂的情緒。散板有板無眼，只在曲詞句逗或句末處加一底板作爲停頓或終止；散板雖然節拍自由，但不是節拍的雜亂或隨意，樂音的長短、強弱、速度均有一定的規律。

正板、贈板之外，還有所謂「換板」。曲牌字句之增減，則板數亦必隨之而改變。度曲者則必須在曲牌字句增減與板數增滅之間斟酌，如板數不足，則須加板；如板數已足，則須撤板，不論是曲牌中或尾聲疊板處或過文轉接之間，加板、撤板皆必合格局、符定數，才能依調循聲，既不踰格，亦不失調，方得換板之法。

唱一支曲牌時，其開始上板之處稱爲「起板」，故曲牌不同，起板則有不同。不論起板在一二字或一二句之後，起板之前所唱的字句，節奏要明快；到上板之前一個字，則可以將末一字音拖長，以作爲正板開始前對鼓師的暗示。

傳聲系統中的「字清、腔純、板正」三大項目，都是度曲者必備的知識，屬於客觀性的層面，重要的是：要使這些客觀的知識成爲表現主觀情感的媒介，故有「傳情理論」，就是唱曲者要傳曲中感人動神之情給予觀聽者，曲論家或曰「聲情」、「曲情」、「審題」。

首先是經由唱腔原理技巧所表現出來的情感，這些原理技巧，大約可以從起調、斷連、頓挫、高低、輕重、聲響、疾徐等觀念加以融貫。整支曲牌的高低都由第一個字定調，而後其氣勢、神理、音韻，皆隨第一字的蘊蓄、融貫、開展而有端緒。

「斷連」是演唱中間轉折和銜接的變化。南曲之唱則以連爲主，北曲之唱以斷爲主。南曲之斷，乃連中之斷，不以斷爲重，即是在連綿不絕之中偶而的間歇或停頓；北曲則是斷中之連，愈斷則愈連，一應神情，皆在斷中頓，也就是在很多間歇或停頓中間，聽起來仍是緊密而前後連貫的。

「斷」與「頓挫」不同：頓挫者，曲中之起倒節奏；斷者，聲音之轉折機關也。唱曲之妙，全在頓挫，唱者應通曉各曲牌的字、句、韻，以知其曲文斷落；再根據對於曲詞內容的理解和體會來處理頓挫，而將曲中不同情感的節奏起伏變化傳唱出來。

高低、輕重與聲響（聲高）則又是三種不同的表現方式。所謂高者，音高，非聲高也。音與聲大不同：用力呼字，使人遠聞，謂之聲高；揭起字聲，使之向上，謂之音高。可知音的高低和聲的響度是不同的。前者指音域，後者指音量；故高音、低音皆可以聲響。高低與輕重全然不同，古代形容聲音的輕重，基本上即是現在音樂上所說的強和弱。輕音是把喉頭打開，舌頭平放，完全鬆弛下來，聲音感覺在喉頭上邊，如此則氣路通暢，可以發出弱音。重音是使下巴下垂，把喉頭壓下去，聲音感覺在喉頭下邊，如此可以發出強音。三者的差別是：「高低者，調也；輕重者，氣也；響不響者，聲也」。可知高低是音域、音調問題；輕重是氣息強弱、感情力度的問題；聲響是音量問題。

唱曲速度的疾徐快慢，也是有關曲情表現的另一個問題。以樂曲先後的章法結構、事件進行的緩急時勢、抒情敘事的內容情境等方面判斷唱曲之疾徐快慢。而不論是緩慢是急促，都應該「徐必有節，神氣一貫；疾亦有度，字句分明」。

傳達曲情的原理技巧，要根據南北曲聲情、三教所唱、宮調聲情、曲牌理趣、十九韻類之不同而有變化。由於南北曲的音階、伴奏樂器、字數及文字風格之異，致使北曲文字豪放，故而字多調促，詞情多而聲情少，聽來遒勁粗放。南曲文字婉麗，故而字少詞緩，詞情少而聲情多，聽來宛轉細膩。二者的音樂情調不同，歌者自當將其不同特質唱出來。

三教所唱則各有所尚：道家唱情，僧家唱性，儒家唱理。道教劇皆以解脫塵寰、逍遙物外爲依歸，嚮往清淨無爲、無滯無礙的境界，「道家唱情」即此意。「僧家唱性」，此「性」應指佛教的「法性」，也就是佛教的人生觀和世界觀，期許人生超越現實的存在而進入不生不滅的境界。儒家唱「性理」的生命情調，是一種「渾然與物同體」的胸襟，不爲外物所移，置富貴於度外，自然觸處皆能生趣而無物不樂的境界。

宮調聲情說是指六宮十一調，各有其聲情。掌握各宮調聲情，要進一層掌握各樣曲牌「馳驟、規矩、抑揚、疾板」之理趣；進而唱出十九韻類不同的聲情。從十七宮調聲情到唱出曲牌理趣到十九韻類之聲情，可知演唱理論的發展中，要求歌者配合宮調、曲牌、韻類而唱出曲情是愈趨豐富細膩。

音樂是人心眞實情感的表現，所以能感物化氣，然而更重要的是善唱者能將這種音樂的特質淋漓盡致地表現出來。不僅善歌者能使「行雲不流，木葉皆墜」；甚至能使人的聽覺、心覺、觸覺都產生一種交融通感。亦即從人心之感物而動，情動於中而形於聲；然後透過人聲，將樂音「唱」出來，因而可以「頓釋煩悶、和悅性情，通暢血氣」，乃至可以「一聲唱到融神處，毛骨蕭然六月寒」，這正說明了心—物—音三者之間的回復交流及相互交感的意義。

和〈度曲論〉相較之下，〈曲白論〉的內容較簡要得多，由此也可以看出唱曲藝術在搬演論中所佔的分量和地位。關於曲白內涵，也有幾個重要的表演原則。可以從兩方面說，一是純就說白而論，二是就曲白關係而論。說白方面，第一要「語言辨利，字眞句明」。第二要「高低抑揚」。第三要把握「緩急頓挫」之法。第四，說白病數字，即按字直念也。第五，說白要須字字清楚，不可含混；要分出陰陽、輕重、急徐。第六，說白要以心中情意爲主導，結合不同的用氣方式與說白的速度，而發出歡恨悲竭等不同感情的聲音，才能將劇中人物當時的情境淋漓盡致地表現出來。

曲白方面，第一，一唱一說，輕重疾徐，中節合度；雖記誦閑熟，非如老僧之誦經。第二，不可持有「唱曲難，說白易」的態度。第三，曲白要「句、讀分明」，句讀對唱曲和說白的作用稍有不同。所謂「唱曲時不分句、讀，尙有腔調以繩之」，是說唱曲有腔調板眼的規律，自然形成音樂上的句讀；但仍然要掌握曲文本身的句、讀，也就是要將曲辭的意義形式和音節形式表現出來，以能配合韻文學中的意境美和音樂美。

戲曲表演藝術是唱、念、做、舞融合爲一，因此廣義的「身段」，包含唱功和念功的「口法」，以及運用肢體以表現做工和舞蹈藝術的「手、眼、身、髮、步」等五法。以下將運用六法的身體部位、原則及其變化歸納如圖：

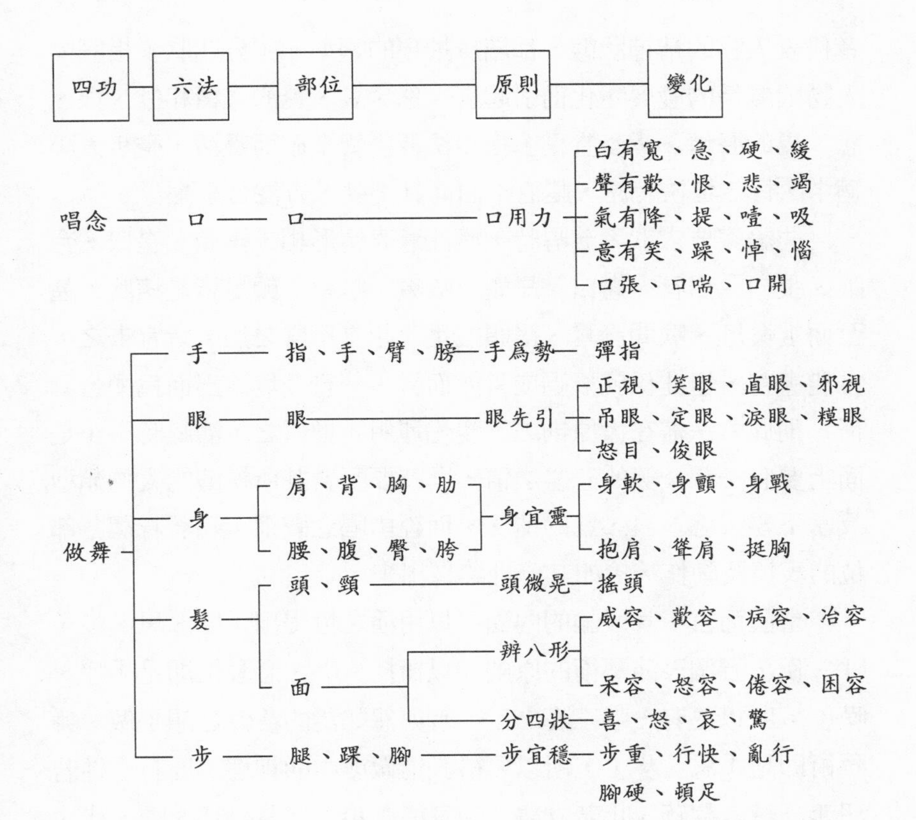

「口用力」意指唱曲、說白必須口齒用力，一字重千金，才能達到聽者之耳。「手爲勢」是用手作勢，借以表達各種情境、各種狀態。「眼先引」是說做各種表情動作，要將眼睛置於首位，以眼神引導各種形體動作，以突出其內心的活動。「身宜靈」指身法中的八個部位要矯健敏捷，尤其是腰間必須靈活，一切身法動作才出色可觀。「頭微晃」是頭頸微搖，才顯活潑，然只能微晃，不可大晃及亂晃。「辨八形」就是分辨貧、賤、富、貴、癡、瘋、病、醉等八種類型人物；前四者代表人物的身份地位，後四者代表人物的精神狀態，都屬於抽象的類型。「分四狀」指劇中人物因劇情的發展變化而引起喜、怒、哀、驚的表情和歡、恨、悲、竭的聲情。「步宜穩」指步法要穩健準確而靈活，臺步大小適中，行走忙快有序，腿直不曲而身不動，方能合乎臺步。

曲論家要求歌者演唱時，應注意表情形相，搖頭、歪口、合眼、張口、撮唇、撇口、昂頭、咳嗽、咂唇、頓足皆是病狀；甚至面上發紅、喉間筋露、搖頭擺足、起立不常之病，皆宜去之，方能盡善。但此係就清唱或常態而言，一旦登場演出而爲配合劇情，則此六法需在大原則之下變化運用。換言之，演唱時不止是面上要有一顰一笑的悲喜之情，同時要配合其所扮演的人物類型及當下喜、怒、哀、驚的情境，而經由唱念聲情，藉著身體各部位的表情及動作，恰如其分地詮釋出來。

整體而言，身段論的內涵可以用潘之恆提出「度、思、步、呼、嘆」五個表演藝術的原則加以概括。唱、念藝術即是「呼、嘆」，所以要有一唱三嘆之工，有如怨如訴的淒然之韻；做、舞藝術即是「思、步」，所以要得表情做態中的神理，要有「進若翔鴻、轉若翻燕、止若立鵠」的身段臺步。演員得呼、嘆、步、思之妙，才能達到自我完成的藝術成就；進而感動觀衆，也就是自度度人的境界。五者之中，最難爲「度」，其次爲「思」，再次爲「呼、嘆」，最易爲「步」。後三者是表演的基本功夫，屬於技藝的層次；而「思」關涉演員的慧性，即其充任腳色以及體驗劇中人物的表演藝術；「度」則關涉演員的藝道，就是技精入神的問題。於是，搬演理論乃由此延伸出腳色論和形神論的主題。

〈腳色論〉的內容，主要有兩方面，一是「配腳色」，即依據演員的音色及體態，使其充任適合的腳色，此之謂「取材」，亦謂「配腳色」。演員可專攻的腳色行當，乃隨其色藝條件而定。另一方面是演員充任的腳色行當所必需具備的表演技藝。正旦要「色聲俱絕」。正生扮相演技要嘖嘖動人。「小旦」風格「妖冶風流」，神態嫵媚可愛，動作輕盈活潑，有柔有剛。小生也要丰姿綽約、風流橫溢，有化工之技。老生有時要聲如鏄鐘。老外要氣局老蒼，聲振梁木。淨（大面）要有磅礴的氣勢，濃重的色彩和高度技巧，以狂笑、呼叫、跳躍爲表演特點。副淨（二面）則氣派格局不如大面，並且兼有小面（小丑）的「溫暾」、正生的「忠義」、副末的「卑小」，正宜於表現僞善猥瑣的人物。其臉譜的化妝部位小於大面，又略大於小面，即把小丑眉眼間的白斑擴大些。二面的扮相正與其介於淨、丑之間的人物類型相合。丑多扮下層人物，地位卑微但正直善良，長於嬉笑怒罵。丑重滑稽；副淨則重冷雋，是介乎丑、淨之間的腳色，常扮演狡詐陰險的奸臣、惡吏、訟棍或無行文人；身份高於丑，品性卻不及丑。正因爲副淨是扮演面孔僞善、心腸狠毒的人物，故動作較少，其表演有時越冷越好，故崑班稱之爲「冰冷二面」。丑的動作則需靈活矯健，性格開朗，動作舞蹈性較強。

以上是演員必需努力修練的表演藝術，然表演藝術本非朝夕可成，其習練有歷程、有階段，〈形神論〉主要的內容即是提出演員由「技藝」而進入「聲藝」，最後達到「神合」的境界。同時融合以上色藝、度曲、曲白、身段、腳色等各方面的表演藝術，在舞臺上終能以形傳神、由技入神、甚至到達出神入化，此即是「藝道」的境界。此外，魏良輔提出聽曲者「不可喧嘩」的風度，及當該具備戲曲音樂素養和審音辨曲的能力，以吐字、板眼、過腔等技巧辨唱曲者之工拙，而賦予聽曲者相當高深的品評能力。

王驥德論曲之亨屯，認為主宰曲之幸或不幸，與觀聽者密切相關。而如袁于令所說，劇場是一個有「情」的世界，若演者不眞，則觀者之精神不動；故必能使觀衆掀髯、扼腕、掩泣、色飛，表演藝術才進入神化之境，表演者也才達到自度而且度人的境界。因此舞臺上表演者與觀聽者之間便產生了一種精神的、心靈的交流活動。於是戲曲搬演論的觸角，就從演員延伸至觀衆，而開展出劇場藝術中的「觀聽理論」，也就是「觀衆學」的課題。這延展出來的論題，正是作者未來可以繼續探索的方向之一。

誠如〈緒論〉所擬定的研究範圍，本書乃是探討元明清曲牌體戲曲的搬演理論；從另一個角度而言，正是為清中葉以後板腔體戲曲的表演理論做了沿波尋源的工作。關於板腔體的著作，如李斗《揚州畫舫錄》、鐵橋山人等《消寒新詠》、焦循《花部農譚》和《劇說》，以及張次溪編纂《清代燕都梨原史料正續編》輯錄五十一種清代中晚期的戲曲著述等，都是重要的材料，亦可作為後續的研究。則本書也只是作者個人嘗試對中國戲曲由傳統到近代，其搬演理論之歷史發展及演變，奠定一些研究的基礎而已。

附　錄：

引用元明清曲論家著述一覽表

朝代	作　者	年　代	字、號、籍貫	著　述　說　明
元	胡祗遹	1227 ｜ 1293	字紹開。 號少凱、紫山。 河北磁州 武安人。	《紫山大全集》中〈黃氏詩卷序〉、〈優伶趙文益詩序〉、〈贈宋氏序〉、〈朱氏詩卷序〉諸篇，是戲曲表演美學的重要文章。
元	芝　菴	不詳		《唱論》最早附刊於楊朝英《樂府新編陽春白雪》卷首，據此推其作於元代至正（一三四一～六一年）以前。條例式曲話，是元代第一本論北曲唱法之書。
元	周德清	1277 ｜ 1293	字挺齋。 江西高安人。	《中原音韻》成書於一三二四年。前部份是韻譜；後部份是「正語作詞起例」，其中〈作詞十法〉提出創作北曲之法，而「務頭」一法，是論作曲與唱曲的問題。
元	鍾嗣成	約1279 ｜ 約1360	字繼先。 號醜齋。 河南大梁人。	《錄鬼簿》初稿成於一三三〇年，其後又訂正過兩次。是第一本記載元代戲曲作家生平事蹟及作品目錄者。
元	夏庭芝	約1316 ｜ 約1366	字伯和， 一字百合。 號雪蓑， 別署雪蓑釣隱、 雪蓑漁隱。 上海松江人。	《青樓集》成書記年有二，分別是一三六〇年和一三五五年。是第一本記錄元代女伶的書，從其品評中可探索其對女伶色藝方面的評論。與《錄鬼簿》爲元代戲曲史之雙璧。

朝代	作　者	年　代	字、號、籍貫	著　述　說　明
元	陶宗儀	至元間避地松江，卒於建文年間。	字九成。 號南村。 浙江黃岩人。	《南村輟耕錄》內容多記元代典章制度及聞見瑣事；並載有許多宋元戲曲史料如〈院本名目〉、〈雜劇曲名〉、〈燕南芝菴先生唱論〉等，爲筆記體例之書。卷首有孫作大寫於至正丙午二十六年（一三六六年）之序。
明	朱　權	1378 ｜ 1448	別號臞仙、 涵虛子、 丹丘先生、 大明奇士。 世稱寧憲王。 明宗室。	採摭當代群英詞章及元之老儒所作，依聲定調，按名分譜，集爲《太和正音譜》二卷；審音定律，輯爲《瓊林雅韻》一卷；蒐獵群語，輯爲《務頭集韻》四卷。《太和正音譜》後部分是北雜劇曲譜；前部分是古典戲曲批評理論和史料，包括爲樂府分體、雜劇分科，以抽象性詞語評曲家作品之風格等，又〈詞林須知〉引錄芝菴《唱論》，並引伸三教所唱及《禮樂・樂記》音樂美學，頗有創發。成書於一三九八年。現存雜劇有《沖漠子獨步大羅天》、《文君私奔相如》二種。
明	李開先	1501 ｜ 1568	字伯華， 號中麓。 山東章丘人。	《詞謔》分詞謔、詞套、詞樂、詞尾四部分。其中詞樂記載周全教戲、顏容演戲及當時知名的絃索家和歌唱家等三段文字。現存有院本《打啞禪》、《園林午夢》，傳奇《寶劍記》；詩文集有《閑居集》。
明	魏良輔	約1502 ｜ 1581	字尚泉， 江西豫章人， 寄居江蘇太倉。	《曲律》最早見於明人周之標選輯的《吳歈萃雅》卷首，有十八條。後又收入明人許宇選編的《詞林逸響》，標作《崑腔原始》，有十七條。近年有人看到明末張丑（字青父，號米庵）所著《眞二日錄》的抄本，其中有「婁江尚泉魏良輔南詞引正」一項，其卷尾有跋文說明《南詞引正》凡二十條。全書僅一千多字，專論演唱南曲的方法和技巧，繼芝庵《唱論》之後，第二本條例式論戲曲聲樂的著作。

朝代	作者	年代	字、號、籍貫	著述說明
明	徐渭	1521 | 1593	字文長， 一字文清。 自號青藤道士， 天池散人， 別號田水月、 鵬飛處人。 浙江山陰人。	《南詞敘錄》是宋元明清四代專論南戲的唯一著作。全書分「敘」和「錄」兩部份。敘的內容包括南戲的源流、早期發展情況、南戲的聲腔格律、風格特色、作家作品的評論，及南戲專門術語、腳色名稱、曲詞方言的考釋。「錄」的內容是徐渭當時所見宋元時期南戲劇目和傳奇劇目。另有《四聲猿雜劇》。詩文、書畫、戲曲皆有成就。
明	湯顯祖	1550 | 1616	字義仍。 號海若、若士、 清遠道人。 江西臨川人。	有傳奇《紫簫記》及重寫本《紫釵記》，並與《牡丹亭》、《南柯記》、《邯鄲記》合稱《臨川四夢》或《玉茗堂四夢》。主張文雅藻麗之詞采，戲曲史上稱爲「臨川派」之祖。另有詩文集《紅泉逸草》、《向棘郵草》、《玉茗堂集》等。全部著作現合刊爲《湯顯祖集》。其戲曲理論主要見於劇本題詞、書信和專論。〈宜黃縣戲神清源師廟記〉一文論演員藝術修養之法及表演最高境界，是表演藝術理論重要的文章。
明	沈璟	1553 | 1610	字伯英、聃和。 號寧庵、詞隱。 江蘇吳江人。	沈璟深通音律，善於南曲，編有《南九宮十三調曲譜》、《南詞韻選》等。戲曲有《屬玉堂傳奇》十七種，今存《義俠記》、《博笑記》等七種。主張嚴守音韻格律，戲曲史上稱「吳江派」之祖。故創作理論上有所謂「湯沈之爭」。附刻於《博笑記》卷首的〈詞隱先生論曲〉是論音韻格律之代表作。其曲譜每於鼻音閉口字皆加圈，以提醒歌者。又有論四聲唱法，爲王驥德《曲律·論四聲》及沈寵綏《度曲須知》引述。

朝代	作者	年代	字、號、籍貫	著述說明
明	潘之恆	1556—1622	字景升。號鸞嘯生、鸞生、亙生、庚生、天都逸史冰華生、冰華生。安徽岩鎮人。	著述分爲詩歌創作、地史輯類、戲曲評論三類。第三類後來收進《亙史》和《鸞嘯小品》兩書，汪效倚以《潘之恒曲話》書名出版。其中如〈與楊超超評劇五則〉、〈仙度〉、〈情癡〉、〈曲餘〉、〈神合〉等篇章，幾乎與表演理論的各個主題有關，在戲曲搬演理論史上有重要之成就與地位。
明	王驥德	約1560—1624	字伯良。號方諸生、玉陽生、方諸僊史、琴樓外史。浙江山陰人。	《曲律》全書四卷，凡四十章。各章皆擬標題，首論曲源，末爲〈論曲亨屯〉。其中第三十九章〈雜論〉共一二二條，是多年縱筆漫書而成。〈曲律自序〉作於一六一〇年，卻至一六二三年入秋才寄請毛以燧校刻。此書是明代第一本門類詳備、論述全面、組織嚴密、自成系統且具開創性的理論專著。所論述的層面包括戲曲的本質功用、歷史發展、體製結構、語言藝術，以及唱論、作者論與批評論等等。另有《男王后》雜劇、《題紅記》傳奇、散曲集《方諸館樂府》。散曲集不傳，散見於馮夢龍《太霞新奏》中，葉長海先生收錄爲《方諸館樂府輯佚》。
明	沈寵綏	?—1645	字君徵。號適軒主人。江蘇吳江人。	《絃索辨訛》及《度曲須知》是繼芝庵《唱論》和魏良輔《曲律》兩本條例式的曲話之後，以專書專章論述演唱理論之書，具開創意義。《絃索辨訛》是爲唱北曲者指明字音和口法的專著。《度曲須知》繼《絃索辨訛》之後而寫，前者專論北曲，示範多而說明少；後者就度曲各項問題分別闡述。全書二十六章，每章皆有標題。全書除末兩章〈律曲前言〉和〈亨屯曲遇〉分別節引魏良輔《曲律》和王驥德的《曲律》，其運用改良式反切，提出切法即唱法的理論，對歌者如何掌握字頭、字腹、字尾頗有貢獻。二書皆有作者寫於一六三九年之自序。

朝代	作者	年代	字、號、籍貫	著述說明
清	李漁	1611 | 1679 或1680	字笠翁， 又字笠鴻、 謫凡。 浙江蘭溪人。	《閒情偶寄》共八部十六卷。八部是詞曲部、演習部、聲容部、居室部、器玩部、飲饌部、種植部、頤養部。其戲曲理論指「詞曲部」和「演習部」。「詞曲部」專述戲曲創作論，「演習部」著重演出藝術，從導演和教習兩個角度探討。其色藝論則見於「聲容部」，其內容分選姿、修容、治服、習技四個項目。其戲曲理論體系傳承王驥德，並開展劇場藝術理論，在戲劇批評史上具有集大成之地位。卷首有余懷作序於一七三一年。另有傳奇《奈何天》等十種，合稱《笠翁十種曲》。此外，有詩文集《一家言》、短篇小說集《十二樓》等。現有《李漁全集》二十冊出版。
清	毛先舒	明末至 康熙間 (1690 前)	字稚黃， 後更名騤， 字馳皇。 浙江錢塘人。	毛先舒爲明諸生，與毛奇齡（一六二三～一七一三）、毛際可齊名，時人語曰：「浙中三毛，東南文豪」。《南曲入聲客問》一卷，以問答體例，從音韻學的角度闡述南曲入聲唱法，共有七題。由於明清曲論家多主北曲無入聲之說，唱曲時分別派入平上去三聲；而南曲則有入聲，故主張用單押之法，使之隨譜變腔，是「腔變音不變」。提供歌者演唱南曲入聲之法頗有助益。
清	徐大椿	1693 | 1711 1700 或| 1778	字靈胎。 號洄溪老人 江蘇吳江人。	徐大椿指出「成樂」包括定律呂、造歌詩、正典禮、辨八音、分宮調、正字音、審口法等七要素。其中宮調、字音、口法三項，爲唱曲者不可不知、不可不學。三者之中又以口法最無定法，最爲千變萬化，也最難傳授。《樂府傳聲》一卷，共三十五章，每章皆有標題，可分「傳聲」與「傳情」兩大體系。以傳情理論爲核心，具體分析斷連、頓挫、高低、輕重、聲響、疾徐演唱技巧之變化。可說是建立了戲曲聲樂論中的「曲情」說。卷首有自序，作於乾隆甲子年。

朝代	作　者	年　代	字、號、籍貫	著　述　說　明
清	黃旛綽	卒於1829以前。乾隆、嘉慶年間人。		《明心鑑》是由黃旛綽戲曲藝人彙其平生所得而成。後由莊肇奎考古證今，更名爲《梨園原》。一八二九年，黃旛綽弟子俞維琛、龔瑞豐出其殘稿，請葉元清修補考證，龔、俞代爲撰述。故《梨園原》，三易其稿，歷時乾、嘉、道三代，是一部綜合黃旛綽及其弟子們的表演心得，以及莊肇奎、葉元清的修補考證之著作。卷首有鄭錫瀛〈梨園原序〉，作於一八一九年。全書以〈藝病十種〉、〈曲白六要〉、〈身段八要〉、〈寶山集八則〉等篇章爲主要內容。〈身段八要〉專述演員的形狀分類及身段動作。〈曲白六要〉提出音韻、句讀（音逗）、文義、典故、五聲、尖圍等六要，關注的是唱念藝術問題。是戲曲理論史上唯一專述表演藝術理論之書，具有開創之地位。
清	鐵橋山人 石坪居士 問津漁者	不詳		《消寒新詠》成書成書於一七九四～一七九五年間。作者有三人：鐵橋山人姓李，石坪居士姓劉，問津漁者姓陳。全書共四卷，內容包括四部分：「正編」，以花、鳥爲喻，品評十八位優伶，每人序文後，皆綴以詩評。其二「紀實」，係就諸伶擅長之戲，加以詩評。其三「雜載」，題詠正編之外的二十多位優伶。其四「集詠」，乃匯集時賢佳作。其中正編部分，借用花、鳥分別比擬優伶之形貌，象喻優伶之聲情，建立色藝論及表演藝術風格論。紀實部分品評演員的表演藝術，體現戲曲形神論的實際批評。

朝代	作　者	年　代	字、號、籍貫	著　述　說　明
清	李　斗	乾隆、嘉慶年間人。	字北有。 號艾塘。 江蘇儀徵人。	《揚州畫舫錄》十八卷，記載十八世紀揚州社會生活狀況。作者居揚州期間，根據見聞，積三十多年時間寫成。其中卷五記錄了揚州的崑劇（雅部）及各地方戲（花部）的演出情況。記錄了梨園腳色體制、班社師承關係，評述許多當時崑劇及花部演員的表演藝術。書序作於一七九五年。另有《歲星記》（一八〇四年自序）、《奇酸記》傳奇。
清	王繼善訂定	不詳		《審音鑒古錄》選錄南戲及明清傳奇名著中的折子戲，是一本舞臺表演的選本。此書選劇六十五折，細言評注，曲則抑揚頓挫，白則緩急高低，容則周旋進退，莫不曲折傳神，展卷畢現。可說是一本記錄身段的「身譜」。卷首有琴隱翁之序作於一八三四年。
清	王德暉 徐沅澂		字曉山， 山西太原人。 字惺宇， 北京人。	徐君於讀書出宰之際，輯成《顧誤》一編，探六律之源，闡九宮之祕，證今稽古，釐正詳明。與友人王君辛亥歲（一八五一年）遇於京邸。王氏出其所著《曲律精華》，與徐氏手稿合爲一書。全書共四十章，各標名目。依其內容大約可分律呂宮調、五音論、南北曲及四聲陰陽唱法及出字收韻、觀聽論、度曲學曲論等六類。最後一類主要歸納度曲學曲的法則，包括〈度曲得失〉、〈度曲十病〉、〈度曲八法〉、〈學曲六戒〉等。以條理方式著述，可以爲歌曲入門之南針。〈度曲八法〉的「叫板、換板、散板、做腔、擻聲」等，是討論腔板和字句演唱的關係，是繼承魏良輔《曲律》腔純板正之說，而有更切於實際演唱的論述。

參考書目

一、專　著

(一)元明清戲曲典籍

元芝　菴　《唱論》　中國戲曲研究院主編　《中國古典戲曲論著集成》第一冊　北京中國戲劇出版社　一九八二年四版

元周德清　《中原音韻》　中國戲曲研究院主編　《中國古典戲曲論著集成》第一冊　北京中國戲劇出版社　一九八二年四版

元夏庭芝　《青樓集》　中國戲曲研究院主編　《中國古典戲曲論著集成》第二冊　北京中國戲劇出版社　一九八二年四版

元鍾嗣成　《錄鬼簿》　中國戲曲研究院主編　《中國古典戲曲論著集成》第二冊　北京中國戲劇出版社　一九八二年四版

元陶宗儀　《南村輟耕錄》　臺北木鐸出版社　民國七一年

明朱　權　《太和正音譜》　中國戲曲研究院主編　《中國古典戲曲論著集成》第三冊　北京中國戲劇出版社　一九八二年四版

明無名氏　《錄鬼簿續編》　中國戲曲研究院主編　《中國古典戲曲論著集成》第二冊　北京中國戲劇出版社　一九八二年四版

明賈仲明　《增補錄鬼簿》　中國戲曲研究院主編　《中國古典戲曲論著集成》第二冊　北京中國戲劇出版社　一九八二

年四版
明李開先　《詞謔》　中國戲曲研究院主編　《中國古典戲曲論著集成》第三冊　北京中國戲劇出版社　一九八二年四版
明魏良輔　《曲律》　中國戲曲研究院主編　《中國古典戲曲論著集成》第五冊　北京中國戲劇出版社　一九八二年四版
明徐　渭　《南詞敘錄》　中國戲曲研究院主編　《中國古典戲曲論著集成》第三冊　北京中國戲劇出版社　一九八二年四版
明胡應麟　《少室山房曲考》　見任中敏編《新曲苑》第一冊　臺灣中華書局　民國五九年
明王驥德　《曲律》　中國戲曲研究院主編　《中國古典戲曲論著集成》第四冊　北京中國戲劇出版社　一九八二年四版
明呂天成　《曲品》　中國戲曲研究院主編　《中國古典戲曲論著集成》第六冊　北京中國戲劇出版社　一九八二年四版
明凌濛初　《譚曲雜劄》　中國戲曲研究院主編　《中國古典戲曲論著集成》第四冊　北京中國戲劇出版社　一九八二年四版
明張　琦　《衡曲麈譚》　中國戲曲研究院主編　《中國古典戲曲論著集成》第四冊　北京中國戲劇出版社　一九八二年四版
明張元長　《梅花草堂曲談》　見任中敏編《新曲苑》第一冊　臺灣中華書局　民國五九年
明沈寵綏　《絃索辨訛》　中國戲曲研究院主編　《中國古典戲曲論著集成》第五冊　北京中國戲劇出版社　一九八二年四版

明沈寵綏　《度曲須知》　中國戲曲研究院主編　《中國古典戲曲論著集成》第五冊　北京中國戲劇出版社　一九八二年四版

清李　漁　《閒情偶寄》　中國戲曲研究院主編　《中國古典戲曲論著集成》第七冊　北京中國戲劇出版社　一九八二年四版

清李　漁　《閒情偶寄》　臺北長安出版社　民國六四年

清毛先舒　《南曲入聲客問》　中國戲曲研究院主編　《中國古典戲曲論著集成》第七冊　北京中國戲劇出版社　一九八二年四版

清徐大椿　《樂府傳聲》　中國戲曲研究院主編　《中國古典戲曲論著集成》第七冊　北京中國戲劇出版社　一九八二年四版

清焦　循　《劇說》　中國戲曲研究院主編　《中國古典戲曲論著集成》第八冊　北京中國戲劇出版社　一九八二年四版

清黃旛綽等　《梨園原》　中國戲曲研究院主編　《中國古典戲曲論著集成》第九冊　北京中國戲劇出版社　一九八二年四版

清鐵橋山人等　《消寒新詠》　北京中國戲曲藝術中心編纂出版　一九八六年

清李　斗　《艾塘曲錄》　見任中敏編《新曲苑》第二冊　臺灣中華書局　民國五九年

清王繼善編　《審音鑒古錄》　道光十四年刊本　見王秋桂先生主編《善本戲曲叢刊》第五輯　臺灣學生書局影印出版　民國七六年

清王德暉、徐沅澂 《顧誤錄》 中國戲曲研究院主編 《中國古典戲曲論著集成》第九冊 北京中國戲劇出版社 一九八二年四版

傅惜華 《古典戲曲聲樂論叢編》 臺北鼎文書局 民國六八年

蔡 毅 《中國古典戲曲序跋彙編》 山東齊魯書社 一九八九年

㈡元明清曲論校注

周貽白 《唱論注釋》 見《戲曲演唱論著輯釋》 北京中國戲劇出版社 一九六二年初版 一九八〇年二版

周貽白 《曲律注釋》 見《戲曲演唱論著輯釋》 北京中國戲劇出版社 一九六二年初版 一九八〇年二版

周貽白 《明心鑑注釋》 見《戲曲演唱論著輯釋》 北京中國戲劇出版社 一九六二年初版 一九八〇年二版

陳 多 《李笠翁曲話注釋》 湖南人民出版社 一九八一年

吳同賓、李光 《樂府傳聲譯注》 北京中國戲劇出版社 一九八二年

趙山林 《安徽明清曲論選》 安徽黃山書社 一九八七年

陳多、葉長海 《中國歷代劇論選注》 湖南文藝出版社 一九八七年

汪效倚 《潘之恒曲話輯注》 北京中國戲劇出版社出版 一九八八年

李復波、熊澄宇 《南詞敘錄注釋》 北京中國戲劇出版社 一九八九年

孫崇濤、徐宏圖 《青樓集箋注》 北京中國戲劇出版社 一九九〇年

王　鋼　《校訂錄鬼簿三種》　河南中州古籍出版社　一九九一年

㈢近代戲曲專論

王季烈　《螾廬曲談》　臺灣商務印書館　民國六十年

王守泰　《崑曲格律》　江蘇人民出版社　一九八二年

王安祈　《明代傳奇之劇場及其藝術》　臺灣學生書局　民國七五年

任中敏　《曲海揚波》　見任中敏編《新曲苑》第四冊　臺灣中華書局　民國五九年

朱昆槐　《崑曲清唱研究》　臺北大安出版社　一九九一年

汪志勇　《明傳奇聯套研究》　國立政治大學中文研究所碩士論文　民國五八年

李肖冰編　《中國戲劇起源》　上海知識出版社　一九九〇年

李春熹　《作爲演出藝術的戲劇》　北京中國戲劇出版社　一九八九年

李惠綿　《王驥德曲論研究》　收入《文史叢刊》之九十　臺灣大學出版　民國八十一年

吳昶和　《清乾隆間劇壇暨劇學研究》　師範大學博士論文　民國七九年

柯秀沇　《元雜劇的劇場藝術》　臺大碩士論文　民國七七年

姜永泰　《戲曲藝術節奏論》　北京文化藝術出版社　一九九〇年

徐扶明　《元代雜劇藝術》　上海文藝出版社　一九八一年

高　宇　《古典戲曲導演學論集》　北京中國戲劇出版社　一九八五年

郭　亮　《戲曲導演學概論》　湖南人民出版社　一九八二年
夏寫時　《中國戲劇批評的產生和發展》　北京中國戲劇出版社　一九八二年
夏寫時　《論中國戲劇批評》　山東齊魯書社　一九八八年
張　敬　《明清傳奇導論》　臺北華正書局　民國七五年再版
張　卉　《戲曲表演知識三講》　北京中國戲劇出版社　一九八七年
陳芳英　《明代劇學研究》　臺灣大學博士論文　民國七二年
許子漢　《元雜劇聯套規律研究——以關目排場爲論述基礎》　臺大碩士論文　民國八二年六月
黃克保　《戲曲表演研究》　北京中國戲劇出版社　一九九二年
黃在敏　《戲曲導演概論》　文化藝術出版社　一九九四年
傅雪漪　《戲曲傳統聲樂藝術》　北京人民音樂出版社　一九八五年
葉長海　《王驥德曲律研究》　北京中國戲劇出版社　一九八三年
葉長海　《中國戲劇學史稿》　上海文藝出版社　一九八六年
齊如山　《國劇藝術彙考》　臺北文藝重光出版社　民國五一年
齊森華　《曲論探勝》　上海華東師範大學　一九八五年
趙景深　《曲論初探》　上海文藝出版社　一九八〇年
蔣星煜編　《十大名伶》　上海古籍出版社　一九九二年
羅錦堂　《現存元人雜劇本事考》　中國文化事業股份有限公司印行　民國四八年
羅麗容　《清代曲論研究》　東吳大學博士論文　民國七三年
藍　凡　《中西戲劇比較論稿》　上海學林出版社　一九九二年

譚帆、陸煒 《中國古典戲劇理論史》 北京中國社會科學出版社 一九九三年

(四)**戲劇史、音樂史**

王國維 《宋元戲曲考》 見《王國維戲曲論文集》 北京中國戲劇出版社 一九八四年

胡 忌 《宋金雜劇考》 上海古典文學出版社 一九五七年

童 斐 《中樂尋源》 臺北學藝出版社 民國六五年

楊蔭瀏 《中國古代音樂史稿》 臺北丹青圖書有限公司排印 民國七四年

北京市藝術研究所、上海藝術研究所編著 《中國京劇史》 北京中國戲劇出版社 一九九〇年

布羅凱特著 胡耀恆譯 《世界戲劇藝術欣賞》 臺北志文出版社 民國七五年再版

(五)**曲譜、音韻、韻書、辭典**

清葉 堂 《納書楹曲譜》 見王秋桂先生主編《善本戲曲叢刊》 第六輯 臺灣學生書局影印出版 民國七六年

王季烈、劉富樑 《集成曲譜》 臺北進學書局影印出版 民國五八年初版

俞振飛輯 《粟廬曲譜》 影印本 一九五三年出版

鄭 騫 《北曲新譜》 臺北藝文印書館 民國六二年

趙元任 《現代吳語的研究》 見清華學校研究院叢書第四種 北京清華學校研究院 民國十七年

袁家驊等著 《漢語方言概要》 北京文字改出版社 一九六〇年

董同龢 《漢語音韻學》 臺北文史哲出版社 民國七十年六版

何大安 《聲韻學中的觀念和方法》 臺北大安出版社 民國七十六年
梁惠陵編 《中原音韻新論》 北京大學出版社 一九九一年
楊振淇 《京劇音韻知識》 北京中國戲劇出版 一九九一年
曹述敬編 《音韻學辭典》 湖南出版社 一九九一年
何為、王琴 《簡明戲曲音樂詞典》 北京中國戲劇出版社 一九九〇年
陳為瑀 《崑劇折子戲初探》 河南中州古籍出版社 一九九一年
中國藝術研究院戲曲研究所資料室編著 《中國戲曲研究書目提要》 北京中國戲劇出版社 一九九二年
張月中編 《中國古代戲劇辭典》 黑龍江人民出版社 一九九三年
丹青藝叢編委會編 《中國音樂詞典》 臺北丹青圖書有限公司 民國七五年

(六)雜劇、傳奇、齣目、曲選

元關漢卿 《單刀會》 見徐沁君《新校元刊雜劇三十種》 北京中華書局 一九八〇年
元關漢卿 《救風塵》 見吳曉鈴編《關漢卿戲曲集》 北京中國戲劇出版 一九五八年 臺北宏業書局影印 民國六一年
元關漢卿 《謝天香》 見吳曉鈴編《關漢卿戲曲集》 北京中國戲劇出版 一九五八年 臺北宏業書局影印 民國六一年
元馬致遠 《陳摶高臥》 見臧懋循《元曲選》第二冊 北京中華書局 一九八九年四版
元宮大用 《七里灘》 見隋樹森編《元曲選外編》第二冊 北

京中華書局　一九五九年初版　一九八七四版
元無名氏　《藍采和》　見隋樹森編《元曲選》外編第三冊　北京中華書局　一九五九年初版　一九八七年四版
明高　明　《琵琶記》　見毛晉編《六十種曲》第一冊　臺灣開明書店　民國五九年
明朱　權　《荊釵記》　見毛晉編《六十種曲》第一冊　臺灣開明書店　民國五九年
明梁辰魚　《浣紗記》　見毛晉編《六十種曲》第一冊　臺灣開明書店　民國五九年
明湯顯祖　《牡丹亭》　見《湯顯祖戲曲集》上冊　上海古籍出版社　一九七八年
明湯顯祖　《紫釵記·折柳》　見王季烈、劉富樑《集成曲譜》振集　臺北進學書局　民國五八年影印初版
明湯顯祖　《紫釵記·陽關》　見王季烈、劉富樑《集成曲譜》振集　臺北進學書局　民國五八年影印初版
明陸　采　《明珠記》　見毛晉編《六十種曲》第三冊　臺灣開明書店　民國五九年
明王世貞　《鳴鳳記》　見毛晉編《六十種曲》第二冊　臺灣開明書店　民國五九年
明王世貞　《鳴鳳記·吃茶》　見《審音鑒古錄》下冊　收入王秋桂先生主編《善本戲曲叢刊》第五輯　臺灣學生書局影印出版　民國七六年
明吳世美　《驚鴻記·吟詩》　見王季烈、劉富樑《集成曲譜》振集　臺北進學書局　民國五八年影印初版
明高　濂　《玉簪記·秋江》　見殷溎深《六也曲譜》亨集　臺

灣中華書局　民國六六年
明吳　炳　《療妒羹·題曲》　見王季烈、劉富樑《集成曲譜》振集　臺北進學書局　民國五八年影印初版
明馮夢龍　《太霞新奏》　福建海峽出版社　一九八六年
清洪　昇　《長生殿·埋玉》　見王季烈、劉富樑《集成曲譜》振集　臺北進學書局　民國五八年影印初版
王季思主編　《重訂增注中國十大古典悲劇集》　山東齊魯書社　一九九一年
錢南揚校注　《永樂大典戲文三種》　臺北華正書局排印　民國七四年
錢南揚校注　《元本琵琶記》　上海古籍出版社　一九八〇年
曾永義注　《中國古典戲劇選注》　臺北國家出版社　民國七二年
許金榜注　《陽春白雪》　河南中州古籍出版社　一九九一年

㈦其　它

漢劉　安　《淮南子》　見《新編諸子集成》第七冊　臺北世界書局　民國六七年
宋蘇　軾　《蘇東坡全集》　臺北世界書局　民國五八年
元胡祗遹　《紫山大全集》　見《四庫全書》珍本四集　臺灣商務印書館　民國六二年
明湯顯祖　《湯顯祖詩文集》　上海古籍出版社　一九八二年
明張　岱　《陶庵夢憶》　臺北漢京文化事有限公司　民國七三年
明談　遷　《北游錄》　見《國榷》　臺北鼎文書局　民國六七年
清侯方域　《壯悔堂文集》　見《國學基本叢書》四百種第一八八冊之一　臺灣商務印書館　民國五七年
清王先謙　《荀子集解》　臺北華正書局　民國七一年

任中敏 〈作詞十法疏證〉 見《散曲叢刊》第四冊 臺灣中華書局出版 民國七三年

范文瀾 《文心雕龍注》 臺灣開明書局 民國五六年 五版

余嘉錫 《世說新語箋疏》 臺北仁愛書局 民國七三年

敏 澤 《中國美學思想史》 山東齊魯書社 一九八九年

葉 朗 《中國美學史大綱》 臺北滄浪出版社排印本 民國七五年

楊大年編 《中國歷代畫論采英》 河南人民出版社 一九八四年

王叔岷 《莊子校詮》 中央研究院歷史語言研究所發行 民國七七年

徐志銳 《周易大傳新注》 山東齊魯書社 一九八六年

陳修武 《人性的批判——荀子》 臺北時報文化出版事業公司 民國七十年

二、單篇論著

王國維 〈古劇腳色考〉 見《王國維戲曲論文集》 北京中國戲劇出版社 一九八四年

朱文湘 〈戲曲行當與角色創造〉 見《中國戲曲藝術教程》 江蘇人民出版社 一九九一年

汪效倚 〈潘之恒生卒考〉 《戲曲研究》第九輯 一九八三年

汪效倚 〈潘之恆戲曲評論初探〉 見中國藝術研究院首屆研究生《碩士學位論文集·戲曲卷》 北京文化藝術出版 一九八五年

余上沅 〈表情的工具和方法〉 見《余上沅戲劇論文集》 湖

南長江文藝出版社 一九八六年
李春祥 〈略談元雜劇中的舞蹈〉 《曲苑》第一輯 江蘇古籍出版社 一九八六年
李惠綿 〈務頭論之源變〉 《中外文學》第十六卷第一期 民國七六年六月
李惠綿 〈論關漢卿雜劇中的改扮人物〉 《中外文學》第十九卷第六期 民國七九年六月
吳華聞 〈究其身而正其法——析手眼身法步的法〉《戲曲藝術》 一九八七年第四期
吳曉鈴 〈青樓集撰人姓名考辨〉 《河北師院學報》 一九八八年第三期
周妙中 〈歷代曲家年里字號室名綜表〉《曲苑》第一輯 江蘇古籍出版社 一九八四年
周貽白 〈各地方戲劇的發展〉 《民俗曲藝》 七十三年三月第五期
周雲谷 〈中國戲劇的形成和發展〉 見《文史集林》第七輯臺北木鐸 民國七二年
周育德 〈宜黃戲神辨踪〉 見《湯顯組論稿》 北京文化藝術出版社 一九九一年
金登才 〈湯顯祖的戲劇美學思想〉 《戲劇》 一九九二年第三期
洛 地 〈一正衆外，一角衆腳——元雜劇非腳色制論〉 《戲劇藝術》 一九八四年第三期
林鶴宜 〈臺灣地區「中國古典戲曲研究」博、碩士學位論文寫作概況（民國四十五～八十二）〉 《國文天地》第九卷

第五、六期　民國八十二年十、十一月
姚　放　〈浪漫主義戲劇美學的崛起——湯顯祖的戲劇美學思想〉《揚州師院學報》　一九九一年第四期
柯慶明　〈試論漢詩、唐詩、宋詩的美感特質〉　見《文學與美學》第三集　臺北文史哲出板社　民國八一年
洪惟助　〈吳梅務頭之說商榷——並論評明清以來曲學者對務頭之解說〉　見《中山大學清代文學研討會論文集》　臺北中山大學中文系出版　民國七八年
郭　亮　〈早期南戲表演探源——張協狀元剖析〉　《戲劇藝術》一九八二年第四期
郭　亮　〈戲曲演員的舞臺適應——戲曲演員分工與形象構思〉《戲劇藝術》　一九八一年第四期
郭　亮　〈風塵珠玉，永駐光輝——讀青樓集小記〉　《戲劇論叢》　一九八一年第一期
郭　亮　〈早期南戲表演探源——張協狀元剖析〉《戲劇藝術》一九八二年第四期
夏寫時　〈論中國演劇觀的形成〉　見《論中國戲劇批評》　山東齊魯書社　一九八八年
夏寫時　〈中國戲劇批評的產生和發展〉　《戲劇藝術》　一九七九年第二期、一九八〇年第一期
夏長樸　〈尋孔顏樂處〉　見《王叔岷先生八十壽慶論文集》臺北大安出版社　一九九三年
徐朔方　〈讀湯顯祖宜黃縣戲神清源師廟記〉　《戲曲研究》第一八輯　一九八六年
孫松林　〈戲曲演員必須具備良好的、協調的歌（演）唱狀態〉

《戲曲藝術》　一九九三年第一期

孫崇濤　〈梨園原表演理論述評〉　《戲曲藝術》　一九八六年第四期

高　宇　〈古典戲曲導演的方法論——李漁的演習部及其他〉　見《古典戲曲導演學論集》　北京中國戲劇出版社出版　一九八五年

高　宇　〈戲曲導演學的拓荒人湯顯祖〉　見《古典戲曲導演學論集》　北京中國戲劇出版社出版　一九八五年

高　宇　〈潘之恒論導演和演員的藝術〉　見《古典戲曲導演學論集》　北京中國戲劇出版社出版　一九八五年

海　震　〈明清戲曲演唱理論的發展軌迹——三部戲曲演唱論著舉要〉　《戲曲藝術》　一九九三年第一期

袁震宇　〈明代戲曲表演論舉要〉　見復旦大學中國語言文學研究所編《中國語言文學研究的現代思考》　復旦大學出版社　一九九一年

張　敬　〈我國文字應用中的諧趣——文字遊戲與遊戲文字〉　見《清徽學術論文集》　臺北華正書局　民國八十二年

張　敬　〈曲詞中俳優體例證之探索〉　見《清徽學術論文集》　臺北華正書局　民國八十二年

張　庚　〈中國戲曲形成的過程〉　見《文史集林》第七輯　臺北木鐸　民國七二年

陳古虞　〈談手眼身法步〉　《戲劇藝術》　一九八五年第二期

陳古虞　〈場上歌舞局外指點——淺談戲曲表演的藝術規律〉　《戲劇藝術》　一九七八年第四期

許金榜　〈元雜劇的科諢滑稽〉　《曲苑》第二輯　江蘇古籍出

版社　一九八六年
陸　林　〈元人戲曲表演論初探〉　《戲曲藝術》一九八七年第三、四期
陸　林　〈鍾嗣成戲曲文學創作論新探〉　《戲曲研究》第二十六輯
曹澂明、周文康　〈魏良輔生平蠡測〉見《曲苑》第二輯　江蘇古籍出版社　一九八六年
曾永義　〈中國古典戲劇的形式和類別〉見《中國古典戲劇論集》　臺北聯經書局　民國六四年初版
曾永義　〈太和正音譜的作者問題〉　見《說戲曲》　臺北聯經書局　民國六五年
曾永義　〈男扮女妝與女扮男妝〉　見《說戲曲》　臺北聯經書局　民國六五年
曾永義　〈太和正音譜的曲論〉　見《說戲曲》　臺北聯經書局　民國六五年
曾永義　〈王驥德曲學述評〉　見《說戲曲》　臺北聯經書局　民國六五年
曾永義　〈元人雜劇的搬演〉　見《說俗文學》　臺北聯經書局　民國六九年
曾永義　〈中國古典戲劇腳色概說〉　見《說俗文學》　臺北聯經書局　民國六九年
曾永義　〈北曲格式變化的因素〉　見《說俗文學》　臺北聯經書局　民國六九年
曾永義　〈曲學淺說〉　見《說俗文學》　臺北聯經書局　民國六九年

曾永義 〈前賢腳色論述評〉 見《說俗文學》 臺北聯經書局 民國六九年
曾永義 〈中國古典戲劇的形成〉 見《詩歌與戲曲》 臺北聯經書局 民國七七年
曾永義 〈中國地方戲曲形成與發展的徑路〉 見《詩歌與戲曲》 臺北聯經書局 民國七七年
曾永義 〈中國詩歌中的語言旋律〉 見《詩歌與戲曲》 臺北聯經書局 民國七十七年
曾永義 〈說排場〉 見《詩歌與戲曲》 臺北聯經書局 民國七七年
曾永義 〈參軍戲及其演化之探討〉 見《參軍戲與元雜劇》 臺北聯經書局 民國八一年
曾永義 〈元雜劇體製規律的淵源與形成〉 見《參軍戲與元雜劇》 臺北聯經書局 民國八一年
曾永義 〈國劇的過去、現在與未來〉 見《參軍戲與元雜劇》 臺北聯經書局 民國八一年
程硯秋 〈戲曲表演藝術的基礎——四功五法〉 《戲曲研究》 一九五八年第一期
傅惜華 〈古典戲曲聲樂論著解題〉 見《古典戲曲聲樂論著叢編·附錄》 臺北鼎文書局 民國六八年
曹澂明、周文康 〈魏良輔生平蠡測〉 見《曲苑》第二輯 江蘇古籍出版社 一九八六年
賈志剛 〈潘之恆文藝觀及表演理論探索〉 《戲曲研究》第三十一輯 一九八九年
賈　方 〈舞臺語言發聲訓練中的兩個問題〉 《戲劇藝術》

一九八五年第四期
葉　濤　〈表演藝術九美說新解〉　《戲劇藝術》　一九八七年第三期
齊森華　〈鸞嘯小品鉤沉〉　見《曲論探勝》　上海華東師範大學　一九八五年
蔡鍾翔　〈表演論〉　見《中國古典劇論概要·附錄》　北京中國人民大學出版社　一九八八年
蔡美彪　〈關於關漢卿的生平〉　見梁沛錦編著《關漢卿研究論文集成》　香港滘文堂　一九六九年
蔣星煜　〈晚明戲劇家彭天錫之生平及其表演藝術〉　文載《戲劇藝術》　一九八六年第四期
謝柏梁　〈近年來四部古代曲論專著略評〉　見《古代文學理論研究叢刊》第十四輯　上海古籍出版社　一九八九年
謝柏梁　〈王驥德及其影響下的晚明劇論〉　《中山大學學報》　一九八九年第二期
矯元本　〈以形傳神，以神爲主——戲曲表演本質特徵淺探〉　《齊魯藝苑》　一九八四年第三期
龔和德　〈明清崑曲的舞臺美術〉　《戲曲研究》第一輯　一九八〇年

三、錄影帶

《單刀會·刀會》　程偉兵／關羽　陶偉明／魯肅
《西廂記·遊殿》　成志雄／法聰　周志剛／張生
《琵琶記·吃糠》　張靜嫻／趙五娘　計鎭華／蔡父　周陸鱗／蔡母　臺北國立中正文化中心　八二年六月二五日

《琵琶記·遺囑》　張靜嫻／趙五娘　計鎮華／蔡父　臺北國立中正文化中心　八二年六月二五日

《寶劍記·夜奔》　侯少奎／林沖　臺北國立中正文化中心　八二年六月二五日

《鳴鳳記·寫本》　張世錚／楊繼盛　龔世葵／張氏

《鳴鳳記·吃茶》　張世錚／楊繼盛　王世瑤／趙文華

《牡丹亭》　華文漪／杜麗娘　高蕙蘭／柳夢梅　臺北國立中正文化中心　八一年十月四日

▲《牡丹亭·學堂》　徐露／春香

▲《牡丹亭·遊園》　徐露／杜麗娘

▲《牡丹亭·驚夢》　徐露／杜麗娘　高蕙蘭／柳夢梅

《牡丹亭·尋夢》　梁谷音／杜麗娘　臺北國立中正文化中心　八二年六月二五日

《牡丹亭·叫畫》　沈傳芷／柳夢梅

《紫釵記·折柳》　王奉梅／霍小玉　陶鐵斧／李益

《紫釵記·陽關》　王奉梅／霍小玉　陶鐵斧／李益

《鮫綃記·寫狀》　王世瑤／賈主文　張世錚／劉君玉

《玉簪記·秋江》　岳美緹／潘必正　張靜嫻／陳妙常

《荊釵記·上路》　計鎮華／錢流行　成志雄／姚氏　顧兆琳／李成

《孽海記·思凡》　梁谷音／色空

《孽海記·下山》　梁谷音／色空　劉異龍／本無

《療妒羹·題曲》　王奉梅／喬小青

▲《新蝴蝶夢》　計鎮華／莊周、楚王孫　梁谷音／田氏、孝婦

▲《水滸記·活捉》　梁谷音／閻姣　劉異嶺／張文遠

《爛柯山·癡夢》　梁谷音／崔氏　計鎮華／朱買臣　國軍文藝活動中心　八一年十月三一日

▲《爛柯山·癡夢》　張繼青／崔氏

《長生殿》　張靜嫻／楊玉環　蔡正仁／唐明皇　臺北國父紀念館　八一年十月三十日

《長生殿·驚變》　王英姿／楊玉環　蔡正仁／唐明皇

註：一、「近代戲曲論著」及「單篇論著」依姓氏筆劃順序排列。

二、「錄影帶」部分，主要根據行政院文化建設委員會策劃監製、中華民俗藝術基金會，赴大陸地區製作之二十九劇六十三齣崑劇經典名作；凡注明公演之地點和年月日，係個人親往觀賞，借以補錄影帶之不足者；凡注明▲者，係作者所收購。